Jayne Amelia Larson

Woziłam ARABSKIE KSIĘŻNICZKI

Opowieść szoferki o najbogatszych księżniczkach świata (oraz ich służących, nianiach i jednym królewskim fryzjerze)

tłumaczenie
Dorota Malina

Kraków 2014

Tytuł oryginału
Driving the Saudis. A Chauffeur's tale of the world's richest princesses (plus their servants, nannies, and one royal hairdresser)

Projekt okładki
Magda Kuc

Fotografia na pierwszej stronie okładki
Copyright © Hill Street Studios/Blend Images/Corbis

Opieka redakcyjna
Julita Cisowska
Aleksandra Kamińska
Ewa Polańska

Adiustacja
Elżbieta Kot

Opracowanie tekstu i przygotowanie do druku
Pracownia 12A

ISBN 978-83-240-2511-4

Książki z dobrej strony: www.znak.com.pl
Społeczny Instytut Wydawniczy Znak, 30-105 Kraków, ul. Kościuszki 37
Dział sprzedaży: tel. 12 61 99 569, e-mail: czytelnicy@znak.com.pl
Wydanie I, Kraków 2014
Druk: Drukarnia Colonel, Kraków

Chrisowi:
gdziekolwiek jesteś, mam nadzieję, że jesteś szczęśliwy

Dlatego – wysapał Merlin – że nie ma lepszego lekarstwa na smutki niż nauczyć się czegoś nowego. To niezawodny środek. Starzejemy się i ciało nas zawodzi. Nocą nie możemy spać i wsłuchujemy się w rytm własnej krwi. Tęsknimy za ukochaną, która odeszła. Patrzymy, jak nasz świat rozpada się pod ciosami tyranów i szaleńców. Opłakujemy własny honor, zepchnięty do rynsztoka przez nędzne umysły. I na to wszystko jest tylko jedna rada: uczyć się. Uczyć się, dlaczego świat się kręci i co wprawia go w ruch. Wiedza, to jedyna dziedzina, której nasz umysł nigdy nie wyczerpie, wobec której nigdy nie poczuje się obcy, przez którą nigdy nie będzie torturowany, której się nie ulęknie i nie przestanie ufać, której ani przez chwilę nie będzie żałował. Oto czego ci trzeba: wiedzy. Pomyśl, jak wiele jeszcze możesz się nauczyć.

T.H. White, *Był sobie raz na zawsze król* (tłum. J. Kozak)

{ ROZDZIAŁ 1 }

PASAŻER ZA 100 MILIONÓW DOLARÓW

Kierowców wysłano po rodzinę i jej świtę w środku nocy. Na miejscu nie było żywej duszy. Międzynarodowy Port Lotniczy Los Angeles był cichy, praktycznie opuszczony. Byłam na tym lotnisku już dziesiątki razy, ale jeszcze nigdy nie wyglądało ono w ten sposób. Atmosfera napawała strachem. Nawet światła wydawały się jakieś inne, jakby ktoś zamroził blask zewnętrznych lamp, a potem go przyciemnił, tworząc złowieszczą pomarańczową poświatę.

Wokół panował spokój, ale ja nie byłam spokojna. Pracowałam na pełnych obrotach, niczym ferrari tuż przed rozpoczęciem wyścigu. Czułam się tak, jakbym znalazła się na planie filmowym, gdzie za sto milionów dolarów kręcony jest międzynarodowy thriller. Tak samo jak przy filmowych produkcjach dostaliśmy tylko szczątkowe wytyczne, więc nikt nic nie wiedział, a wszystko i tak ciągle się zmieniało. Panowało milczenie, jakby ktoś krzyknął: „Cisza na planie!". Ale to nie był film. Wszystko działo się naprawdę.

Szef ochrony powiedział, że saudyjska rodzina królewska chciała wylądować po cichu i dyskretnie. Tymczasem na lotnisko przyjechało po nią co najmniej czterdzieści samochodów, a wśród nich SUV-y Lincoln Navigator, cadillaki Escalade, porsche Cayenne, kuloodporne mercedesy S600 (pokaźne bryki), a nawet kilka bentleyów za trzysta tysięcy dolarów. Wszystkie auta były czarne i miały przyciemniane szyby. Długi konwój sunął przez lotnisko w kształcie podkowy jak ciemny wąż wijący się dumnie po swoich włościach. Nigdy wcześniej nie jechałam w tak długiej karawanie samochodów – okazało się, że to niezwykle forsowne. Było z nami kilka wozów policyjnych, ale z wyłączonymi kogutami. Mimo to daleko nam było do dyskrecji – bliżej raczej do ostentacji.

Główny szofer Fausto pokazał nam, że mamy zaparkować wzdłuż krawężnika, włączyć migacze i czekać. Mieliśmy otwarte okna i widziałam, że większość kierowców jest tak samo zdenerwowana jak ja, wszystkie czoła były zroszone potem. Rozglądaliśmy się nerwowo na prawo i lewo, próbując zrozumieć panujący wokół nas chaos. Od czasu do czasu kierowcy wycierali spocone twarze albo poprawiali sobie kołnierze.

Powiedziano nam, że konsul Arabii Saudyjskiej i reszta korpusu dyplomatycznego czekają, żeby pomóc gościom szybko przejść przez odprawę celną. Ponieważ nikt nam niczego nie wyjaśnił, nie mieliśmy pojęcia, kto jest kim. Podejrzewałam, że mężczyźni w idealnie odprasowanych garniturach, którzy cicho między sobą rozmawiali, stojąc tuż przed konwojem, niedaleko wejścia do Międzynarodowego

Terminalu imienia Toma Bradleya, są pracownikami konsulatu. Z budynku najpierw wyszedł korpus umundurowanych saudyjskich wojskowych z marsowymi minami, którzy zaczęli uzgadniać coś z delegacją konsularną, mającą powitać gości. W pobliżu krążyło kilku ubranych po cywilnemu osiłków, którzy od czasu do czasu odchodzili na chwilę od rozmawiających i wrzeszczeli coś do krótkofalówek.

Przyglądając się długiemu sznurowi SUV-ów i innych luksusowych samochodów, zdałam sobie sprawę, że wśród niezliczonych kierowców w czarnych garniturach i uzbrojonych wojskowych ochraniających rodzinę królewską jestem jedyną kobietą.

Pracę zaczęliśmy w południe. Najpierw kilka godzin czekaliśmy na dostarczenie samochodów z kilku rozsianych po Beverly Hills wypożyczalni. Potem upewniliśmy się, że są w idealnym stanie, sprawdzając każdy szczegół, tak w środku, jak i na zewnątrz. Następnie zaopatrzyliśmy auta w zapas wody – oczywiście fidżyjskiej – oraz wybór przekąsek i frykasów, których Saudyjczycy mogą sobie zażyczyć. Niektórzy z nas wcześniej dostali listy produktów, które muszą kupić specjalnie dla przydzielonego im członka rodziny królewskiej. Były na nich na przykład mentosy czy krakersy Ritz. Wszyscy zaopatrzyliśmy się natomiast w miętówki i chusteczki higieniczne.

Większość szoferów pracowała bez przerwy cały dzień – przygotowywaliśmy samochody i jeździliśmy z różnymi sprawunkami dla ochroniarzy. Nie zanosiło się, żebyśmy w najbliższym czasie mieli przerwę na posiłek, a było już bardzo późno. Od rana nic nie jadłam, a stres sprawił, że nieustannie zasychało mi w gardle. Zaopatrzyłam się w obowiązkową ekskluzywną wodę, tak że przy każdym siedzeniu znajdowała się półlitrowa butelka. W kieszeniach za fotelami, razem z nowymi numerami czasopism „LA Confidential", „90210" i „Angeleno", było jeszcze kilka dodatkowych. Kiedy zobaczyłam, że kierowcy w większości powysiadali z samochodów i rozmawiają przez komórki, wkładają sobie koszule do spodni i zapalają papierosy, wyjęłam z bagażnika jedną z zapasowych butelek i upiłam kilka łyków luksusowego napoju. Był gorący, bo cały dzień przeleżał w aucie. Równie dobrze mogła to być butelkowana woda z przepływającej przez Los Angeles rzeki. Postanowiłam, że w przyszłości będę wozić w bagażniku torbę lodówkę, co podpatrzyłam u innych kierowców.

Żołądek skręcało mi z głodu, więc napiłam się jeszcze trochę wody i zjadłam kilka miętówek.

Nigdy wcześniej nie spotkałam żadnego członka rodziny królewskiej, więc byłam ciekawa, jacy oni są i czy rzeczywiście tak bardzo się ode mnie różnią. Są mądrzejsi? Ładniejsi? Szczęśliwsi? Polubią mnie?

Lipcowy wieczór był wyjątkowo upalny, a my czekaliśmy na Saudyjczyków już dobrych kilka godzin. Czułam się zgrzana i lepka od potu. Tak bardzo mi zależało, żeby zrobić na rodzinie królewskiej dobre wrażenie, a teraz wyglądało na to, że wszystko stracone. Kiedy wyczułam cierpką woń mokrej wełny, którą przesiąknięta była moja marynarka, stało się jasne, że woda toaletowa, którą skropiłam się rano, ulotniła się, i to już dawno. Wiele godzin temu zjadłam też całą szminkę, moje stopy były czerwone i obolałe po całym dniu w butach ze składanymi obcasami kupionych specjalnie do nowej pracy, a jedwabna podszewka mojego czarnego kostiumu była zupełnie jak mokry strój kąpielowy. Pokręciłam się trochę i rozciągnęłam nogi. Wyglądałam pewnie jak wąż, który próbuje zrzucić starą skórę. Od czasu do czasu zsuwałam lekko marynarkę, żeby wpuścić trochę powietrza między ciało a podszewkę. Modliłam się, żeby nikt tego nie zauważył.

Szoferom powiedziano, że na lotnisko muszą się stawić w czarnych garniturach, ale później będą mogli nosić mniej oficjalne ubrania. Mnie przestrzegano, żebym zawsze miała zasłonięte ręce i nogi i nigdy nie wkładała bluzek ze zbyt dużym dekoltem, ale mężczyznom pozwalano ubierać się dużo swobodniej – mogli przychodzić do pracy w koszulkach polo i krótkich spodenkach. Nie musiałam natomiast przykrywać włosów. Ucieszyła mnie ta wiadomość, bo mam bujne ciemnoblond loki, których ujarzmianie przypomina sport ekstremalny, zwłaszcza w czasie upalnego kalifornijskiego lata, kiedy są wyjątkowo niesforne. Zdarzało się, że zaplątywały się w nie palce u rąk, u nóg czy kilka korków od szampana. Próby rozczesania ich po całonocnej imprezie wiążą się z realnym ryzykiem zerwania mięśni barku.

Prywatny samolot rodziny królewskiej właściwie chwilę wcześniej wylądował już na tak zwanym FBO niespełna kilometr na południe od portu lotniczego Los Angeles. W żargonie lotniczym FBO (z ang. fixed-base operator) oznacza prywatne lądowisko. Jeśli jest się Oprah w jej gulfstreamie G500 z ośmioma miejscami, można wylądować na jednym z FBO należących do malutkiego prywatnego lotniska Santa Monica piętnaście kilometrów dalej. Jeżeli jest się Johnem

Travoltą podróżującym własnym boeingiem 707, głową państwa lub członkiem saudyjskiej rodziny królewskiej, wtedy trzeba wylądować na FBO takim jak te niedaleko lotniska Los Angeles, wyposażonym w trzy- lub pięciokilometrowe pasy niezbędne do obsługi wielkich jetów. Samoloty te potrzebują długiego rozbiegu przed startem i jeszcze dłuższej drogi do lądowania.

Już kilka razy, przy poprzednich zleceniach, byłam w wybitej pluszem poczekalni tego FBO, gdzie czekałam na swoich klientów. Był to salon pierwszej klasy oferujący podróżnym wielkie, jeszcze ciepłe ciasteczka z czekoladą, chłodne napoje i świeże jonizowane powietrze. Tym razem mogliśmy tylko o tym pomarzyć. Najwyraźniej nikomu nie zależało, żeby było nam wygodnie.

Wszyscy kierowcy czekali na ściśle strzeżonym parkingu w stojących w równym rzędzie samochodach i przez pięciometrowy płot z siatki i drutu kolczastego przyglądali się lądowaniu samolotu saudyjskiej rodziny królewskiej. Ogon maszyny zdobiło charakterystyczne złoto-niebieskie logo – skrzyżowane szable, a nad nimi palma daktylowa – znak Saudi Arabian Airlines należących do Królestwa Arabii Saudyjskiej. Kiedy tylko silniki jeta zgasły, pod samolot podjechało kilka luksusowych autokarów, które stanęły tuż przy podstawionych schodach. Wychodzący pasażerowie wsiedli do nich, a następnie przejechali przez płytę lądowiska w kierunku oddalonego o dwa i pół kilometra na północny zachód Międzynarodowego Terminalu imienia Toma Bradleya.

My, szoferzy, zaczęliśmy zdezorientowani rozglądać się za Faustem, żeby powiedział nam, co się dzieje, ale on odjechał razem z gośćmi pierwszym autokarem. Nie wiedzieliśmy, czy mamy czekać, czy jechać za nimi przez miasto do terminalu Bradleya. Myśleliśmy, że zabierzemy Saudyjczyków do hotelu prosto z FBO, a tymczasem oni wsiedli do autobusów zamiast do naszych limuzyn. Nikt nie przedstawił wcześniej takiego scenariusza. Nie mieliśmy pojęcia, co robić.

Po kilku nerwowych chwilach jeden z ochroniarzy rodziny królewskiej zaczął wrzeszczeć, że mamy ruszać. Wskoczyliśmy do samochodów i zaczął się wyścig o to, kto pierwszy wydostanie się z parkingu, chociaż nie wiedzieliśmy, dokąd mamy jechać. Właśnie opuszczaliśmy strzeżony parking, kiedy inny członek królewskiej obstawy zatrzymał nas, wołając:

– Nie! Czekajcie! Zostańcie w autach! Tylko się przygotujcie!

A zatem czekaliśmy z włączonymi silnikami. Kilka samochodów, które już wyjechały, trzeba było wezwać i zawrócić. Wszyscy byli podenerwowani.

Dziesięć minut później znów kazano nam wyjeżdżać i po raz kolejny zostaliśmy w ostatniej chwili zatrzymani. Teraz już zupełnie nie wiedzieliśmy, co się dzieje. Mieliśmy zapewniać profesjonalną i sprawną obsługę, ale ten odbiór gości z lotniska był zupełnie chaotyczny – totalny bajzel. Obgryzłam skórkę na kciuku do krwi, a potem siedziałam na rękach, żeby położyć kres jatce. Nie maltretowałam zadziorów, odkąd skończyłam dziewięć lat, i nie chciałam wracać do starego nawyku.

Pochodzę z licznej rodziny – dziesięcioro dzieci, piętnaścioro wnuków plus kilku w drodze, dwoje prawnuków oraz statystyczna możliwość jeszcze przynajmniej dziesiątki – więc chaos nie jest mi obcy. W Święto Dziękczynienia nasz dom przypomina wariatkowo, Boże Narodzenie jest jak piekło, śluby są jedną wielką grandą, a pogrzeby z reguły kończą się awanturą, zwłaszcza jeśli żałobnicy pokłócą się, gdzie rozsypać skremowane prochy. Dorastałam przy akompaniamencie kakofonii krzykliwych głosów, które nieustannie się czegoś domagały, komenderowały mną i się między sobą spierały – zawsze bardzo głośno, nieodmiennie w pośpiechu, nierzadko w środku nocy albo przez całą noc. Jeden z moich braci, kiedy miał szesnaście lat, własnoręcznie wybudował w swoim pokoju pięciometrowy kajak, i zorientowawszy się, że nie przejdzie przed drzwi, zerwał framugi i wypchnął go przez okno. Potem miał na tyle odwagi, żeby zabrać kajak na rzekę Raritan w New Jersey. Zatem mój związek z chaosem jest długi i intymny. Mimo wszystko sytuacja na lotnisku wyprowadziła mnie z równowagi.

W końcu postanowiłam zgasić silnik i zadzwoniłam do znajomego szofera Samiego. Siedział przede mną w jednym z lincolnów.

– Co się dzieje? – zapytałam.

– Przechodzą odprawę celną w terminalu Bradleya – wyjaśnił. – To nigdy nie trwa długo.

– Żartujesz? Z reguły czeka się tam godzinami – zaprotestowałam.

– Nie oni, *chica* – odparł.

Właśnie wtedy z FBO wybiegł jakiś ochroniarz, gorączkowo machając rękami jak naćpany sygnalista semaforowy.

– Jedźcie! Do terminalu Bradleya! Natychmiast! – wrzeszczał.

Po chwili wahania wszyscy odpaliliśmy samochody i w te pędy ruszyliśmy na lotnisko Los Angeles.

ROZDZIAŁ 2

JAK ZOSTAŁAM SZOFEREM?

Ludzie często pytają mnie, jak to się stało, że zostałam szoferem, a ja nigdy nie wiem, co odpowiedzieć. To nie był zawód, który wymarzyłam sobie w dzieciństwie – nie spędzałam długich godzin na wyobrażaniu sobie, że siedzę za kierownicą dużego samochodu.

Jak wszyscy w Hollywood parałam się wieloma zajęciami – byłam aktorką teatralną i filmową, robiłam też dubbingi, pisałam scenariusze, byłam dyrektorem do spraw scenopisu w wytwórni filmowej i próbowałam działać jako niezależny producent. Wszyscy mnie przestrzegali przed pracą w przemyśle rozrywkowym – jest ryzykowna, niepewna, niestała. Mnie jednak nie zniechęcały potencjalne minusy.

Kiedy byłam mała, widziałam moją starszą siostrę w przedstawieniu wystawianym przez jej żeńskie liceum. Grała w nim mężczyznę. Chociaż miała krągłości i była bardzo kobieca, odpowiedni kostium, makijaż i poza sprawiły, że na moich oczach zamieniła się w przystojnego faceta. Początkowo nawet jej nie rozpoznałam. Mówiła z egzotycznym akcentem, a jej gesty nie wyglądały znajomo. Poza tym miała talent. Owszem, widziałam, że pod prążkowanym garniturem i zaczesanymi do tyłu włosami kryje się kobieta, ale moja siostra niezwykle umiejętnie i przejmująco przedstawiła emocje młodego mężczyzny. Równocześnie była i nie była sobą. Przeżyłam szok.

– To chcę robić! – powiedziałam sobie. – Chcę się nieustannie przeobrażać, na różne sposoby. Właśnie tym chcę się zajmować! Wbrew wszelkim ostrzeżeniom sądziłam, że odniosę sukces jako aktorka, że mogę być wyjątkiem od reguły. Byłam zdeterminowana, żeby za wszelką cenę zrealizować swoje marzenie – jeśli tylko dostanę szansę. Oczywiście wtedy jeszcze nie wiedziałam, co to może za sobą pociągać.

Jedna z moich sióstr jest malarką tak zaabsorbowaną swoją pracą, że pewnego popołudnia wypaliła dziurę w swoim sztucznym futrze od Jeana Paula Gaultiera, bo za długo kontemplowała swój obraz, stojąc przy grzejniku, żeby się ogrzać. Była zbyt pochłonięta analizą, by zauważyć, że jej zapał stał się trochę zbyt dosłowny. Przyglądałam się jej, bo wiedziałam, że ma zadatki na wielką malarkę.

Od początku powtarzała mi, że prawdziwy artysta powinien mieć wszechstronne i różnorodne wykształcenie, więc lata studenckie spędziłam na północy stanu Nowy Jork, gdzie nawiązałam przyjaźnie ze zdolnymi jednostkami z przerostem ambicji, które przygotowywały się do zawodu fizyka, inżyniera czy architekta, podczas gdy ja zdecydowałam się na swobodniejszy i dużo szerzej zakrojony program. Przebrnęłam przez neorealizm we włoskim kinie, akustykę fizyczną, buddyzm mahajana i inne kluczowe dyscypliny. Przez pierwsze dwa lata studiów nie miałam ani jednych zajęć przed południem, bo długie noce wypełniało mi dążenie do rozwoju twórczego i duchowego poprzez interakcje społeczne. Nauczyłam się myśleć krytycznie i po raz pierwszy usłyszałam słowo „inteligencja" w znaczeniu grupy ludzi zaangażowanych w zdobywanie wiedzy. Spodobała mi się ta definicja i chciałam wejść w szeregi tej klasy społecznej. Nie martwiło mnie, że inteligentom nie zależało na nabywaniu umiejętności pozwalających zarobić na życie. Byli myślicielami. O dziwo, udało mi się skończyć studia, raz czy dwa znalazłam się nawet na liście wyróżnionych. Dobra, może raz.

Moja edukacja sceniczna była jednak bardzo ograniczona. Na pierwszych zajęciach z aktorstwa odmówiłam wykonania ćwiczenia polegającego na udawaniu plasterka bekonu, który przeżywa orgazm pod prysznicem, i potem sprawy miały się już tylko gorzej. Mało prawdopodobne wydało mi się już to, że kawałek boczku bierze prysznic, a co dopiero że doznaje orgazmu. No to po co miałabym to robić? Domagałam się odpowiedzi. Wykładowca wymamrotał coś o uczeniu się, jak używać wyobraźni do pobudzania pamięci zmysłowej, ale mnie nie przekonał. Jego wyjaśnienia wydały mi się naciągane. Jeśli chciałam nauczyć się aktorstwa, konieczne były studia podyplomowe.

Wybrałam, a raczej zostałam wybrana, bo konkurencja o miejsca była zażarta, przez szkołę aktorską uznawaną za jedną z najlepszych na świecie i mającą siedzibę w Cambridge w dogodnym sąsiedztwie słynnej restauracji mojej siostry. Zostałam stałą bywalczynią tego lokalu i doskonale karmioną studentką. Moja figura nigdy nie była lepsza niż wtedy.

Stawiałam na jakość, nie na ilość. Jadłam albo insalata caprese, osso buco i panna cottę, albo rezygnowałam z obiadu. Od czasu do czasu przed próbą lub spektaklem doprowadzałam słynnego szefa kuchni do szewskiej pasji, prosząc tylko o podwójną porcję sałaty. Ani on, ani siostra nie mieli mi tego za złe, a przynajmniej nie żywili urazy długo. Na specjalne okazje zamawiałam pizzę, która była tak pyszna, że nadal mi się śni. To były szczęśliwe lata.

Zagrałam w ponad dwudziestu przedstawieniach, pracowałam ze światowej sławy reżyserami, projektantami i dramaturgami. Zaczynałam rozumieć, co to znaczy być artystką. Dowiedziałam się sporo na temat techniki teatralnej, nauczyłam się zmieniać akcent i władać mieczem. Zaczęłam poruszać się, mówić i zachowywać jak aktor. Zagrałam milion różnych ról – roztrzepaną sekretarkę wytwórni filmowej w latach czterdziestych występującą w czarnej aksamitnej sukni z dwumetrowym trenem; Hipolitę, wojującą królową Amazonek; dziewięćdziesięcioletnią japońską staruszkę przemienioną w młodą dziewczynę dzięki mocy miłości. Nabawiałam się nawet zapalenia płuc, bo całą zimę jeździłam na zajęcia rowerem. Świeżo umyte rano włosy zamarzały w długie sople – fantastyczna i bardzo teatralna fryzura, którą polecam wszystkim – dzięki czemu czułam się jak prawdziwa bohaterka Czechowa: kaszlałam i miałam niebezpiecznie niskie ciśnienie, które nadawało mi mizerny, blady wygląd. Nie musiałam udawać, że jestem skwierczącym plasterkiem bekonu, który przeżywa orgazm pod prysznicem. Tamto to była zabawa dla amatorów.

Na uroczystości rozdania dyplomów jeden ze znamienitych mówców przedstawił nam swoją wizję naszej przyszłości: „Mam nadzieję, że dobrze się tu bawiliście, bo możecie już więcej nie postawić nogi na scenie. Większość z was czeka teraz kariera barmana, stolarza albo telemarketera z prestiżowym dyplomem". Nie wzięłam sobie tego do serca, bo wydawało mi się, że mnie to nie dotyczy. Sądziłam, że mam duże szanse na sukces, ponieważ udało mi się częściowo opłacić studia tym, co zarobiłam na dubbingach do kreskówki *Trzej muszkieterowie*. Uznałam to za dobry znak. Podkładanie głosu w ogóle nie jest fatygujące, zwłaszcza w przypadku bajek. Nie trzeba robić fryzury ani się malować, bo nikt cię nie widzi i nikogo nie obchodzi, jak wyglądasz. To nie ma znaczenia. Aktorzy głosowi po prostu przychodzą do studia nagraniowego i świetnie się bawią, grając role, w których nigdy by ich nie obsadzono, gdyby musieli stanąć przed kamerą. W czasie jednej popołudniowej sesji z reguły wcielałam się w kilku bohaterów – ponętną kusicielkę planującą zemstę, rozhisteryzowaną damę z towarzystwa, której skradziono perły, perfidną trucicielkę niewahającą się usunąć każdego, kto stanie jej na drodze, a nawet pogrążonego w żałobie sierotę. To była doskonała zabawa i cały czas mogłam występować w dresie i kucyku.

Przeprowadziłam się do Nowego Jorku pewna, że uda mi się zacząć karierę aktorską. Pierwsza rola, którą dostałam po studiach, utwierdziła mnie w przekonaniu, że podjęłam słuszną decyzję. Sztuka była współczesną adaptacją greckiej tragedii i wystawialiśmy ją pod gołym niebem, na opuszczonym molo w centrum Manhattanu. Zebrałam świetne recenzje we wszystkich gazetach, a całe przedsięwzięcie okazało się wielkim sukcesem. Grałam w przepięknych kostiumach, miałam scenę romantycznego tańca z frygijskim niewolnikiem mojej postaci i romans z przystojnym inżynierem światła. Wznosiłam się na szczyty.

Wow! – myślałam. – Pracuję codziennie w Nowym Jorku z bardzo utalentowanymi ludźmi, wystawiając przebojowy spektakl pod rozgwieżdżonym niebem na stumetrowej żelaznej konstrukcji zawieszonej nad rzeką Hudson.

Wow!

I płacą mi za coś, co robiłabym nawet za darmo.

Wow!

Czy może być lepiej?

Przez następne lata dostawałam od czasu do czasu małe rólki, okazjonalnie zbierałam dobre recenzje, sporadycznie grywałam w sztukach Szekspira, a piętnaście lat później i po przeprowadzce do Los Angeles znalazłam się w bardzo trudnej sytuacji finansowej. Od dwóch lat nie występowałam w telewizji, przez wiele miesięcy nie dostałam żadnego zlecenia na dubbing, a już wtedy czasy, w których za powtarzane na antenie reklamy ze swoim udziałem można było zainkasować dwadzieścia tysięcy dolarów dziennie, należały do przeszłości.

Postanowiłam poznać przemysł rozrywkowy od strony produkcyjnej – bardzo mnie to interesowało, a poza tym wiedziałam, że sposobem na zapewnienie sobie roli było stworzenie przedstawienia. To miało sens. Zbyt szybko jednak wydałam dwadzieścia pięć tysięcy dolarów, które dostałam jako bonus za pracę przy produkcji niezależnego filmu – sądziłam, że pieniądze wystarczą mi na dłużej. Przez dwanaście miesięcy wszystkie przedsięwzięcia, w które angażowałam się jako producentka, okazywały się klapą. Każdy projekt plajtował, jak tylko zaczęło się wydawać, że ma szansę na sukces. Mam brata blondyna z midasowym dotykiem – wystarczy, że na coś popatrzy, a wszystko od razu zaczyna przynosić zyski. Zaczynałam podejrzewać, że sama mam dotyk Busha juniora – czegokolwiek się imałam, zamieniało się w gówno.

Miałam wrażenie, że niemal z dnia na dzień wylądowałam z czterdziestoma tysiącami dolarów długu. W rzeczywistości mój debet narastał przez dość długi okres, ale wydawało mi się, że wszystko stało się nagle. Trach! Nie prowadziłam wystawnego życia – właściwie to z reguły byłam do bólu oszczędna, ale wydatki po prostu zaczęły bardzo szybko się nawarstwiać, zwłaszcza kiedy starałam się nie zwracać na nie uwagi. Są niezwykle podstępne, szczególnie opłaty samochodowe: rejestracja, ubezpieczenie, serwisowanie, mycie, parking, rozpieszczanie, a nawet prezenty. Może się to wydawać przesadą, ale w Los Angeles samochód jest niezbędny do życia, bo praktycznie się w nim mieszka, więc oszczędzanie na nim i jego potrzebach w ogóle się nie opłaca. Do tego dochodzą inne artykuły i usługi pierwszej potrzeby – oczywiście zajęcia jogi, kluczowy element stylu życia Kalifornii Południowej (chodziłam tylko na kurs, na którym obowiązywały wolne datki – dziękuję Bryanowi Kestowi – ale dolarów i tak mi ubywało), rachunki za komórkę, kablówkę, gaz, elektryczność no i czynsz, czynsz, czynsz!

Jestem córką bankiera, po którym odziedziczyłam pewne umiejętności, więc codziennie pół dnia pochłaniało mi obliczanie odsetek na kartach kredytowych, podpisywanie umów z kolejnymi wierzycielami, obserwowanie z coraz większym przerażeniem wzrastającego debetu. Zaczęłam nawet zawierać układy z samą sobą. Jeśli przez miesiąc nie będę kupowała kawy w Starbucksie, to zaoszczędzę przynajmniej... osiemdziesiąt dolarów! O cholera! Dobra, więc nie kupuję nic w Starbucksie, no chyba że naprawdę nie będę mogła przeżyć bez kawy. Nie było łatwo trzymać się tych postanowień – takie desperackie zobowiązania nigdy nie działają.

Stałam się ekspertem w ukrywaniu tego, jak bardzo źle mi się powodzi. Nie chciałam, żeby ktokolwiek o tym wiedział, było mi wstyd, że moja kariera, że wszystkie moje kariery legły w gruzach. Ukrywałam się przed przyjaciółmi i rodziną. Przestałam wychodzić do knajp, bo miałam już dość tego, że zawsze ktoś musi mi fundować, że nigdy nie mogę sama za siebie zapłacić. To z czasem staje się męczące, nawet jeśli znajomi cię lubią i chcą ci pomóc w chudych latach.

Potrzebowałam pewnej stałej pracy, nawet jeśli to oznaczało, że będę musiała schować dumę do kieszeni i stłamsić swoją duszę, zajmując się czymś, co w ogóle nie ma związku z moimi marzeniami. I tak jak te desperackie postanowienia, również podłe zajęcia zaczynają cię wciągać i możesz tylko mieć nadzieję, że pewnego dnia zbierzesz się na odwagę i w końcu powiesz: Dość, już więcej tego nie robię! Pieniądze nie są tego warte! Nie jest to jednak łatwa decyzja, kiedy człowiek kombinuje, jak żyć, co jeść czy jak zajmować się sztuką.

Wiedziałam, że muszę jakoś wydobyć się z długów. Na pomysł, żeby pracować jako szofer, wpadłam pewnego wieczoru, jadąc limuzyną wynajętą przez moją przyjaciółkę Harlow. Zostałyśmy zaproszone na stylowe przyjęcie do penthouse'u naszego znajomego w zachodnim Hollywood i nie chciałyśmy prowadzić po pijanemu, w przeciwieństwie do większości aspirujących aktorów, którzy sądzą, że wyrok za kierowanie po spożyciu i późniejsza odsiadka to warunek konieczny, żeby dostać rolę. Harlow załatwiła nam samochód – pomógł jej kolega, który ma firmę wynajmującą limuzyny.

W czasie jazdy rozmawiałam z szoferem, Tyronem. Był spokojny i cichy. Powiedział mi, że uwielbia swoją pracę, i wyglądał bardzo elegancko w czarnym garniturze od Armaniego. Zawiózł nas na przyjęcie, a potem czekał na nas, czytając w aucie książkę.

– Hm – myślałam. – Może mogłabym coś takiego robić... całymi dniami wozić bogaczy do ekskluzywnych restauracji i na eleganckie przyjęcia. Praca wydaje się niemal prestiżowa. To może być idealne rozwiązanie tymczasowe. Nie jest to co prawda aktorstwo, ale na jakiś czas, aż nie stanę na nogi, powinno się nadać.

Zaczęłam rozpytywać, na czym dokładnie polega ta praca. Znałam kilku aktorów, którzy dorabiali sobie szoferką, i od nich dowiedziałam się, że to całkiem znośna robota. Mówili, że będę miała dużo wolnego czasu na własne zajęcia, że mogę umawiać się na spotkania w ciągu dnia i poprosić o wolne, jeśli dostanę inną pracę. Można nawet stworzyć własną listę najlepszych klientów, którzy wynajmując auto, będą prosić specjalnie o mnie, a potem dostanę sute napiwki za specjalne usługi. Mówili, że mogę zostać czymś w rodzaju konsjerżki na kółkach. Konsjerżka na kółkach... brzmi nieźle. Może ta praca będzie dla mnie odpowiednia? Właściwie nie mam wyboru. Zaczęłam myśleć twórczo. Mogłabym wypożyczyć z biblioteki płyty do nauki języków obcych i w wolnym czasie odświeżyć sobie włoski i francuski. Może nawet będę udawać, że jestem Francuzką! To by było całodobowe ćwiczenie aktorskie, równocześnie pozwalające mi opłacić czynsz. Malowałabym usta na intensywną czerwień, a pod elegancki czarny garnitur wkładałabym czarne jedwabne pończochy z koronkowymi podwiązkami. Choć nikt nie wiedziałby, co mam pod spodem, nadałoby mi to aury tajemniczości i nikt oprócz mnie nie wiedziałby, że ma do czynienia z dziewczyną z Jersey, która próbuje związać koniec z końcem, pracując jako artystka. Byłabym sobą, a równocześnie byłabym kim innym. Szczerze mówiąc, musiałam zastosować takie magiczne myślenie, żeby przekonać się do tego zajęcia, bo niewiele więcej miałam do wyboru. Żaden z inteligentów nie pomagał mi w znalezieniu wymarzonej pracy. Ani żadnej innej.

Kiedy powiedziałam swojej przyjaciółce Lorelei, jak zamierzam zarabiać na życie, była w szoku. Lorelei jest piękną rudowłosą kobietą, z którą studiowałam na Uniwersytecie Columbia, a potem w szkole aktorskiej. Inteligencja i rozsądek podpowiadały jej, że na pewno istnieją lepsze źródła dochodów, z których mogę czerpać.

– Co ty sobie, cholera, wyobrażasz? O czym ty myślisz? To nie jest praca dla ciebie. W głowie ci się poprzewracało?

Nie zwracałam na nią uwagi. Postanowiłam, że za wszelką cenę się zmobilizuję, zarobię szybko sporo pieniędzy, a po kilku miesiącach sprzedam scenariusz, nad którym wtedy pracowałam, albo dostanę jakąś świetną rolę w filmie i będzie po wszystkim. Mój brat jest tak świetnym sprzedawcą, że wcisnąłby łysemu grzebień. Słuchanie go, oglądanie go w akcji jest inspirujące i bardzo motywuje. Brat potrafi dążyć z pasją do tego, w co wierzy. Wiedziałam, że teraz muszę brać z niego przykład. Musiałam się zmobilizować i dopiąć swego.

Mniej więcej w tym samym czasie na ekrany wchodził w końcu jeden z moich filmów, w którym grałam prywatną pielęgniarkę umierającego bogacza. To była mała rólka, ale miałam szczęście pracować z Kirkiem Douglasem, który traktował mnie jak troskliwy żydowski ojciec chrzestny. Był cierpliwy, miły i uprzejmy, a kiedy szliśmy z planu lub na plan, trzymał mnie pod ramię, jakbyśmy udawali się na bal. Znajomi z ekipy stwierdzili, że wyglądało to tak, jakbym była znaną gwiazdą filmową, a on żarliwym starszym wielbicielem, który dotrzymuje mi towarzystwa.

Przed rozpoczęciem zdjęć mieliśmy próbę z reżyserem w domu Douglasa w Beverly Hills. Do niewielkiego salonu wstawiono ogromne łóżko, na którym leżał, udając inwalidę. W rzeczywistości był w świetnej, wręcz niespotykanej formie, skoncentrowany i oddany pracy. Dobiegał dziewięćdziesiątki, a nadal regularnie chodził na siłownię i co rano ćwiczył z logopedą, żeby pozbyć się skutków przebytego niedawno wylewu. W czasie prób zajmowałam się nim – udawałam, że podaję mu leki, poprawiałam mu poduszki i tak dalej – a on od czasu do czasu puszczał do mnie oczko, żeby mi przypomnieć, że to wszystko tylko gra i jeśli tylko mu pozwolę, pokaże mi, na czym polega dobra zabawa.

W czasie przerw w próbach oglądałam liczne małe arcydzieła, które ozdabiały ściany pokoju. Zauważyłam je natychmiast po wejściu do salonu, ale dopiero teraz dokładniej im się przyjrzałam. Rozpoznawałam kolejnych artystów – Chagall, Miró, Brâncuşi i wielu innych wspaniałych twórców, których prace zawsze podziwiałam. Pozostałe pokoje wypełniały większe i jeszcze bardziej imponujące dzieła sztuki, które gospodarz pokazał mi po południu. Zachowywał się jak przewodnik po muzeum narodowym – przechodził z pomieszczenia do pomieszczenia, rozprawiając szczegółowo o każdym obrazie. Pod koniec dnia podziękowałam mu za współpracę i możliwość podziwiania wspaniałych dzieł sztuki z bliska w bardzo intymnej atmosferze. Odparł, że żałuje, bo nie jest w stanie pokazać mi całej swojej kolekcji, ale większość już sprzedał.

– Chciałem się nią podzielić – wyjaśnił – bo nie jest tylko moja, nawet jeśli to ja ją zebrałem. Należy do wszystkich i wszyscy powinni móc ją podziwiać.

Zyski ze sprzedaży przeznaczył na budowę stu placów zabaw w całym Los Angeles.

W czasie kręcenia filmu Douglas lubił zostawać na planie, kiedy technicy przygotowywali oświetlenie, choć większość aktorów domagała się wtedy dublera i szła odpocząć do garderoby. Mimo że było to bardzo męczące, nawet dla kogoś znacznie młodszego, Kirk Douglas starał się jak tylko mógł pomagać operatorom i choć był gwiazdą, zawsze był dla nich dostępny. Ja nie miałam dublerki, więc gdy ustawiano oświetlenie, zostawaliśmy razem na planie (w pozycjach takich, jakbyśmy naprawdę kręcili) i rozmawialiśmy o życiu i miłości. Powiedział, że po pięćdziesięciu latach małżeństwa planuje zrobić żonie niespodziankę i poprosić ją, żeby drugi raz za niego wyszła. Opisał mi też skomplikowane przygotowania, które czynił, żeby ponownie ją uwieść – przypominały zabiegi nastolatka planującego pierwszą randkę z dziewczyną, w której się zadurzył. Na wieść, że nie jestem mężatką, zaczął kręcić głową i lamentować współczująco.

Codziennie przed popołudniową drzemką odprawiał ten sam rytuał – robił przegląd wszystkich mężczyzn, których znał, usilnie próbując znaleźć kogoś, z kim mógłby mnie zapoznać. Kiedy nie udawało mu się znaleźć satysfakcjonującego partnera, kręcił głową, wyraźnie zatroskany. Wszyscy jego znajomi byli albo żonaci, albo nieżywi. Musiałam go wiele razy zapewniać, że nie musi się o mnie martwić, że wszystko będzie w porządku.

– Potrzeba mi tylko więcej czasu, panie Douglas – przekonywałam. – Chcę znaleźć kogoś wyjątkowego, żebyśmy byli tak samo szczęśliwi jak pan i pańska żona.

Kręcił głową i narzekał jeszcze przez chwilę. Wiedziałam, że myśli trochę jak dobroduszny dziadek: Nie czekaj za długo, kruszynko, bo licznik bije.

Mój bił nie tylko w kwestiach matrymonialnych. W głębi duszy nadal miałam nadzieję, że wejście tego filmu na ekrany będzie trampoliną do świata dobrze płatnej pracy, czymś, co pozwoli mi naprawdę zaistnieć, ale to się nie stało. Losów filmu nie da się przewidzieć, a ten okazał się komercyjnym fiaskiem.

Nie miałam wyboru, musiałam zacząć wdrażać swój wspaniały plan tymczasowy. Zdecydowałam się zostać szoferem.

W Los Angeles na prowadzenie limuzyny nie trzeba mieć specjalnej licencji. Owszem, żeby jeździć monstrualnym dziesięciometrowym hummerem, jakich w sobotnią noc pełno na Sunset Boulevard, trzeba mieć pozwolenie na kierowanie ciężarówką, ale za kółkiem standardowej limuzyny na osiem czy dziesięć osób może usiąść każdy z ważnym prawem jazdy, odrobiną cierpliwości i umiejętnością posługiwania się lusterkami bocznymi. Zaniechanie tego ostatniego sprawia, że jazda staje się nieprzyjemna i niebezpieczna. Długie limuzyny rzadko widuje się teraz na ulicach – pojawiają się głównie w czasie balu maturalnego, pełne buntowniczych nastolatków, które w środku nocy jadą się nażreć do Taco Bell. Obecnie większość klientów woli podróżować samochodami typu Lincoln Town Car wersja biznesowa, które mają wydłużone nadwozie, są trochę bardziej luksusowe niż zwykłe lincolny, a pasażer ma w nich więcej miejsca na nogi. Wszystko to sprawia, że ten model jest jak mała limuzyna. To właśnie te eleganckie czarne sedany we wszystkich filmach stoją jeden za drugim przed biurowcami rekinów finansjery na Wall Street. One po prostu uosabiają władzę i pieniądze.

Zgłosiłam się i natychmiast zostałam przyjęta do ekskluzywnej firmy zapewniającej limuzyny z szoferami gwiazdom filmowym, rockowym zespołom oraz „wielce wpływowym" ludziom z wytwórni, którzy zawsze noszą garnitury w rozmiarze 38, choć wyraźnie potrzebują co najmniej 42. Było co robić, bo przez cały rok odbywały się gale rozdania różnych nagród – Emmy, Grammy, Złote Globy, MTV Music Awards, wyróżnienia od publiczności, nagrody BET, Genesis, Nickelodeon. Hollywood przyznaje sobie liczne nagrody, żeby usprawiedliwić panujący tu skrajny egocentryzm. Pracowałam też przy największym targowisku próżności – Oscarach.

Nie jest to parada elegancji, jaką oglądamy w telewizji. To mordęga, przynajmniej dla szoferów. Z całego Zachodniego Wybrzeża zjeżdżają się wszelkiej maści limuzyny. Te z Las Vegas czasem nawet mają z tyłu wanny czy centralnie umieszczoną rurę dla striptizerek. Prowadziłam kiedyś dwudziestoosobowego hummera z chromowaną karoserią w stylu macho oraz jacuzzi, którego wynajęcie kosztowało kilkaset tysięcy dolarów za noc. Dywaniki samochodu były poplamione czymś lepkim, a wnętrze wypełniał nieprzyjemny zapach (mieszkanka wymiocin, skwaśniałego mleka i chloru), na który nie działał odświeżacz powietrza, nawet w bardzo dużych ilościach. Jeśli człowiekowi coś upadło na podłogę tej limuzyny, lepiej było tego nie podnosić.

W swoją pierwszą oscarową noc wiozłam znanego komika, którego skecze były otwarcie polityczne. Co ciekawe, okazał się bardzo szarmancki, ale też ciepły i zabawny. Zdziwiło mnie również to, że jest wysoki i bardzo atrakcyjny, zwłaszcza bez swoich charakterystycznych wąsów. Jego partnerka była jeszcze bardziej sympatyczna i dowcipna. Miała delikatną, oryginalną urodę. Była prawie tego samego wzrostu co on, długie lśniące blond włosy opadały jej miękkimi falami na ramiona, a tego wieczoru występowała w opalizującej turkusowo-niebieskiej sukni z błyszczącym paskiem i niesamowicie długim trenem, który ciągnął się za nią jak elegancki rybi ogon. Wyglądała jak świetlista syrena ze wspaniałym dekoltem. Z uwagi na obcisłą kreację miała trudności z wsiadaniem do samochodu, a potem musiała przybierać dziwne pozycje, żeby jej nie pognieść. Starałam się gwałtownie nie hamować, żeby pasażerka nie ześlizgnęła się z siedzenia i nie wylądowała na podłodze albo nie wyleciała przez okno. Pożyczyłam jej też puderniczkę z lusterkiem, kiedy okazało się, że zapomniała swojej.

Nasza wspólna odyseja rozpoczęła się, kiedy zapukałam do rezydencji na Hollywood Hills obładowana dwoma koszami pełnymi upominków od wytwórni. Były to tak zwane torby SWAG, co podobno oznacza „stuff we all get", ale sama nigdy nic takiego nie dostałam. W ich ogromnych koszach znalazły się ekskluzywne podarunki, takie jak warte trzysta dolarów włoskie dżinsy z haftem (tylko w rozmiarze XS), krem do twarzy na bazie kawioru o właściwościach wybielających i przeciwzmarszczkowych (czy rybie jajka naprawdę mogą równocześnie napinać i wybielać?), pachnące świece z wosku sojowego wyprodukowane bez naruszania praw istot żywych (kto i dlaczego chciałby krzywdzić soję?) oraz wybór tequili z najwyższej półki. Alkohol okazał się bardzo trafionym prezentem, bo większość nominowanych potrzebuje kilku głębszych na początku, w trakcie i pod koniec ceremonii.

Zawiozłam przystojnego komika i piękną syrenę na czerwony dywan, gdzie osaczyli ich dziennikarze i fotoreporterzy, a sama razem z tysiącami innych szoferów musiałam odjechać na położony niecały kilometr na północ parking przy amfiteatrze Hollywood Bowl. Spędziliśmy tam następne sześć godzin przetrzymywani jak zakładnicy w ramach „środków bezpieczeństwa". Potem zaczęły się hollywoodzkie przyjęcia, które trwały caluteńką noc. Po niekończących się imprezach odwiozłam swoich pasażerów do domu, a sama wróciłam do siebie dopiero o piątej rano. Usiadłam za kółkiem w południe, co oznacza, że mój dzień pracy trwał siedemnaście godzin. Bardzo prestiżowa robota. Komik łaskawie dał mi kilkaset dolarów napiwku, ale piękna syrena zapomniała zwrócić mi puderniczkę. Dostałam ją na Boże Narodzenie od znajomego szofera Samiego, była misternie zdobiona turkusową emalią i chociaż puder częściowo już wysechł i popękał, uwielbiałam ją. Próbowałam ją odzyskać pod koniec kursu, ale syrena wybiegła z samochodu, kiedy jej partner dawał mi napiwek, i rzucanie się za nią w pościg, żeby odzyskać puderniczkę, wydało mi się małostkowe. Nie miałam jej tego za złe, naprawdę, zwłaszcza że puzderko tak świetnie pasowało jej do sukni. Szkoda mi go jednak było i zastanawiałam się, czy syrena zauważy, że zapomniała mi je zwrócić.

Dopiero kiedy znalazłam się w środowisko szoferów, zdałam sobie sprawę, że jest ono silnie zmaskulinizowane i kobieta czuje się w nim bardzo samotna. Niemal wszyscy kierowcy limuzyn to mężczyźni. Nie wiem, czemu wcześniej tego nie zauważyłam, ale już po godzinie w nowej pracy boleśnie to sobie uświadomiłam. Wszystkie parające się szoferką kobiety, które poznałam, były albo duże i silne, albo małe i silne, i żadna z nich nie była towarzyska. Sama jestem średniego wzrostu i niezbyt silna. Byłoby mi łatwiej, gdyby mój wygląd wzbudzał strach.

Czasami w pracy bywało niebezpiecznie. Pewnego razu o czwartej rano tankowałam na słabo oświetlonej stacji przy opuszczonej autostradzie, kiedy zakradł się do mnie jakiś pijany debil i chwycił mnie od tyłu.

– Chodź, kotku, zabawimy się – wymamrotał mi w kark.

Nawet nie słyszałam, jak się zbliża, zauważyłam go dopiero, kiedy stał tuż przy mnie. Udało mi się go odepchnąć, ale nauczyłam się, że muszę być superostrożna, żeby zapewnić sobie bezpieczeństwo. Zaczęłam wozić ze sobą starą puszkę z gazem paralizującym, który dostałam od ojca. Nauczyłam się trzymać kluczyki w ręce tak, żeby w każdej chwili móc ich użyć jako ostrej broni. Kupiłam też półmetrową latarkę Magnum, która w razie potrzeby mogła służyć za pałkę. Miałam ją w zasięgu ręki, pod siedzeniem kierowcy, i ćwiczyłam jej szybkie wyjmowanie, w razie gdybym musiała pilnie jej użyć.

Praca pociągała za sobą też inne nieprzewidziane trudności. Znalezienie czystej toalety w środku nocy i bardzo daleko od domu stanowiło nie lada wyzwanie. Zaczęłam naprawdę tęsknić za schludną łazienką i opanowałam do perfekcji sztukę błyskawicznego bezkontaktowego sikania. Ta skomplikowana operacja wymaga użycia kilku nakładek sedesowych i stosu papierowych ręczników lub serwetek, jeśli w przybytku brakuje przyborów toaletowych, co zdarza się nadzwyczaj często. Niezbędne są również pewne umiejętności akrobatyczne. W niektórych ubikacjach przydają się mocne płuca i zdolność długiego wstrzymywania oddechu. Lata pływania zwróciły mi się z nawiązką.

Często kiedy późno w nocy czekałam na pasażerów przed którymś hotelem, pijani hollywoodczycy chwiejnym krokiem wytaczający się z holu brali mnie za prostytutkę, mimo że – jestem tego pewna – mój język ciała nie wysyłał mylnych sygnałów. Kiedy się zbliżali, wbijałam oczy w ziemię i przechodziłam na drugą stronę, ignorując ich nawoływania. Jasno dawałam im do zrozumienia, że nie oferuję tego typu usług, nigdy w życiu. Pasażerowie często składali mi nieprzystojne propozycje, nawet jeśli właśnie wiozłam ich do domów, gdzie czekały na nich żony z dziećmi, i byli śmiertelnie obrażeni, kiedy odrzucałam ich zaloty.

– Co się tak unosisz? I tak żadna z ciebie Marilyn Monroe – protestował dziobaty czaruś, kiedy dałam mu kosza.

Kiedyś wczesnym rankiem pewien pijany dwudziestokilkuletni klubowicz zwymiotował mi w samochodzie, a następnie zemdlał. Ocknął się dopiero, kiedy usiłowałam wyciągnąć go z auta, i próbował się w nim wysikać. Wcześniej spędziłam długie godziny, wożąc go po mieście – wystawiał głowę przez okno i konwersował z transwestytami przy Santa Monica Boulevard. Chciał wynająć jednego jako prezent dla swojej nastoletniej dziewczyny.

– Muszę jej udowodnić, że ją kocham – wrzeszczał nieustannie.

Nie miałam pojęcia, do czego potrzebował pomocy transwestyty, ale na szczęście żaden z nich nie zgodził się wsiąść do limuzyny. O czwartej nad ranem mój klient nie pamiętał nawet, gdzie w Bel Air mieszkali jego rodzice. Kiedy w końcu wydedukowałam ich adres i chciałam go wysadzić, wpadł w panikę. Bał się, że mama z tatą się obudzą i go ukarzą. Odmówił wyjścia z samochodu, po czym zwinął się w kłębek na tylnym siedzeniu. Ktoś ze służby wyszedł w końcu z budynku, podziękował mi, że przywiozłam pociechę do domu, i zaniósł płaczącego dzieciaka bez upragnionego transwestyty do łóżka.

Nie spodziewałam się tego typu zachowań. Sądziłam, że praca będzie elegancka, może nawet w pewnym stopniu prestiżowa. Przynajmniej tak sobie wmawiałam. Myślałam, że będę zarabiać kokosy, wożąc na lotnisko bogatych biznesmenów, którzy po powrocie z konferencji w Szanghaju lub nad jeziorem Como będą zapraszać mnie na kolacje do Nobu i może nawet obdarowywać prezentami ze strefy bezcłowej. Wyobrażałam sobie, jak odrzucam zaproszenia i nie przyjmuję podarunków, wyrabiając sobie w ten sposób opinię osoby z silnym kręgosłupem moralnym. Wydawało mi się, że będę miała liczne okazje przedstawienia producentom swoich pomysłów na filmy i zalążków scenariuszy. Ale to wszystko okazało się mrzonką. Pracowałam niesamowicie długie godziny i byłam tak zmęczona niańczeniem podekscytowanych turystów, którzy całonocny maraton clubbingowy na Sunset Boulevard kończyli zawodami puszczania pawia, że w ciągu dnia nie miałam siły zająć się tym, co naprawdę mnie interesowało. Na domiar złego hojne napiwki w rzeczywistości się nie zdarzały, a jeśli nawet, to bardzo rzadko. Sama praca była deprymująca i wysysała z człowieka chęć do życia.

Jako szofer widziałam, co kryje się za błyszczącą kurtyną Hollywoodu – nie spodziewałam się tego i nieszczególnie mnie to cieszyło. Przez pierwsze kilka tygodni byłam przydzielona do pracy w luksusowym hotelu w Beverly Hills zapewniającym gościom darmowy transport. Większość hoteli ma na wyposażeniu samochody do odbierania i przywożenia gości, którzy chcą wybrać się na zakupy albo zjeść kolację w niezbyt odległej restauracji. To ciepła posadka dla szofera i bardzo chętnie zostałabym tam na stałe, ale niestety byłam tam tylko w zastępstwie doświadczonego kierowcy, który przepracował dla hotelu już wiele lat i wolałby wyzionąć ducha za kółkiem niż zrezygnować z etatu.

Pewnego wieczoru portier José zapytał, czy nie wyświadczyłabym mu przysługi i nie przywiozła do hotelu jego przyjaciółki, która mieszka kilka przecznic dalej. Zapisał mi adres w bliskim sąsiedztwie i ruszyłam na Doheny Drive, żeby odebrać ją z luksusowego apartamentowca. Pod portykiem przed wejściem czekała na mnie atrakcyjna moda kobieta ubrana w prostą obcisłą sukienkę z jasnoróżowej bawełny. Była drobna, wiotka, jej bladą twarzyczkę otaczała aureola krótkich kręconych blond włosów. Bez makijażu i wysokich obcasów wyglądałaby na czternaście lat. Miała lekki rosyjski akcent, była energiczna i rozmowna, mówiła cichym głosem, który był miły dla ucha i dystyngowany. Sądziłam, że jedzie do hotelu, żeby zjeść z José obiad.

– Kobieta szofer, ale mi się poszczęściło – oznajmiła, wsiadając do limuzyny.

Potem zadzwoniła jej komórka i przez całą krótką drogę do hotelu szczebiotała do słuchawki.

– Dziękuję – powiedziała, kiedy dotarłyśmy na miejsce. – Przykro mi, ale nie mam ze sobą gotówki i nie mogę dać ci napiwku. Jeśli będziesz tu potem, to może się jeszcze zobaczymy? Koło dziewiątej?

– Nie przejmuj się – odparłam. – Smacznego.

Kilka godzin później podwoziłam pod główne wejście kilku gości. José nie skończył jeszcze swojej zmiany, więc kiedy pomogłam pasażerom z bagażami i wprowadziłam ich do recepcji, zagadnęłam do niego.

– Hej, José, masz śliczną i bardzo miłą dziewczynę.

On uśmiechnął się szeroko.

Właśnie wtedy otwarły się drzwi do windy i wyszła z niej rzeczona młoda kobieta, trzymając pod rękę siwego starszego Japończyka w eleganckiej szarej marynarce. Pocałowała go w oba policzki, on wsiadł z powrotem do windy, a ona ruszyła z uśmiechem w naszą stronę. Jej obcasy stukały głośno o marmurową podłogę holu, a ona, idąc, radośnie wymachiwała wyszywaną koralikami torebką.

– O, jesteś jeszcze, świetnie! – powiedziała. – Masz teraz chwilę? Wiem, że mieszkam niedaleko, ale boję się wracać sama po zmroku.

– Jasne, rozumiem cię – odpowiedziałam. – Oczywiście, odwiozę cię do domu.

Pocałowała José i ponownie wskoczyła do limuzyny, nie pozwalając otworzyć sobie drzwi.

– Proszę, nie rób sobie kłopotu – powiedziała.

Znów natychmiast zaczęła rozmawiać przez komórkę, więc i tym razem nie miałam okazji z nią pogawędzić. W lusterku wstecznym obserwowałam, jak maluje usta, poprawia sobie makijaż i wykonuje kilka telefonów. Kiedy dotarłyśmy na miejsce, wręczyła mi nowiutką studolarówkę.

– To za fatygę – powiedziała, wysiadając z auta.

– Nie, to naprawdę niepotrzebne. Nie musisz dawać mi napiwku. Cieszę się, że mogłam...

– Nalegam – przerwała mi. – Bardzo mi pomogłaś, a poza tym noc jeszcze młoda. – Puściła do mnie oczko.

Następnie, zamiast wrócić do siebie do mieszkania, przeszła przez ulicę i zniknęła w hotelu Four Seasons. Nie wiem, dlaczego zajęło mi to tak długo, ale dopiero wtedy zdałam sobie sprawę, że jest prostytutką.

Długie tygodnie nie wydawałam banknotu, który od niej dostałam, a kiedy w końcu musiałam po niego sięgnąć, myślałam o swojej klientce. To jeszcze dziecko – powiedziałam do siebie.

Po kilku miesiącach szoferowania byłam zmuszona stwierdzić, że nowa praca okazała się klęską na wszystkich frontach. Zamiast stanowić rozwiązanie moich problemów, tylko mi ich przysparzała. Bolesna prawda była taka, że nadal nie miałam ani centa, nie zawarłam umowy z żadną wytwórnią filmową, a wieczory spędzałam na zamartwianiu się, gdzie znajdę toaletę. Sprawy, którymi wcześniej nigdy nie zaprzątałam sobie głowy, zaczynały mnie przygnębiać.

Kiedy już wydawało mi się, że sięgam dna, na horyzoncie pojawiła się nowa propozycja. Wszyscy szoferzy w firmie, w której pracowałam, rozprawiali o Saudyjczykach.

– Saudyjczycy, Saudyjczycy, Saudyjczycy! Saudyjska rodzina królewska przyjeżdża do Beverly Hills i potrzebuje kierowców. Świetnie płacą!

Krążyły plotki na temat tego, ile można zarobić. Jeden z szoferów miał kolegę, który przez kilka tygodni woził Saudyjczyków po Los Angeles, a potem zabrali go ze sobą na dalsze wojaże. Zapłacili mu, żeby wybrał się z nimi w wielomiesięczną podróż do Londynu, Nowego Jorku i Paryża. Zawsze latał pierwszą klasą i nie musiał właściwie szoferować – po prostu lubili jego towarzystwo i chcieli mieć go przy sobie. Dali mu nawet hojne kieszonkowe. Mój znajomy Charles, doświadczony kierowca ze Wschodniego Wybrzeża, powiedział, że przez miesiąc woził jakichś saudyjskich książąt, a na koniec dostał wypłatę, złotego roleksa i dziesięć tysięcy dolarów napiwku. Super! Tym razem członkowie rodziny królewskiej planowali przynajmniej pięćdziesięciodniowy pobyt, więc można było się spodziewać sporych sum.

Rozmowa kwalifikacyjna do tej pracy była dziwna. Nikt nie zapytał mnie o doświadczenie zawodowe. Przypuszczałam, że to dlatego, że polecił mnie główny szofer Fausto, odpowiedzialny za cały zespół, ale do dziś nie wiem tego na pewno, co moim zdaniem świadczy o niezbyt dobrych praktykach biznesowych. Przez kilka dni po rozmowie dostawałam dziwne telefony. Ochroniarze rodziny królewskiej sprawdzali mnie, pytając, skąd dowiedziałam się o tej pracy, kogo jeszcze znam wśród szoferów i kto mnie do nich skierował. Doskonale wiedzieli, że o wszystkim powiedział mi Fausto, a kiedy im o tym przypomniałam, potwierdzili, że rzeczywiście tak było. Okej, czyżby sprawdzali, co pamiętam z ostatnich dwóch dni? Spodziewali się, że skłamię? Wszystko to było bardzo osobliwe. Nie miałam pojęcia, kto jeszcze ubiega się o tę pracę. Zlecenie nawet się jeszcze nie zaczęło, a wszystko utrzymywano w tak ścisłej tajemnicy, że nie sposób było się czegokolwiek dowiedzieć. Wydawało się, że ta praca w ogóle nie istnieje, że jest tylko niewiążącą, praktycznie bezwartościową obietnicą zatrudnienia. To tak jakby dostać główną rolę w filmie, do którego „zdjęcia rozpoczną się, kiedy zebrane zostaną odpowiednie fundusze". Każdy, kto choć na chwilę pracował w przemyśle rozrywkowym, wie, że to oznacza: „Pewnie nic z tego nie będzie".

Minęło kilka dni. Po jeszcze paru dziwnych telefonach kazano mi przefaksować kopię prawa jazdy na numer z nieznanym mi kierunkowym. Następnie spędziłam kilka godzin w kalifornijskim departamencie ewidencji pojazdów i kierowców, żeby uzyskać druk H-6 z wykazem wszystkich wypadków i naruszeń przepisów, do których doszło w ciągu ostatnich dziesięciu lat. Wysłałam tę listę i jeszcze jedną kopię prawa jazdy faksem na jakiś inny numer. Codziennie rozmawiałam z wieloma osobami na temat tego, kiedy przylatuje rodzina królewska i kiedy potrzebni będą szoferzy. Najpierw dowiadywałam się, że będzie dla mnie praca, potem, że jednak się nie przydam. Następnie znów okazywało się, że będę potrzebna, a chwilę później – że zlecenie jest jednak odwołane. Wszystko zmieniało się z godziny na godzinę, a termin przybycia Saudyjczyków był nieustannie przesuwany. Zaczęłam tracić nadzieję, że w ogóle przyjadą.

Potem ponownie musiałam wysyłać ksera dokumentów, tym razem na numer w Los Angeles. Uznałam to za dobry znak. Fausto w końcu oświadczył, że praca jest już pewna, ale najpierw musimy spotkać się z królewską ochroną osobiście. Dotychczas mieliśmy tylko romans przez telefon. Krótkie spotkanie z małym oddziałem superherosów przypominających Action Mana odbyło się w hotelu w Bevery Hills. Od czasu do czasu któryś z nich mierzył mnie wzrokiem i pytał:

– Żydówka? Jesteś Żydówką?

Nigdy wcześniej nie słyszałam tego pytania, a już na pewno nie tyle razy. Nawet Fausto nieustannie mi je zadawał.

– Na pewno nie jesteś Żydówką? Nie ma w tobie żydostwa? Jesteś pewna? Pewna? Pewna?

– Tak, całkowicie – opowiadałam, dodając w myślach: Naprawdę by mnie nie zatrudnili, gdybym nią była?

Na tym polegało sprawdzanie szoferów. Nikogo nie interesowało, co wcześniej robiliśmy, nikt nie domagał się referencji, nic z tych rzeczy. Miałam czystą kartotekę, co na pewno nie było bez znaczenia, ale zaskoczyło mnie, jak pobieżnie przeglądano moje dokumenty, zważywszy na to, ile musiałam się nagimnastykować, żeby wszystko im powysyłać. Nawet by się nie zorientowali, gdybym była zakamuflowaną Żydówką.

Dostałam zatem pracę szofera saudyjskiej rodziny królewskiej. Księżniczkę Zahirę i jej dzieci, ochronę i całą świtę miało obsługiwać łącznie ponad czterdziestu kierowców. Powiedziano nam, że mamy być dyspozycyjni dwadzieścia cztery godziny na dobę, siedem dni w tygodniu nawet przez całe siedem tygodni. Nie będzie urlopów i jeśli będziemy domagali się wolnego, musimy się liczyć z utratą pracy.

Wkrótce okazało się, że jestem jedyną kobietą wśród wszystkich szoferów. Poznałam jeszcze dwie inne, ale bardzo szybko się wykruszyły Jedna została zwolniona po kłótni z ochroną, a druga, jak się dowiedziałam, sama prawie natychmiast zrezygnowała, bo nie odpowiadały jej długie godziny pracy.

W Arabii Saudyjskiej kobiety nie mogą prowadzić samochodu, a Saudyjczycy nie życzą sobie, żeby kobiety woziły ich za granicą. Okazało się jednak, że jestem przydatna w sposób, jakiego chyba nikt nie przewidział.

{ ROZDZIAŁ 3 }

BIORĘ UDZIAŁ W OPERACJI SPECJALNEJ!

Zaczęło się dość przyjemnie. Tuż przed przybyciem rodziny królewskiej kierowcy mieli całodniowe szkolenie w sali balowej hotelu Beverly Hills. Wszystko było zorganizowane tak, jakbyśmy byli w Davos na Światowym Forum Gospodarczym – rzędy stołów ustawionych naprzeciw frontowego podium, podkładki do pisania i ołówki przy każdym krześle, wszędzie bukiety świeżych kwiatów. Przez cały dzień po sali krążyło kilku kelnerów, gotowych w każdej chwili nalać nam wody czy coli. Podano nam również wystawne śniadanie i lunch, a w każdej chwili można było zamówić cappuccino. Nieustannie uzupełniano też miski z czekoladkami i miętówkami, na wypadek gdybyśmy chcieli pokrzepić się cukrem. Wynajęcie tego audytorium musiało kosztować przynajmniej dwadzieścia tysięcy dolarów. Szoferzy w większości wyglądali na onieśmielonych i siadali z tyłu, jakby pierwszy raz w życiu znaleźli się w sali balowej.

Ja postanowiłam jednak w pełni wykorzystać okazję i zajęłam miejsce w pierwszym rzędzie. Zamówiłam trzy filiżanki mocnego podwójnego cappuccino pod rząd, a kiedy już dostatecznie się rozbudziłam, zaczęłam raczyć się truskawkami i ananasem. To energetyzująca dieta oczyszczająca, którą nazywam „hollywoodzkim hojnym chlustem" – duże ilości kofeiny, a potem owoce. Później na lunch można było zamówić grillowanego łososia albo pieczeń wołową au jus, a do tego zestaw warzyw sezonowych. Rozsiadłam się swobodnie na krześle i poczułam się szampańsko, jak gość na wystawnym całodniowym weselu, który czeka, aż orkiestra zacznie grać i rozpoczną się tańce.

Wśród obecnych zauważyłam dwóch znajomych kierowców, Samiego i Charlesa. Ucieszyłam się na ich widok, bo wielu szoferów najwyraźniej się znało – stali w niewielkich grupkach i rozmawiali, a ja czułam się wykluczona. Sami był niepozornym Meksykaninem – ten cichy, dyskretny i ostrożny człowiek był bardzo inteligentny i miał dar obserwacji. Nic nie umykało jego uwadze. Gdybym była szefem specjalnego oddziału policyjnego, na pewno chciałbym mieć w nim Samiego.

Charles, przystojny starszy mężczyzna, był do wszystkich nastawiony niezwykle życzliwie. Miał spokojny, przyjazny sposób bycia i zawsze służył radą i pomocą. Reprezentował starą szkołę i nie dawał się łatwo wyprowadzić z równowagi. Pracował jako szofer od prawie trzydziestu lat. Nic go nie zaskakiwało, bo wszystko już widział, a w większości sam brał w tym udział. Był przyzwyczajony do długich szkoleń i na samym początku powiedział mi:

– Musisz zjeść porządny posiłek, odpowiednio się nawadniać i dbać o siebie, laleczko.

Była to dobra rada, do której starałam się stosować, kiedy tylko się dało.

Większość szkolenia przeprowadzał Stu, przypominający byłego komandosa szef ochrony odpowiedzialny za szoferów. Pod pojęciem „szkolenie" kryje się długie wyczekiwanie, aż ktoś w końcu nam coś powie. Nie były to wielogodzinne ćwiczenia, podczas których przekazywano niezbędne informacje. Przez większość czasu krążyliśmy po sali, a pogawędki sporadycznie przerywano nam krótkimi wykładami na temat zadań naszego zespołu czy etykiety. Nie mogliśmy narzekać na nadmiar przygotowań. Po południu poznaliśmy jeszcze kilku bardziej barczystych bossów, osiłków o jednosylabowych imionach, takich jak Buck czy Chuck, z bardzo krótko obciętymi włosami albo ogolonych na łyso. Odniosłam wrażenie, że mamy bardzo wielu szefów, może nawet zbyt wielu, i nigdy nie udało mi się zrozumieć, kto komu podlega. Byli jednak zaskakująco łagodni – prawie nikt nie podnosił głosu, a jeśli już, to tylko kiedy istniały ku temu dobre powody.

Stu przypominał dziwnego bohatera kreskówki, wyglądał trochę jak gigantyczny Popeye napompowany sterydami, który zamiast marynarskiego ubranka ma na sobie obcisłą białą koszulę z krótkim rękawem i idealnie odprasowane spodnie khaki z kantem. Był jak wielki chodzący mięsień – każda część jego ciała była wielka, wyćwiczona, gotowa do walki. Miał kark grubości mojego uda, solidny i pulsujący.

Stu pochodził z Missisipi, był miłym facetem, prawdziwym dżentelmenem i świetnym profesjonalistą. Sama się o tym przekonałam, kiedy pewnego popołudnia ochraniał księżniczkę Zahirę, która wybrała się z przyjaciółkami na zakupy do butików przy Robertson Boulevard. Ochroniarze otaczali grupkę Saudyjek, a Stu zabezpieczał tyły. W pewnym momencie wszedł po cichu za drzewo, pochylił się, i opierając ręce na kolanach, dwa razy obficie zwymiotował. Następnie otarł usta wierzchem dłoni i dołączył z powrotem do grupy. Powiedział mi później, że tamtego ranka miał usuwany ząb i źle zareagował na znieczulenie. Tylko ja wiedziałam, co się stało, a Stu pracował do końca dnia, nie dając sobie ani chwili wolnego.

Choć był uprzejmym południowcem, nie silił się na grzeczność, wydając polecenia. Jako jedyny z przeprowadzających szkolenie nie oszczędzał płuc. Przemierzał salę balową długimi susami i wyrzucał instrukcje jak karabin maszynowy.

– Zawsze mówcie „Wasza Wysokość". Nigdy nie patrzcie im w oczy. Nigdy nie odzywajcie się pierwsi. Nie możecie odejść, dopóki wam na to nie pozwolą. Jasne? Wszystkie nietypowe sytuacje lub trudności musicie konsultować z Posterunkiem Dowodzenia Alfa Jeden albo Posterunkiem Alfa Dwa, albo Posterunkiem Alfa Trzy, albo Posterunkiem Alfa Cztery. Zrozumiano? Rodzina będzie mieszkać w kilku różnych hotelach w Beverly Hills, dlatego mamy tyle posterunków dowodzenia. Ochrona ma je w każdym hotelu. Musicie wiedzieć, kto jest szefem waszego posterunku! Musicie zawsze wiedzieć, kto mieszka w którym hotelu, nawet jeśli co noc będą spać gdzie indziej. A ostrzegam, będą to robić.

Nie miałam pojęcia, o czym mówi. Nie znałam żargonu wojskowego. Posterunek Alfa Jeden? Posterunek Dowodzenia? Dopiero potem dowiedziałam się, że chodzi o prawie pusty pokój hotelowy z długim stołem zastawionym komputerami, faksami i resztą aparatury, której nie rozpoznawałam. To wszystko służyło zapewne do utrzymywania łączności z Departamentem Obrony. Zdjęto wszystkie obrazy, w ich miejsce porozwieszano białe tablice i mapy. Całą jedną ścianę zajmowały ekrany, na których widać było, co dzieje się w windach, na korytarzach i przy wejściach. Z każdego posterunku wychodził gruby kabel elektryczny przytwierdzony do ściany za pomocą taśmy izolacyjnej, który znikał w pokoju na końcu korytarza, skąd wydobywał się cichy szum. Centra dowodzenia były wyposażone w telefony satelitarne i Departament Bezpieczeństwa codziennie przysyłał raporty na temat stopnia ryzyka i ewentualnych problemów z przemieszczaniem się rodziny królewskiej. Ochrona bardzo uważnie je analizowała. W kątach pokoju zwykle piętrzyły się tace z hotelowej restauracji. W ogromnej wannie Posterunku Alfa Jeden umieszczono cienki materac, na którym ochroniarze mogli się zdrzemnąć, jeśli akurat nie mieli dyżuru. Wow! – pomyślałam, kiedy pierwszy raz zobaczyłam posterunek dowodzenia. – Biorę udział w operacji specjalnej!

Powiedziano nam, że każdy członek rodziny królewskiej i świty ma przydzielony własny samochód z kierowcą dostępny przez całą dobę. Kazano nam zadbać o to, żeby auta były zawsze czyste, odpowiednio wyposażone i z pełnym bakiem. Oznaczało to, że jeśli miało się tylko ćwierć baku, a klient zażyczył sobie jechać do San Diego (co zdarzało się niespodziewanie często), to pojawiał się poważny problem. Nie można było jechać na stację z pasażerem – to tak, jakby w restauracji zabrać klienta do kuchni i kazać mu czekać na zamówione cappuccino. Takich sytuacji należy za wszelką cenę unikać. Dlatego tankowałam przynajmniej raz dziennie, często w środku nocy, żeby mieć pewność, że mój bak jest przynajmniej w połowie pełny.

Trudno przewidzieć, na co człowiekowi może się przydać wyższe wykształcenie. Zdolność kojarzenia i wnikliwość wykorzystywałam do ciągłego zaspokajania potrzeb energetycznych mojego samochodu. Stałam się ekspertem w dziedzinie tankowania i zawsze wiedziałam, która ze stacji benzynowych w promieniu pięćdziesięciu kilometrów będzie otwarta po północy, dobrze oświetlona i tłoczna. Najbardziej pożądane były te, które miały sklep spożywczy.

Mogłam wozić wyłącznie kobiety, z wyjątkiem jednego mężczyzny, który nie był Saudyjczykiem, więc było mu obojętne, z kim jedzie. Kiedy żeńska część dworu mnie nie potrzebowała, miałam zapewniać transport służącym. Reszta szoferów była z reguły przydzielona do jednego klienta przez cały czas trwania zlecenia.

Stu powiedział, że rodzina królewska przyjechała do Los Angeles na zakupy, więc sądziłam, że praca nie będzie zbyt wymagająca. Doskonale znam Golden Triangle, „Złoty Trójkąt", w którym znajdują się najlepsze sklepy i restauracje w Beverly Hills, i spodziewałam się, że będę poruszać się po terenie, którego wszystkie zakamarki zwiedziłam, pracując dla hotelu. Okazało się jednak, że Saudyjki przyjechały do Miasta Aniołów nie tylko na zakupy, lecz także na operacje plastyczne. Sklepy odwiedzały codziennie, czasem spędzając w nich cały dzień. Jeśli nie buszowały po centrach handlowych, były w klinikach, gdzie poddawały się upiększającym kuracjom, albo w restauracjach, gdzie odpoczywały między zakupami a zabiegami. Sporadycznie wybierały się do kina, a potem siedziały w otwartej do późna kawiarni w Westwood i obserwowały ludzi. Nie interesowały je muzea, szlak sztuki wzdłuż kanałów dzielnicy Venice, japoński ogród medytacji na kampusie Uniwersytetu Kalifornijskiego ani żadne inne atrakcje kulturalne. Były za to prawdziwymi koneserkami towarów luksusowych.

Santiago, szofer pochodzący z Ameryki Środkowej, został przydzielony do wożenia nastoletniego księcia, którego nigdy osobiście nie poznałam (nie przedstawiono mnie żadnemu z mężczyzn). Widywałam go tylko czasem z daleka, a on witał mnie uprzejmym skinieniem głowy. Książę był szczupły i bardzo wysoki jak na swój wiek. Ubierał się schludnie i konserwatywnie, z reguły na biało. Zauważyłam, że uważnie obserwuje wszystko, co się wokół niego dzieje, ale nigdy niczego nie komentuje. Wiedziałam, że jest bardzo inteligentny.

W czasie jazdy książę zawsze czytał książki. Od rana do wieczora miał zajęcia na Uniwersytecie Południowej Kalifornii. Santiago mówił, że jego pasażer codziennie pochłaniał w samochodzie cały tom. Wyjąwszy jeszcze jedną księżniczkę, był to jedyny znany mi Saudyjczyk, który czytał książki. Inni przeglądali czasem gazety, ale nikogo nie widziałam z powieścią w ręce. Książek nie mieli też w pokojach. Santiago powiedział mi, że słyszał, jak ten młody człowiek opowiada o swoim prapradziadku – chwalił się, że był szlachetny i waleczny, i twierdził, że Królestwo Arabii Saudyjskiej powstało, bo jego rodzina odzyskała ziemie, które im wcześniej zrabowano. Był z tego bardzo dumny, pewnie tak samo jak ja jestem dumna z ojca, który sam założył dobrze prosperujący biznes.

Książę miał przydzielonych ochroniarzy, którzy wszędzie mu towarzyszyli, oraz starą egipską nianię, która go rozpieszczała. Dziwiło mnie, po co mu w tym wieku opiekunka, ale dowiedziałam się, że niańki często zostają z podopiecznymi aż do ich ślubu w wieku dwudziestu czy trzydziestu lat i pełnią bardziej funkcję sekretarki czy menedżera. Santiago mówił, że kiedy książę ma zajęcia, ochroniarze i niania czekają na dziedzińcu uniwersyteckim, wlepiając wzrok w drzwi sali wykładowej. W południe wszyscy razem jedli lunch w stołówce studenckiej. Niania zawsze zajmowała się pieniędzmi – to ona płaciła za posiłki i wszelkie zakupy, które książę robił w drodze powrotnej do hotelu.

– Tym razem księżniczka podróżuje bez męża – poinformował nas Stu na początku szkolenia. – Ale on codziennie będzie dostawał raporty od saudyjskich wojskowych przydzielonych jej do ochrony. Łapiecie? Będzie wiedział o wszystkim, co się tu dzieje. W świcie księżniczki są jeszcze inni mężczyźni, tak zwani szejkowie, ale oni nie będą spędzać czasu z kobietami ani jeść z nimi posiłków. Saudyjczycy nie przebywają z przedstawicielami płci przeciwnej. Mieszkają osobno, śpią osobno, jedzą osobno. Tak będzie i tu.

Zauważyłam, że poza mną żaden z szoferów nie robi notatek. Zapytałam o to Samiego.

– Nie ma potrzeby, *chica* – odparł, po czym postukał palcem w skroń. – Trzeba wszystko mieć tutaj. Tak jest bezpieczniej.

Odłożyłam zatem ołówek. Nie chciałam uchodzić za prymuskę. Potem okazało się, że większość informacji i tak była błędna albo prawdziwa tylko przez krótki okres, a powiedziano nam w ogóle bardzo mało.

Nie dostaliśmy podstawowych danych – nie wiedzieliśmy na przykład, jak mają na nazwisko nasi klienci, tylko że są członkami saudyjskiej rodziny królewskiej. Nie znaliśmy też pełnych imion i nazwisk nikogo z towarzyszącej im świty. Z reguły funkcjonowali wyłącznie jako „kuzynka" albo „ciocia". Również jeśli chodzi o sam pobyt Saudyjczyków w Los Angeles, dostaliśmy bardzo enigmatyczne wskazówki, których udzielano nam po trochu i wyłącznie wtedy, kiedy absolutnie musieliśmy coś wiedzieć. W kwestii ich przybycia usłyszeliśmy tylko, że przyjeżdżają „wkrótce", może następnego dnia rano albo wieczorem, a może za dwa dni. Zostaną kilka tygodni, być może dłużej. Nie powiedziano nam też, co zamierzają robić, dokąd będą chcieli jeździć czy kogo odwiedzać. Wszystkiego mieliśmy się dowiedzieć w trakcie pracy. Dla szofera była to sytuacja bardzo nietypowa. Przy wszystkich poprzednich zleceniach zawsze wiedziałam, jak klient się nazywa, gdzie mieszka, gdzie pracuje, dokąd chce jechać najpierw, a dokąd później, z kim sypia, jakie leki zażywa i czy jest kryptotranswestytą. To jedna z zalet wynajmowania luksusowych limuzyn – dzięki informacjom dostarczonym przez klienta jesteśmy w stanie zagwarantować mu usługę dopasowaną do jego indywidualnych potrzeb. W przypadku Saudyjczyków działaliśmy po omacku, czego rodzina królewska najwyraźniej sobie życzyła. Żaden z szoferów nie mówił nawet po arabsku. Sądziłam, że znajomość tego języka byłaby mile widziana, bo kierowcy mogliby pełnić funkcję tłumaczy. Dowiedziałam się jednak, że Saudyjczykom szczególnie zależało na tym, żeby nikt nie rozumiał, czego dotyczą rozmowy w samochodzie. Jeśli chcieli coś nam przekazać, mówili po angielsku. Wszyscy członkowie rodziny królewskiej swobodnie władali językiem Szekspira. Szczególnie dobrze szło im wydawanie poleceń.

Z reguły szofer słyszy wszystko, o czym jest mowa w aucie, czy tego chce, czy nie. Niespodziewanie łatwo można też odtworzyć treść rozmowy telefonicznej na podstawie wypowiedzi jednej strony. Kiedyś wiozłam słynnego producenta muzycznego i jego kolegę, którzy wracali z weekendu w Las Vegas. Przylecieli prywatnym samolotem na lotnisko Van Nuys. Obaj śmierdzieli marihuaną, byli spoceni, a w kieszeniach marynarek mieli po kilka butelek piwa. Producent muzyczny, tęgi, łysy facet z trądzikiem i kępą wilgotnych włosów wystających zza koszuli, miał na sobie garnitur za dwa tysiące dolarów wymagający natychmiastowego czyszczenia w pralni chemicznej. Siedzący obok kolega ślinił się i spijał każde słowo z ust towarzysza niczym wesoły wazeliniarz. Wpływowy producent, podsumowując miniony weekend, nieustannie powtarzał kwestie w stylu: „Te cizie były sexy, bardzo sexy" czy „Chętnie jeszcze raz przeleciałbym tę dziwkę". Uznałam, że jest rozkoszny. Potem zadzwonił do niego ktoś, do kogo zwracał się per O.J. Najwyraźniej O.J. był w tarapatach finansowych. Producent długo wahał się, czy odebrać, i skarżył się, że: „Ten facet nie daje mu spokoju; w ciągu ostatnich dwudziestu czterech godzin dzwonił dziesięć razy". Potem długo rozmawiał z O.J-em, starając się go uspokoić. Cały czas powtarzał zdania w stylu:

– Stary, przykro mi, wiem, że nie jest dobrze, ale ja nie mam takich pieniędzy. Współczuję ci, stary, ale, jak mówiłem, po prostu nie mam tyle kasy. Tak, wiem, ale musisz poprosić kogoś innego. Ja nie mam.

Po zakończeniu rozmowy producent zreferował ją szczegółowo koledze, więc nie dało się nie wiedzieć, o co chodzi. Zapamiętałam ją praktycznie słowo w słowo. Zanim dotarliśmy do McDworku producenta w Calabasas, obydwaj pasażerowie zasnęli i chrapali jak niedźwiedzie, a wazeliniarz obśliniał połę marynarki kolegi. Już nie mogłam się doczekać, żeby ich w końcu wysadzić.

Stu przypomniał nam, że musimy zachowywać się dyskretnie – mamy być widziani, a nie słyszani. Nie możemy zadawać pasażerom pytań, chyba że będzie to absolutnie konieczne. Sugerowanie czegokolwiek członkom rodziny królewskiej oraz wszelkie próby odgadywania ich życzeń uważane są za aroganckie. Nie wolno się im sprzeciwiać, nawet jeśli wykonanie ich poleceń stwarza problemy. Jeżeli na przykład każą się zawieźć do centrum handlowego Beverly Center, a ja wiem, że jest już zamknięte, to nie mogę im tego powiedzieć. Muszę jechać z nimi do sklepu na wypadek, gdyby okazało się, że chcą tylko pojeździć po pustym parkingu. Dla mnie to wszystko nie miało sensu.

Musieliśmy dbać o to, żeby nasze komórki zawsze były naładowane i włączone o każdej porze dnia i nocy. Pod żadnym pozorem nie mogliśmy rozmawiać przez telefon, jeśli w aucie z nami siedział klient. W praktyce okazało się, że tej zasady nie da się przestrzegać. Księżniczki i członkowie ich świty nieustannie prosili nas, żeby gdzieś dla nich zadzwonić albo z naszych komórek, albo z telefonów, które wręczali nam w czasie jazdy. Czasami musiałam gimnastykować się z dwoma lub trzema aparatami równocześnie, starając się uzyskać informację, której pasażer domagał się natychmiast, próbując porozumieć się z kierowcami innych osób, z którymi chciał zorganizować wspólny wypad, i dając wskazówki szoferowi, który miał do nas dołączyć. Przypominało to całodobową zmianę na wieży kontroli ruchu lotniczego.

Początkowo próbowałam zjeżdżać na pobocze za każdym razem, kiedy kazano mi gdzieś dzwonić, ale w obliczu licznych sprzeciwów szybko musiałam z tego zrezygnować.

Poinstruowano nas, że zawsze mamy czekać na klienta jedną lub dwie przecznice od miejsca, gdzie go zostawiliśmy. To też okazało się praktycznie niewykonalne, bo bardzo często mój pasażer wskakiwał do innej limuzyny i jechał zupełnie gdzie indziej, wcale mnie o tym nie uprzedziwszy. Zdarzało się, że kilka godzin później dzwoniła do mnie ochrona, domagając się wyjaśnienia, dlaczego nie czekam na klientkę przy butiku Chanel na Rodeo Drive, podczas gdy ja ostatni raz widziałam ją wcinającą makaron w American Girl Café w centrum handlowym Grove. Zazwyczaj ludzie informują szoferów o zmianie planów – zależy im, żebyśmy byli na bieżąco, bo tylko wtedy możemy zapewnić im sprawną obsługę. W ich interesie jest pomóc nam, żebyśmy mogli pomagać im. Podczas tego zlecenia zaczęłam chodzić za swoimi pasażerami i od czasu do czasu sprawdzać, gdzie są. Czułam się idiotycznie, ale nie było innej rady, żeby ich nie zgubić. I tak czasem odnosiłam wrażenie, że celowo starają się znikać mi z oczu. To było jak przedszkolne wygłupy – dziwna dworska gra w chowanego z szoferami. Ale po co?

Stu powiedział nam, że Saudyjczycy zatrzymają się w kilku różnych luksusowych hotelach w Beverly Hills, takich jak Four Seasons, Peninsula, L'Ermitage oraz król wszystkich hoteli, Beverly Hills Hotel. W każdym z nich zajmowali po parę pięter. To rzadki przykład informacji, która okazała się prawdziwa. Większość kobiet mieszkała w jednym hotelu, większość mężczyzn w innym, najstarszy syn księżniczki Zahiry zatrzymał się z kolegami i służbą jeszcze gdzie indziej, a kilku na oko ważnych wąsaczy (których przywieziono z lotniska drogimi bentleyami) rezydowało osobno. Liczni członkowie rodziny królewskiej zamieszkali w prywatnych willach i mieszkaniach rozsianych po całym Beverly Hills. Mężczyźni i kobiety w ogóle się nie spotykali, nawet na posiłki, chociaż dzieci księżniczki Zahiry czasem ją odwiedzały.

Prawie w ogóle nie widywałam saudyjskich mężczyzn, a im też nie zależało na kontaktach ze mną. Od czasu do czasu, zwykle o dziwnych porach, ich zwarta grupka wracała do hotelu lub z niego wychodziła. Z reguły byli zajęci rozmową i żaden z nich nawet na mnie nie spojrzał. Jeśli zdarzyło się, że spotkaliśmy się przy windzie, zawsze stawali z boku, a ja wsiadałam sama, podczas gdy oni czekali na następną.

{ ROZDZIAŁ 4 }

GDZIE JEST HIDŻAB*?

Jak zapowiedział Sami, Saudyjczycy błyskawicznie przeszli odprawę celną na lotnisku, choć podobno mieli ze sobą skrzynię pełną dolarów. Jeden z pracowników prywatnego lądowiska powiedział, że przywieźli dwadzieścia milionów zielonych. Milion dolarów w banknotach studolarowych waży około dziewięciu kilogramów i wypełnia całą walizkę Halliburton szeroką na dwanaście centymetrów. Dwadzieścia takich walizek zajmuje skrzynię, w której zmieściłyby się zwłoki dużego człowieka. To masa mamony.

– Wszystkie grupy Saudyjczyków przyjeżdżają z kuframi pieniędzy – powiedział mi pracownik lotniska. – Zawsze tak podróżują – lubią mieć ze sobą kupę forsy i uwielbiają się

* Hidżab (z arab.) – zasłona na włosy (słowo używane też w znaczeniu ogółu przepisów dotyczących muzułmańskiego ubioru – przyp. tłum.).

nią popisywać. Niektórzy przylatują nawet własnymi boeingami 747. To dopiero kolosy. I latanie po przyjaznym niebie*.

Powiedział mi, że wiele saudyjskich samolotów ma zupełnie zmienione wnętrza i wystrój przypominający pałac wezyra – na pokładzie są pluszowe siedziska wyściełane pikowanym aksamitem, olbrzymie łoża, pięćdziesięciocalowe płaskoekranowe telewizory i sauny tureckie z armaturą z czternastokaratowego złota. Jeden z saudyjskich książąt ma nawet odrzutowiec wyposażony w niewielki fortepian i bar koktajlowy. Wykonywanie utworów fortepianowych na wysokości ponad dziesięciu i pół tysiąca metrów naprawdę robi wrażenie.

Kiedy czekaliśmy przy samochodach, Fausto dał nam znak ręką, że mamy być gotowi i wypatrywać naszych pasażerów. Ożywiliśmy się na widok członków rodziny królewskiej wychodzących z lotniska po kontroli celnej. Najpierw pojawiło się kilka grup ciemnowłosych wąsatych mężczyzn w eleganckich garniturach. Poruszali się energicznie i zdecydowanie, ale tak, jakby ciągnęli za sobą głazy – ramiona mieli wysunięte do przodu, jakby uginali się pod jakimś ciężarem. Od razu ruszyli w stronę saudyjskich wojskowych, którzy stali przy pracownikach konsulatu, i zaczęli rozprawiać z nimi ochrypłym szeptem. Nie spojrzeli nawet na szoferów ani nie zamienili z nami słowa.

Kobiety wychodziły osobno i w miarę jak pojawiały się jedna po drugiej, zaczęłam zadawać sobie w duchu pytania: Gdzie są Saudyjki? Gdzie mają hidżaby? Spodziewałam się

---

* *Fly the friendly skies* (ang.) – slogan reklamowy amerykańskich linii lotniczych United Airlines (przyp. tłum.).

kobiet w czarnych szatach i z zakrytymi głowami, ale panie, które wyszły z lotniska, nie wyglądały jak Saudyjki – przypominały raczej gromadkę seksownych Brazylijek w drodze na dyskotekę. Wiele z nich miało skąpe stroje od Versacego, Gucciego i Prady, kilkucentymetrowe jaskrawe paznokcie, kruczoczarne błyszczące włosy sięgające aż do pasa i grube warstwy perfekcyjnego makijażu w ciemnych barwach. Czyżby równocześnie przyleciał jakiś samolot z Rio? – zastanawiałam się. Do grupy dołączyło kilka starszych i mniej wyzywająco ubranych kobiet, które jednak też nosiły się modnie i nowocześnie. Za nimi ciągnęła kolejna gromadka kobiet, w większości w tradycyjnych muzułmańskich strojach – skromnych i z przykrytą głową. Wiele z nich było młodych i drobnych, miało ciemną skórę i ani śladu makijażu. Wyglądały na wyczerpane.

Kiedy ruszyłam w ich stronę, sądząc, że to właśnie są saudyjskie księżniczki, jedna z półnagich opalonych i powabnych paniuś odwróciła się i rzuciła do nich coś szorstko po arabsku. W odpowiedzi cała grupa, niczym stado zawoalowanych ptaków, wzdrygnęła się równocześnie. Zdałam sobie sprawę, że sponiewierane kobiety to służące, a seksowne paniusie to księżniczki ze swoją świtą. Ponętne elegantki przeszły obok, zupełnie mnie lekceważąc, ale niemal każda służąca uśmiechnęła się i przywitała mnie skinieniem głowy. Niektóre patrzyły na mnie ze zdziwieniem, jakby chciały powiedzieć: Kto to jest? Co ona tu robi?

Sama też byłam zdumiona. Nie spodziewałam się, że przedstawicielki saudyjskiej rodziny królewskiej będą nosić się po zachodniemu. Pewien inżynier ropy opowiadał mi, że kiedy leci z Rijadu do Paryża, za każdym razem jest świadkiem niesamowitej metamorfozy.

– Siadam w pierwszej klasie obok Saudyjki, która ma na sobie długą czarną szatę, czarne rękawiczki i czador – pełny zestaw. Nie mam pojęcia, jak wygląda, bo cała jest zasłonięta. Czasem nawet nie widać jej oczu, a na nogach ma botki, tak że nie widać jej ani kawałka skóry. Potem samolot startuje i opuszcza saudyjską przestrzeń powietrzną. Moja sąsiadka idzie do toalety, a po chwili wraca stamtąd szykowny kociak na wysokich obcasach i w bardzo mini miniówce. Chanel od stóp do głów. Ta sama kobieta. Miała te ubrania pod spodem. To mi się zdarza podczas każdego lotu. Czasami jest ich cała grupa. Kiedy wchodzą na pokład, wyglądają jak czarna chmura, a potem nagle zrzucają ciemne czadory i przeobrażają się w roznegliżowane, błyszczące elegantki. Wtedy dopiero człowiek zdaje sobie sprawę, że Saudyjki są urodziwe.

W Królestwie Arabii Saudyjskiej obowiązuje zasada, że poza domem kobieta musi być całkowicie zakryta, ale jak tyko przekroczy granicę kraju, może nosić, co jej się żywnie podoba, i Saudyjki z tego korzystają. Służące były jednak pobożne i wkrótce się okazało, że zawsze zasłaniają się całe, niezależnie od tego, czy przebywają w kraju, czy za granicą, w domu czy na zewnątrz.

Głową rodziny była księżniczka Zahira, podróżująca z siostrami, przyjaciółkami i kuzynkami, kilkoma ze swoich licznych synów i jedyną córką, o której pewna służąca powiedziała mi, że dziewczynka „została wyciśnięta w ostatniej sekundzie ku wielkiej radości". Księżniczka bardzo chciała mieć córkę i jej najmłodsza pociecha okazała się dziewczynką. Każdemu królewskiemu dziecku w podróży towarzyszyli koledzy i koleżanki – również księżniczki i książęta – i wszyscy oni oraz tabuny służących, sekretarek, nianiek, nauczycieli, trenerów, kucharzy, lekarzy, a nawet psychiatra, masażystka, królewski fryzjer i wielu innych – tworzyli świtę. Siedmioosobowej rodzinie asystowało około czterdzieścioro ludzi.

Księżniczka Zahira zbliżała się do czterdziestki i była zjawiskowo piękna – długie, czarne, idealnie ułożone włosy, które nosiła misternie i fantazyjnie upięte, oraz błyszczące ciemne oczy, uważnie obserwujące świat dookoła, nadawały jej prawdziwie królewski wygląd. Miała szczerą, uśmiechniętą twarz o wydatnych kościach policzkowych i świetlistej, idealnie gładkiej skórze. Wszystkie jej ruchy były wyważone i pełne wdzięku. Nie miała w sobie ani cienia szorstkości czy pośpiechu. Majsam, jedna z nastoletnich służących z Północnej Afryki, powiedziała, że mąż czci księżniczkę Zahirę. Sądziłam, że to ze względu na jej urodę, ale, jak się później dowiedziałam, powodem uwielbienia było to, że księżniczka urodziła małżonkowi siedmiu synów. Dlatego to właśnie ją cenił najbardziej spośród swoich licznych żon, a ona pławiła się w blasku jego uznania. Księżniczka Zahira znacznie przewyższała pięknością inne przybyłe do Los Angeles Saudyjki, nawet swoje siostry – miało się wrażenie, że otacza ją połyskująca poświata, która sprawia, że jej życie jest pełne uroku i pozbawione wysiłku. Jak mawia mój znajomy szofer Sami, księżniczka „lśniła od pieniędzy” – była wspaniale wywoskowana, pięknie pomalowana i niesamowicie nabłyszczona. Ilekroć jej kuloodporny mercedes benz podjeżdżał pod wejście do hotelu, dając tym samym znak, że Zahira skądś wraca albo dokądś się wyprawia, obsługa hotelowa – zarówno mężczyźni, jak i kobiety, wszyscy przyzwyczajeni do oglądania VIP-ów i z reguły dość zblazowani – zawsze przerywała swoje zajęcia i ustawiała się tak, żeby lepiej widzieć księżniczkę. Do tego stopnia zachwycała wszystkich jej uroda. Łatwo można było zapomnieć, że za ten wygląd częściowo odpowiadają wysoko wykwalifikowani i niezwykle uczynni służący, którzy zaspokajali wszystkie potrzeby księżniczki.

Dowiedziałam się, że wynajęto mnie specjalnie dla młodziutkiej księżniczki, bratanicy Zahiry. Fausto dał mi tabliczkę z napisem „MICHELE", podobną do tych, które szoferzy trzymają, stojąc przy punktach odbioru bagażu na lotnisku. Kiedy mijały mnie kolejne starsze i młodsze kobiety, wskazywałam na tabliczkę i pytałam: „Michele?, Michele?". Odpowiadały mi chichotaniem i szybko się oddalały. Zauważyłam, że większość saudyjskich nastolatek ma na sobie modne ubrania za grube tysiące dolarów – były szykownymi miniaturkami dorosłych pań. Mieszkańcy Arabii Saudyjskiej wykupują ponad trzy czwarte produkowanej na świecie odzieży ekskluzywnej, więc pewnie dziewczyny wcześnie ją dostają.

Nie przestawałam szukać Michele, aż pewna Angielka z wąskimi ustami i loczkami w kolorze morelowym, opiekunka jednej z saudyjskich nastolatek, dała mi burę za nagabywanie dziewcząt.

– Pytasz nie tych co trzeba. Michel to mężczyzna, fryzjer księżniczki. Tam stoi – powiedziała, wskazując na mocno opalonego faceta w średnim wieku ubranego w podkoszulek z cekinami i obcisłe dżinsy biodrówki, który palił papierosa na chodniku.

Miał duże piwne brzuszysko, które wylewało mu się ze spodni, rudawe, przyprószone siwizną sztywne włosy, które sterczały na wszystkie strony, upodabniając go do Dona Kinga. To właśnie był Michel. Nie pochodził z Arabii Saudyjskiej, był fryzjerem z Tunezji, którego księżniczka poznała w Paryżu i który później podróżował z nią jako nadworny figaro. Strasznie się rozczarowałam. Co do cholery? – myślałam. Gdzie moja mała księżniczka? I to niby ma być fryzjer? Ten facet potrzebuje grzebienia i długiego *rendez-vous* z lustrem. Nie chcę go wozić, nie bez zestawu szczepień. Wygląda na kogoś, kto gryzie.

Nasi pasażerowie nie nieśli żadnych walizek, bo za sznurem limuzyn stały dwie wielkie ciężarówki, a w nich grupa ludzi, którzy zajmowali się bagażem. Walizek były setki, niektóre w rozmiarze volkswagena, wiele opakowanych w plastikową folię niczym olbrzymie tace z mrożonymi obiadami. Większość miała metki Louis Vuitton, Gucci lub Coach, a za niektóre mogłabym opłacić swój roczny czynsz. Służące zostały w tyle, żeby przypilnować, czy wszystko zostało zabrane i odesłane do właściwego hotelu. Siedziały na walizkach, strzegąc bagażu, za który odpowiadały, jak kwoki wysiadujące jaja.

Saudyjczycy podróżują z rozmachem, a ich wyprawy przypominają operacje wojskowe. Potem okazało się, że pod plastikową folią kryły się meble, kosztowne jedwabne dywany, wszelkiej maści bibeloty, porcelana z Limoges, specjalne kuchenki, podgrzewacze, błyszczące srebrne tace, ozdobne pozłacane i glazurowane perskie samowary, wyśmienite kawy, herbaty, suszone owoce, ryż, fasola, zboża, przyprawy, słodycze i intensywna w smaku czekolada, którą można dostać tylko na Bliskim Wschodzie. Przywieźli cały pałac. A raczej kilka pałaców. Mieli ze sobą nawet kadzidełka.

Nie wszystkie rodziny królewskie podróżują w ten sposób. Moja znajoma, która zajmuje się dekorowaniem luksusowych rezydencji w Los Angeles, dostała zlecenie całkowitej zmiany wystroju domu, który saudyjska księżniczka miała wynająć na krótki pobyt. Znajoma za dziesiątki tysięcy dolarów stworzyła supernowoczesne wnętrze, w którym księżniczka przebywała przez tydzień. Saudyjka nie przywiozła ze sobą żadnych rzeczy i nie zabrała z Los Angeles niczego, co tu kupiła.

Okazało się, że jeden z zafoliowanych gigantów to serwis do herbaty, dla którego zarezerwowano w hotelu osobny pokój za pięćset dolarów na dobę. O każdej porze dnia i nocy służący chodzili tam, żeby parzyć herbatę dla księżniczki Zahiry i jej świty. Serwis miał świetne warunki. Nie zapewniono mu co prawda apartamentu, a tylko standardowy pokój, ale i tak za siedmiotygodniowy pobyt rachunek musiał wynieść około dwudziestu pięciu tysięcy dolarów. No i miał własny balkon z widokiem na Beverly Hills. Ja od dwóch miesięcy zalegałam z czynszem i przekopywałam się przez swoją szkatułkę z biżuterią w poszukiwaniu czegoś, co mogłabym sprzedać, żeby uniknąć spotkania z szeryfem. Bardzo chętnie zamieszkałabym z serwisem.

Służące zaczęły uwijać się przy bagażach i sprawdzać, czy mężczyźni z firmy transportowej obchodzą się odpowiednio z zastawą do herbaty i resztą pałacowych skarbów. Później, w czasie pobytu, mnie też częstowały herbatą – kiedy już mnie poznały i bardzo się polubiłyśmy.

Oderwałam wzrok od lawiny tobołów i odzianych na czarno kobiet, żeby rzucić okiem na błyszczących od klejnotów członków rodziny królewskiej czekających przy lincolnach i porsche, aż kolumna aut ruszy. Niektórych z nich też miałam poznać, zwłaszcza młode kobiety. Uśmiechnęłam się, przechodząc obok nich, ale mnie zignorowali. Następnie udałam się w stronę królewskiego fryzjera, który palił zaciekle i gniewnym wzrokiem wpatrywał się w przestrzeń.

Wyglądał jak ktoś, z kim będą kłopoty.

{ ROZDZIAŁ 5 }

PAŁACOWE INTRYGI

Szybko zorientowałam się, że zachowaniem rodziny królewskiej i jej świty zawsze kierują skomplikowana hierarchia ważności i system wzajemnych dominacji. Zauważyłam, że niezależnie od stanowiska nawet wśród szoferów i ochrony każdy chciał mieć pod sobą kogoś, komu mógłby rozkazywać. Zawsze obowiązywał ustalony porządek dziobania. Ochroniarze lubili wydawać dyspozycje kierowcom, nauczyciele – niańkom, nianki – służącym, służące – pokojówkom, a szoferzy – boyom hotelowym. System był zdradziecki i totalny. Początkowo nie zdawałam sobie sprawy z jego zasięgu i sądziłam, że wszechobecnej żądzy władzy ulegają tylko nieliczni nikczemnicy z wypaczoną osobowością. Szybko jednak okazało się, że to standardowe zachowanie najwyraźniej narzucone z góry i traktowane jako forma rozrywki. Najgorszy pod tym względem był nadworny fryzjer. Pierwszego dnia na lotnisku, kiedy mi go wskazano, podeszłam i zwróciłam się do niego uprzejmie:

– Pan Michel?

Obrzucił mnie szybkim spojrzeniem, pogardliwie odwrócił wzrok i stanął do mnie tyłem. Okrążyłam go, żeby stanąć z nim twarzą w twarz, ale on znów się na mnie wypiął. Jeszcze raz się przesunęłam, a on ponownie się obrócił. Wydawało się, że wykonujemy jakiś dziwny taniec. Dopiero po kilku obrotach zorientowałam się, że celowo nie chce na mnie patrzeć, żeby zademonstrować, że nie jestem godna miejsca w jego polu widzenia – byłam tylko szoferem, czyli nikim.

– CO? CZEMU? – wrzasnął na mnie z silnym francuskim akcentem, kiedy jeszcze trochę sobie potańczyliśmy i zdał sobie sprawę, że mnie nie spławi.

Pochodził z Tunezji, ale zachowywał się jak Francuz. Bez końca powtarzał mi, że spędził dużo czasu w Paryżu, że kochał Paryż, że wołałby teraz być w Paryżu. No i był strasznym krzykaczem.

– KIM TY JESTEŚ? – wrzeszczał.

– Pańskim szoferem, sir. Jak się pan miewa? Mam nadzieję, że miał pan przyjemny lot.

Spojrzał na mnie gniewnie.

– GDZIE AUTO?

Wskazałam na czarnego forda model Crown Victoria stojącego kilka metrów dalej w kolumnie samochodów.

– GDZIE JEST SUV? – dopytywał się. – TY WOZIĆ MOJĄ OSOBĘ W SUV-IE.

– Przykro mi, sir – odpowiedziałam. – Przydzielono panu ten samochód.

Znów się skrzywił i odsunął się ode mnie. Odkryłam, że również wyborem i dystrybucją aut rządziła ścisła hierarchia. Wszystkie księżniczki i książęta mieli luksusowe limuzyny albo opancerzone mercedesy. Większości członków świty przydzielono SUV-y albo inne ekskluzywne auta, które sobie wybrali. Tym na niższych szczeblach drabiny dostały się samochody miejskie takie jak crown victoria Michela. Nie należał do rodziny królewskiej ani do dworskiej elity, a chciał być wożony cadillakiem albo lincolnem. Może wcześniej dostał taką brykę, a może obiecano mu ją na tę podróż, ale kiedy potem napomknęłam o jego niezadowoleniu ochroniarzom, którzy załatwiali samochody, wybuchnęli szyderczym śmiechem.

Zaaferowana kobieta po trzydziestce owinięta masą zwiewnych szali z kolorowego jedwabiu, które ciągnęły się za nią niczym welon, podeszła do nas i zażądała od Michela papierosa. Popatrzyła na mnie nieufnie, jakbym była impertynenckim intruzem, chociaż stałam tylko spokojnie, czekając, aż fryzjer wsiądzie do samochodu albo powie mi, co mam robić. Następnie kobieta zaczęła mówić coś do Michela mieszanką arabskiego i francuskiego. Jej głos był podniesiony i żarliwy, a gesty zamaszyste, jakby występowała w staroświeckim melodramacie. Czekałam. Od czasu do czasu kobieta obracała się i obrzucała mnie złowrogim spojrzeniem. Najwyraźniej pojawił się jakiś problem, ale mimo wyszukanej gry aktorskiej nie rozumiałam, o co chodzi. Dramatyzm narastał w miarę rozwoju opowieści.

Nagle naskoczyła na mnie i oznajmiła:

– Jadę z Michelem. – Stanęła bardzo blisko, ledwie kilka centymetrów od mojej twarzy, tak że czułam jej przesiąknięty tytoniem oddech. – Najpierw musisz zawieźć nas do hotelu Beverly Hills, a potem do hotelu, w którym mieszka księżniczka. Musimy zmienić hotel. *C'est très important*. Mój szofer pojedzie za nami. Musisz mu o tym powiedzieć. *Tout de suite. Merci*. To wszystko.

Nie zadała sobie nawet trudu, żeby się przedstawić, ale potem dowiedziałam się, że to Asra, sekretarka księżniczki Zahiry. Rozglądałam się za jej kierowcą, w nadziei, że jest gdzieś w pobliżu. Znałam tylko dwóch innych szoferów, Samiego i Charlesa, i nie miałam jeszcze pojęcia, kto jest do kogo przypisany. Było nas zbyt wielu.

– Kto jest pani szoferem? – zapytałam.

Zamiast odpowiedzieć, gwałtownie się ode mnie odsunęła, żeby dobitnie mi zademonstrować, że dyskusja dobiegła końca. Później stała ramię w ramię z fryzjerem i znów żywo o czymś rozprawiali, mieszając francuski i arabski. Palili papierosa za papierosem, odpalając jednego od drugiego, tak że czasem oboje trzymali w rękach po dwa zapalone papierosy i tonęli w oparach dymu. Co chwilę kierowali w moją stronę oskarżycielskie spojrzenia, jakby rzucali mi wyzwanie, żebym coś zrobiła albo powiedziała. Nie wiedziałam, o co im chodzi. Rozumiałam tylko pojedyncze słowa z tego, co mówili, i zaczynałam się denerwować, bo widziałam, że dzieje się coś niepokojącego. Jestem bardzo spostrzegawcza i przez całe życie polegałam na swoim darze obserwacji. Zwykle potrafię stwierdzić, co się dzieje i co należy zrobić na podstawie strzępków informacji, które zebrałam, cały czas pozostając czujna. Po raz pierwszy spotkałam się z tym, że celowo wyklucza się mnie z rozmowy. Równocześnie wyczuwałam, że zostanę pociągnięta do odpowiedzialności za to, że czegoś nie wiem – czegoś, co być może celowo przede mną ukrywają – oraz za to, jak to się wszystko skończy. Była to strategia ubezpieczająca, którą zaczęłam nazywać „czynnikiem kozła ofiarnego" i której powszechnie używano w rodzinie królewskiej i wśród świty do zrzucania winy na innych. Szerzono za jej pomocą błędne informacje, które miały na celu wprowadzenie otoczenia w błąd i odwrócenie uwagi od udziału jakiejś osoby w danej sprawie. W ten sposób tworzyła się bardzo napięta atmosfera i nikomu nie można było zaufać. Stopniowo zdałam sobie sprawę, że tak funkcjonuje dwór.

Również w obrębie poszczególnych hierarchicznych grup istniała zaciekła rywalizacja, ale nie umiałam stwierdzić o co. Czy konkurowali ze sobą o lepsze pensje i szczodre emerytury, czy tylko o uwagę i względy księżniczki Zahiry? Nie miałam pojęcia, a po kilkudniowym przyglądaniu się dworskim machinacjom wcale nie chciałam się dowiedzieć. Z reguły wszystko mnie ciekawi, ale pałacowe intrygi w ogóle mnie nie obchodziły. Było w nich zbyt wiele zawiści. Wolałabym raczej przeczytać podręcznik do fizyki kwantowej – po rosyjsku, w którym to języku nie umiem ani czytać, ani pisać, ani mówić – niż zgłębiać nadworne knowania. To wszystko było po prostu zbyt skomplikowane i odpychające.

Potem dowiedziałam się, że Asrze nie odpowiadał pokój, który jej przydzielono, więc spiskowała, żeby dostać większy, wygodniejszy apartament. Najprawdopodobniej chciała wysiudać którąś z nauczycielek czy opiekunek i prosiła fryzjera o wsparcie. Wiedziała, że księżniczka Zahira go słucha. W trakcie siedmiotygodniowego pobytu mieli odwiedzić ją jacyś krewni mieszkający w Stanach, więc potrzebowała dodatkowego pokoju dla gości.

Kiedy wypytywałam szoferów, kto ma wozić Asrę, Jorge, jej kierowca, przybiegł do nas wyraźnie zdenerwowany. Był to krępy Latynos w źle dopasowanym garniturze z poliestru. Pot lał się z niego strumieniami, bo gonił po całym terminalu, usiłując znaleźć swoją pasażerkę. Miała czekać na chodniku, aż on podprowadzi samochód, ale kiedy się pojawił, jej już nie było. Powiedziałam mu, że zabieram oboje naszych klientów do hotelu Beverly Hills, a on ma jechać za mną.

– Nie wiem, gdzie to jest! – odpowiedział, ocierając pot z czoła. – Nie chcę się zgubić pierwszego dnia!

– Na Sunset, na północ od Santa Monica Boulevard, w północno-zachodniej części Crescent Drive, niedaleko tego pięcioramiennego skrzyżowania, gdzie Beverly przecina się z Sunset.

Szoferzy są przyzwyczajeni do dawania sobie wskazówek i zawsze oczekują nazw ulic i kierunków na mapie. Jorge był zaniepokojony.

– Czy to jest w Beverly Hills? – zapytał.

– Tak, stąd nazwa hotel Beverly Hills. Najlepiej po prostu jedź za mną. Uważaj, żebyś nie minął skrętu do hotelu. Zapisz sobie w komórce mój numer i zadzwoń, gdybyś się zgubił.

Od razu wiedziałam, że nie będzie mu łatwo, zwłaszcza że miał wozić Asrę, którą byłam w stanie ocenić po zaledwie kilku minutach znajomości.

Potem poznałam przyczynę zdenerwowania Jorgego – nie chodziło tylko o brak doświadczenia. Za wszelką cenę chciał utrzymać tę pracę. Jego brat niedawno został deportowany i Jorge sam utrzymywał starą schorowaną matkę i dwoje małych dzieci brata. Jorge też pracował nielegalnie i ciągle bał się, że zatrzyma go policja. Jako nielegalny imigrant żył w ciągłym stresie, a praca szofera i spędzanie wielu godzin w samochodzie wiązały się dla z niego z ogromnym ryzykiem. Czuł się jak łatwa zdobycz. Dostał kalifornijskie prawo jazdy wiele lat temu, kiedy nie trzeba było jeszcze udowadniać, że ma się obywatelstwo, ale straciło już ważność. Jeśli zatrzymałaby go policja, to już po nim – z pewnością zostałby deportowany, a rodzina wylądowałaby na bruku. Dzieci były obywatelami Stanów Zjednoczonych, bo urodziły się w Kalifornii, a niedołężna matka miała zieloną kartę, ale nie zdołała zdobyć papierów dla syna – w wyniku zmian wprowadzonych przez Departament Bezpieczeństwa Krajowego po 11 września wszelkie sprawy imigracyjne ciągną się niemiłosiernie.

Jorge powiedział mi, że ostatni raz był w Meksyku jako nastolatek i nie znał tam już nikogo z wyjątkiem swojego brata. Od dwudziestu lat mieszkał nielegalnie w Stanach i nie znał innego życia.

Oczywiście Asra wylała go po kilku tygodniach. Twierdziła, że zachowywał się wobec niej nieuprzejmie i nie wykonywał jej poleceń. Pewnie chodziło raczej o to, że Asry nie dało się zadowolić.

Zorientowałam się, że do obowiązków nadwornego fryzjera należy układanie fryzury księżniczki Zahiry, kiedy ta wstanie, zawsze późnym przedpołudniem, a potem jeszcze raz, przed kolacją. Oznaczało to, że fryzjer miał dużo wolnego czasu. Sporadycznie Michel golił też jednego z synów księżniczki, który mieszkał w innym hotelu. Znał wszystkie dzieci od maleńkości i zachowywał się przy nich jak ekscentryczny wujek. Tolerowały to, trzymając go jednak na dystans.

Widać było natomiast, że jest w dość bliskich relacjach z ich matką. Księżniczka Zahira i nadworny figaro chichotali i trajkotali razem jak dwie szkolne psiapsiółki.

Do mnie należało wożenie go, kiedy towarzyszył księżniczce w zakupach. W praktyce wyglądało to tak, że jechałam sama w karawanie ośmiu samochodów wlokących się wzdłuż Rodeo Drive za księżniczką Zahirą i jej świtą, którzy szli pieszo. Przy pierwszej takiej wyprawie Michel wrzeszczał na mnie z odległości dwóch przecznic, oznajmiając, że chce wsiąść do samochodu. Szybko zaparkowałam tuż za kuloodpornym mercedesem księżniczki i autem z jej obstawą, a potem wysiadłam, żeby otworzyć mu drzwi. Zachowywał się tak, jakby czekał na mnie od dwóch tygodni.

– GDZIEŚ TY BYŁA? CZEMU MUSZĘ CHODZIĆ? – krzyczał.

Stałam tuż przy samochodzie, przytrzymywałam drzwi i czekałam, aż wsiądzie.

– Auto już jest, sir. Życzy pan sobie, żebym go odwiozła?

– GDZIEŚ TY BYŁA? CZEMU CHODZĘ? CZEMU!!? CZEMU MUSZĘ SAM SIĘ CHODZIĆ!!?

– Przepraszam, sir. Już jestem, sir. Hm, chce pan wracać pieszo?

– LA*! LA! LA! MÓWIĘ: CZEMU CHODZĘ? CZEMU MUSZĘ SAM SIĘ CHODZIĆ? CZEMU? CZEMU? CZEMU? TY ZE MNĄ, JA ZAWSZE Z KSIĘŻNICZKĄ. CZEMU MUSZĘ SAM SIĘ CHODZIĆ?

Rozglądałam się za kimś, kto mógłby mi przetłumaczyć, co on mówi, ale wszyscy obecni byli zajęci badaniem szczelin

---

* *La* (arab.) – nie (przyp. tłum.).

w chodniku. Wiedzieli, jaki jest Michel, i nie mieli ochoty się w nic mieszać. Księżniczka nadal była w sklepie i nic nie słyszała – nigdy nie odważyłby się na takie histerie przy niej. W jej obecności był niezwykle serdeczny, uległy i życzliwy, ale kiedy znikała z horyzontu, zachowywał się jak wściekły pies.

Uznałam, że się wkurzył, bo musiał podejść dwadzieścia kroków do swojego samochodu. Limuzyna księżniczki Zahiry zawsze otwierała konwój, a za nią jechali jej ochroniarze, tak żeby w razie niebezpieczeństwa mogła jak najszybciej uciec. Nasze auto było trzecie w kolejności, tuż za pojazdami księżniczki. Fryzjer chciał być traktowany tak samo jak członek rodziny królewskiej. W jego mniemaniu samochody księżniczki powinny się usunąć, żeby on mógł wsiąść do swojego tam, gdzie stanął – na początku konwoju. O tym nie było mowy. Istniała hierarchia, a on nie był blisko szczytu.

W końcu nadąsany wsiadł do auta i zapalił papierosa. Zaczęłam otwierać okno.

– LA! LA! OKNO NIE! OKNO NIE! JECHAĆ!

Zawiozłam go zatem do oddalonego o trzy przecznice hotelu, krztusząc się tytoniowym dymem.

ROZDZIAŁ 6

GRA ZESPOŁOWA

Mąż księżniczki Zahiry był wysokim rangą księciem w rodzinie odnoszących sukcesy biznesmenów. W swoim portfelu inwestycyjnym miał również Beverly Hills i tutejsze hotele. Członkowie saudyjskiej rodziny królewskiej są właścicielami lub współwłaścicielami wielu najwyższej klasy hoteli tak w Los Angeles, jak na całym świecie. Od początku było dla mnie jasne, że rodzinna wyprawa ma błogosławieństwo Waszyngtonu. Ochrona codziennie kontaktowała się z Departamentem Stanu, żeby ustalić, co i gdzie będą robić Saudyjczycy, więc atmosfera wokół nich zawsze była napięta, okazjonalnie nieco lżejsza, jakby ochroniarze pilnowali tournée skarbów narodowych.

Każdy wie, że Waszyngton od dawna ma bliskie kontakty z saudyjską rodziną królewską – wszyscy widzieliśmy zdjęcia obściskujących się głów państw, a Stany Zjednoczone odegrały najważniejszą rolę w rozwoju gospodarczym

Arabii Saudyjskiej. To dzięki amerykańskiej intuicji i kopaczom – nafciarzom ze Stanów, którzy przyjechali nad Zatokę – w 1936 roku odkryto tam złoża ropy naftowej i Królestwo stało się bogate. Portfele nabili sobie też amerykańscy producenci paliw i samochodów, którzy chcieli doprowadzić kolej do bankructwa. Dwadzieścia procent światowych zasobów ropy znajduje się pod saudyjskim piaskiem, dziewięćdziesiąt procent dochodów eksportowych Arabii Saudyjskiej pochodzi z ropy, a Królestwo jest jej największym eksporterem. Przed znalezieniem czarnego złota Arabia Saudyjska handlowała głównie daktylami.

Eksploatacja na szeroką skalę rozpoczęła się dopiero po drugiej wojnie światowej i to spółka z kapitałem amerykańskim, Arabian Standard Oil, robiła odwierty, wydobywała ropę spod ziemi, oczyszczała ją i wysyłała za ocean. Potem spółka przekształciła się w ARAMCO, konglomerat kilku amerykańskich firm. W latach siedemdziesiątych saudyjski rząd podpisał z ARAMCO umowę, w wyniku której Królestwo stało się właścicielem sześćdziesięciu siedmiu procent udziałów. W latach osiemdziesiątych przejęło pełną kontrolę nad koncernem. Saudyjska rodzina królewska, główny beneficjent boomu paliwowego, zarabia na ropie miliardy dolarów rocznie.

Surowca tego używano od tysięcy lat, ale pierwotnie był wykorzystywany głównie do celów leczniczych, najczęściej w formie maści, która musiała okropnie śmierdzieć. Mieszkałam przez krótki okres w Zachodnim Teksasie i sama się przekonałam, że powietrze wokół szybu naftowego czy gazowego jest przesycone odorem siarki i chemikaliów, który przypomina fetor zgniłych jaj i zawsze przyprawiał mnie o mdłości. Potem ropy używano jako paliwa zamiast węgla, do lamp i pieców w miejsce tranu, a jeszcze później – w lokomotywach.

Jednak dopiero inwazja samochodów, które upowszechnili Amerykanie, sprawiła, że ropa stała się tak cenna. Silnik spalinowy potrzebuje paliwa, ropa wydawała się względnie tania, a jej zasoby bardzo duże.

W 1945 roku Franklin Delano Roosevelt zawarł słynny układ „ropa za bezpieczeństwo", porozumienie, które scementowało wspólną przyszłość Stanów Zjednoczonych i Arabii Saudyjskiej i przez wiele dziesięcioleci kształtowało sytuację na Bliskim Wschodzie. Roosevelt ofiarował królowi Azizowi Al Su'udowi jego pierwszy samolot, DC-10, w którym kazał zamontować specjalny fotel obrotowy, tak że Aziz mógł podczas lotu siedzieć twarzą w stronę Mekki. Największe bliskowschodnie linie lotnicze Saudi Arabian Airlines zostały założone przez amerykańskie Trans World Airlines i były ich spółką zależną. Przez pierwsze lata funkcjonowania to TWA zapewniały saudyjskiemu przewoźnikowi personel i szkoliły nową załogę. Fundacja Forda przez ponad dekadę pomagała Arabii Saudyjskiej w organizowaniu administracji młodego państwa. Amerykanie wprowadzili tam też nowe techniki upraw i zbudowali system nawadniania, dzięki czemu w pustynnym kraju powstało rolnictwo. Można by jeszcze długo wymieniać. Relacje między dwoma państwami nadal są tak dobre, że w 2011 roku Stany zawarły z Arabią kontrakt na sprzedaż broni o wartości sześćdziesięciu milionów dolarów, w tym samolotów bojowych F-15 i helikopterów Apache. To największa dotychczas zawarta transakcja w historii handlu bronią. Na przyszłość planowane są kolejne, równie wartościowe.

Szybko zdałam sobie sprawę, jak daleko sięgają wpływy Saudyjczyków – pociągali za sznurki nawet na Zachodnim Wybrzeżu. Pierwszego wieczoru (a raczej nad ranem), kiedy w końcu dostarczyliśmy pasażerów do hotelu, wracałam do domu, żeby się trochę przespać. Niespodziewanie zadzwonił do mnie Fausto i kazał w te pędy jechać na Wilshire Boulevard, żeby załatwić coś z policją. Sytuacja była kryzysowa. Jechałam wzdłuż bulwaru, nie mając pojęcia, co mnie czeka. Nagle usłyszałam syreny i zobaczyłam migające światła. Wilshire Boulevard był odgrodzony przy skręcie na Comstock Avenue, niespełna kilometr w obu kierunkach. Fausto powiedział, że jestem tam potrzebna, bo pojawiły się jakieś problemy z wynajętymi ciężarówkami, które miały przewieźć bagaże Saudyjczyków z lotniska do hoteli. Nigdzie ich jednak nie widziałam – przede mną ciągnął się tylko długi rząd jaskrawych świateł ostrzegawczych. Stało tam kilka policyjnych SUV-ów, parę czarno-białych radiowozów, brygada saperów, a w powietrzu unosiły się hałaśliwe helikoptery.

Przyjechałam nie fordem przypisanym fryzjerowi, ale nowiutkim bajeranckim lincolnem navigatorem i przed opuszczeniem hotelu wzięłam od szefa ochrony wizytówkę, podejrzewając, że może mi się przydać w tej misji. Była okazała, laminowana, z kilkoma budzącymi respekt pieczęciami. Kartonik był dłuższy i węższy niż w standardowej wizytówce, prostokątny i ze ściętymi rogami. „Ochrona dygnitarzy i biznesmenów" – napisano wypukłym drukiem po jednej stronie. Wyglądało to raczej jak legitymacja członkowska ekskluzywnego klubu niż wizytówka. Dla bezpieczeństwa schowałam ją do stanika i kręcąc kierownicą SUV-a, od czasu do czasu czułam, jak wbija mi się w przedramię.

Kiedy pomału podjeżdżałam do świateł ostrzegawczych, blokujący bulwar policjanci zaczęli do mnie wołać:

– Proszę zawrócić! Proszę stąd odjechać! Proszę zawracać!

Wyprostowałam się za kierownicą SUV-a i choć serce waliło mi jak oszalałe, nagle poczułam się niezniszczalna, jakby ktoś wyniósł mnie ponad to wszystko. Zignorowałam ich krzyki i podjechałam jak najbliżej migoczących świateł. Policjanci biegali w różnych kierunkach, a wszędzie panował totalny chaos. Po chwili w pewnym oddaleniu zobaczyłam dwie porzucone ciężarówki. Stały na rogu bocznej uliczki, przed wysokim apartamentowcem przy Wilshire, otoczone kordonem wozów policyjnych. Wtedy zdałam sobie sprawę, że Fausto najprawdopodobniej przysłał mnie tu, żebym przekonała organy ścigania, że w ciężarówkach nie ma wyprodukowanych chałupniczo bomb. Uznał, że lepiej niż inni szoferzy poradzę sobie z policją Beverly Hills, ale sprawy nie rokowały dobrze.

Czterdziestoletni sierżant reprezentował typ na wskroś amerykańskiego surfera charakterystyczny dla Beverly Hills, z jasnymi pasemkami w blond czuprynie i lekką siwizną na skroniach. Komenda Główna Beverly Hills ma najwidoczniej szczególne wymagania co do wyglądu, skoro wszyscy jej pracownicy są wysocy, jasnowłosi i krzepcy. Może się wydawać, że przesadzam, ale z moich obserwacji wynika, że tak właśnie jest. Na pewno w policji pracują też kobiety, ale nigdy żadnej nie widziałam, ani jednej, choć mieszkam w Los Angeles od ponad dziesięciu lat. Ten sierżant miał wyjątkowo rozwiniętą muskulaturę i było wyraźnie widać, że kocha swoją pracę i mundur. W ten ciepły poranek miał na sobie koszulę z krótkim rękawem. Celowo od czasu do czasu napinał mięśnie, żeby się nimi popisać. Sierżant był przystojny i zdawał sobie z tego sprawę.

Czas zwolnił, kiedy gliniarz podszedł do SUV-a, obrzucił mnie taksującym spojrzeniem, zbadał samochód, okrążył go i spisał numer z papierowych tablic – w ten sposób w żargonie drogówki nazywa się tablice bez dowodu rejestracyjnego używane przez luksusowe wypożyczalnie takie jak ta, z której pochodził nowiutki navigator. Policjant zdecydował, że zasługuję na trochę uwagi – pewnie dlatego, że podjechałam autem za sześćdziesiąt pięć tysięcy dolarów wyposażonym we wszystkie możliwe gadżety. Podszedł do okna kierowcy, naprężył mięśnie, uśmiechnął się do mnie uroczo, przedstawił się, jakbyśmy byli na potańcówce w klubie country, a potem czekał cierpliwie, aż się odezwę. Nadal byłam zdenerwowana koniecznością przedzierania się przez policyjne barykady i zajęło mi chwilę, żeby się uspokoić. Ponadto, szczerze mówiąc, w obecności przystojnego sierżanta straciłam trochę rezon. Przez moment myślałam, że może biorę udział w programie *Punk'd* i zaraz skądś wyskoczy Ashton Kutcher z ukrytą kamerą. W końcu zdołałam wydusić z siebie, że pracuję dla rodziny królewskiej, która zatrzymała się w kilku hotelach w Beverly Hills. Nie jestem pewna, ale chyba nie użyłam określenia „saudyjska", tylko coś w rodzaju „monarchia ropy", żeby podkreślić ich bajeczne bogactwo. Wyjęłam elegancką wizytówkę (widziałam, że zauważył, że trzymałam ją w biustonoszu). Dodałam, że ochrona rodziny królewskiej przysłała mnie, żebym wyjaśniła z policją sprawę zatrzymanych ciężarówek. Poinformowałam go, że samochody transportowały ogromne ilości bagażu rodziny królewskiej i że mają zostać zwrócone do wypożyczalni, jak tylko zostanie otwarta. Sierżant odpowiedział, że mieszkaniec apartamentowca stał na balkonie i widział, jak latynoscy kierowcy parkują ciężarówki i odchodzą. Zaniepokojony zadzwonił na policję, a ta potraktowała zgłoszenie poważnie, przysyłając liczne oddziały.

Miałam przy sobie kluczyki do obu aut i zaoferowałam, że mogę je otworzyć do kontroli. Sierżant przyglądał mi się uważnie, kiedy wysiadałam z samochodu, i czułam jego oceniające spojrzenie na swoim kostiumie, piersiach, tyłku. Udawałam, że tego nie widzę. Już dawno wyrosłam z prób wykorzystywania kobiecych wdzięków w rozwiązywaniu konfliktów z policją w Mieście Aniołów.

Kiedy mieszkałam jeszcze na Wschodnim Wybrzeżu, policjant, wesoły glina z Bostonu, pomógł mi podczas śnieżycy zaparkować równolegle forda troopera mojej koleżanki.

Musiałam się zatrzymać w strefie wyłącznie dla ciężarówek z zaopatrzeniem, wśród kilkumetrowych zasp. Policjant nie tylko pomógł mi to zrobić, lecz także postarał się, żebym nie dostała mandatu, choć parkowałam w miejscu niedozwolonym. A wszystko dlatego, że się do niego uśmiechnęłam. Natomiast w pierwszym tygodniu po przeprowadzce do Los Angeles zostałam zatrzymana na Santa Monica Boulevard przez młodego umięśnionego gliniarza w lustrzanych okularach przeciwsłonecznych i na motorze, bo miałam niezapięte pasy. Cały czas bezwstydnie ze mną flirtował, a na koniec i tak wlepił mi dwustudolarowy mandat, chociaż pokazywałam mu, że samochód z wypożyczalni ma zepsute pasy.

– To nie powinna nim pani jeździć – rzucił na odchodnym i odjechał z warkotem silnika.

Sierżant pomógł mi otworzyć naczepy obu ciężarówek.

– Widzi pan – powiedziałam. – Nic tu nie ma. To jakieś totalne nieporozumienie. Rodzina królewska przyjechała dzisiaj z tak ogromną ilością bagażu, że musieliśmy wypożyczyć ciężarówki. Wyobraża pan sobie? Ale nie stwarzają żadnego zagrożenia, naprawdę. Po prostu będziemy mogli je zwrócić dopiero w poniedziałek. Widzi pan? Całkiem bezpieczne.

Na szczęście rzeczywiście były puste. Wstrzymywałam oddech, obawiając się, że faceci, którzy ładowali bagaże, odsypiają tam ciężki dzień pracy.

Sierżant przez cały czas był niezwykle opanowany. Kilka razy pokiwał głową, a potem oddalił się trochę i powiedział coś do krótkofalówki, którą miał przyczepioną do ramienia. Spokojnie wysłuchał moich zapewnień, że ciężarówki zostaną stąd zabrane wczesnym rankiem, ale spodziewałam się, że i tak dostaniemy wysoki mandat albo nawet wezwanie do sądu. Nie wiedziałam, jakie rozporządzenie zostało złamane, ale na pewno jakieś istniało. W Beverly Hills nie widuje się niczego, co wyglądałoby, jakby nie pochodziło stąd: po ulicach nie jeżdżą zdezelowane samochody z wielkimi felgami, nie ma tu bezdomnych (jeśli nie liczyć schludnego mężczyzny, który wygląda jak pastor baptystów i ubrany zawsze w czarny garnitur, białą koszulę i krawat żebrze na rogu Santa Monica Boulevard i Bedford przed kościołem Dobrego Pasterza) ani imprezowiczów, którzy po zamknięciu lokali wystają przed restauracjami i barami. Wszystko jest tu pod kontrolą. Na pewno istnieje statut pod tytułem „O tym, co nie przynależy do miasta Beverly Hills".

Chwilę później policjant znów się do mnie uśmiechnął, nawet bardziej słodko niż za pierwszym razem, i wręczył mi swoją wizytówkę. Prosił, żebym została w kontakcie i zadeklarował gotowość do pomocy.

– O każdej porze, we wszystkim, czego rodzina królewska może potrzebować. Wystarczy jeden telefon, a ja zrobię, co będę mógł.

Dodał, że zna takie rodziny i zależy mu na tym, by jak najmilej wspominały pobyt w Beverly Hills. Następnie sierżant przedstawił mnie swoim kolegom, którzy również zgłosili chęć pomocy. Ruszyłam do domu z obietnicą wsparcia ze strony całego niemal Wydziału Policji Beverly Hills. Miło z ich strony.

Wszystko dobrze się skończyło, bo pracowałam dla ludzi bogatych i wpływowych. Miałam wrażenie, że dysponuję znakomitymi kontaktami. Była to dla mnie nowość i muszę przyznać, że czułam się z tym świetnie. Myślałam o tym, jak sprawnie poszło nam na lotnisku – żeby wszystko odbyło się gładko, praktycznie zamknięto dla Saudyjczyków cały obiekt. Zauważyłam też, że policja w Los Angeles nigdy nie robiła nam trudności, chociaż konwój sunął czasem pięćdziesiąt kilometrów na godzinę przez obszary zabudowane, nie zatrzymywał się przy znakach stopu, a czasem nawet przejeżdżał na czerwonym świetle. Byliśmy nietykalni.

Czasem zastanawiałam się, czy każdy gliniarz w Los Angeles siedzi w kieszeni saudyjskiej rodziny królewskiej. Po kilku dniach w pracy zorientowałam się, że nigdy żaden z kierowców nie dostanie mandatu za złe parkowanie, niezależnie od tego, gdzie i jak się zatrzymamy. Nawet nadzorującą parkowanie straż miejską skłoniono do spuszczenia z tonu, co w Beverly Hills jest nie lada wyczynem, bo z reguły wystarczy krzywo popatrzeć na strażnika, żeby dostać mandat. Na stronie Komendy Głównej Beverly Hills można znaleźć listę sześciu wartości, które przyświecają tutejszej policji. Na ostatnim miejscu widnieje: „Zasada partnerstwa: poprzez współpracę z naszymi partnerami – społecznością miejską i organami administracyjnymi – chcemy stworzyć opiekuńczą wspólnotę, w której każdy będzie mógł cieszyć się dobrą jakością życia". Moim zdaniem nie były to puste słowa.

Mimo tych ułatwień i tak uważałam, że poprzedniej nocy osiągnęłam spory sukces, i wcale się nie zdziwiłam, kiedy Fausto zaproponował mi koordynację kierowców i funkcję łącznika między nimi a ochroną. Zgodziłam się, chociaż dodatkowe obowiązki nie wiązały się z podwyżką. Cieszyłam się jednak, że uważa mnie za pełnoprawnego członka zespołu i potrzebuje mojej pomocy. Nikt nie sprecyzował, czym dokładnie mam się zajmować – w praktyce większość czasu spędzałam na posterunku dowodzenia w jednym z hoteli, zgłębiając funkcjonowanie całego przedsięwzięcia. „Zgłębianie" to trochę za duże słowo – głównie wyświadczałam drobne przysługi ochroniarzom na służbie i przyglądałam się, jak rozmawiają przez telefon i pracują na komputerze. Od czasu do czasu prosili mnie, żebym zlokalizowała któregoś z szoferów, bo nie mogą się do niego dodzwonić, albo wykorzystywali moją wiedzę na temat sklepów i restauracji w Beverly Hills, jeśli któryś z Saudyjczyków zapytał o coś mało znanego. Nowa funkcja dawała mi jednak łatwy dostęp do wyższych pięter hotelu przez całe siedem tygodni. Wszyscy sądzili, że jestem ważniejsza, niż byłam w rzeczywistości.

Jeden z ochroniarzy, rzutki, żylasty Al, przez kilka godzin zabawiał mnie anegdotkami z poprzedniej wizyty rodziny królewskiej.

– Znasz hierarchię wartości w saudyjskim domu, co? – zapytał, po czym nie czekając na odpowiedź, ciągnął: – Dla mężczyzny najcenniejszy jest koń, koń to *numero uno*. Potem jest wielbłąd, potem owca, koza, a na samiutkim końcu – kobieta. – Zrobił pauzę dla efektu i napił się coli z trzymanej w ręce puszki. – Kobieta jest na samym dole, czasem nawet niżej niż psy i kurczaki. – Tak się śmiał, kiedy mi to mówił, że cola wyleciała mu nosem.

Niecałe dwadzieścia cztery godziny później zostałam zwolniona z funkcji nadzorcy. Wczesnym rankiem wściekły Fausto zadzwonił do mnie na komórkę. Podobno kierowcy skarżyli mu się, że traktuję ich arogancko i pretensjonalnie. Zarzucił mi zupełny „brak pokory". Kazał ograniczyć się do wożenia pasażerów i przestać traktować innych z góry. Oniemiałam. Gdzie ja byłam, kiedy to wszystko się działo? Nie miałam pojęcia, o co chodzi. Przecież to chyba niemożliwe, żebym z dnia na dzień przeszła całkowitą transformację. Czyżbym w ciągu dwudziestu czterech godzin nagle zaczęła się rządzić? Czy to była jakaś infekcja? Może złapałam „władczego wirusa", nawet o tym nie wiedząc? To nie było w moim stylu. Jak mogłabym tego nie zauważyć? Z reguły jestem świadoma swojego zachowania względem innych, nawet jeśli nie traktuję ich dobrze. Aktorstwo opiera się na zachowaniach – samych aktorów i innych osób.

Potem zdałam sobie sprawę, w czym tkwił problem – jestem kobietą. Pozostali kierowcy, głównie z Ameryki Łacińskiej i Europy Wschodniej, przyjechali do Stanów stosunkowo niedawno i nadal byli przyzwyczajeni do norm społecznych obowiązujących w swoich państwach. Wkurzali się, że kobieta mówi im, co mają robić, nawet jeśli ma do tego uprawnienia. Wiem to, bo przez ten jeden dzień, kiedy awansowałam, ilekroć koło nich przechodziłam, uśmiechali się do mnie szyderczo. Bardzo mnie to wtedy dziwiło, bo wcześniej prawie wszyscy byli życzliwi, a niektórzy próbowali nawet ze mną flirtować. Prawda jest taka, że niewiele tu zawiniłam – nie zrobiłam nic, czym mogłabym ich do siebie zrazić. Jako zniewagę odebrali to, że ich przełożoną została kobieta. Na domiar złego zaczęli plotkować na mój temat, wymyślać historie, w których przedstawiali mnie w bardzo niekorzystnym świetle. Sami wziął mnie na stronę i zrelacjonował, o czym mówili. Spałam z Iksem, puszczałam się z Igrekiem, miałam nawet szybki numerek z Zetem. Najwyraźniej w ciągu kilku dni zdołałam przelecieć prawie wszystkich współpracowników i całą obsługę hotelową. Plotki się roznosiły.

Pracowałam w wielu branżach, w zespołach złożonych z mężczyzn i kobiet, i zawsze panowała między nami koleżeńska, życzliwa atmosfera. Pewnego lata, żeby opłacić czesne na studiach, pracowałam długie godziny w popularnym klubie nocnym w Nowym Jorku. Byłam tam jedną z niewielu osób, które urodziły się w Stanach. Klub miał sześć barów, kilka sal tanecznych i każdej nocy pękał w szwach. Tabuny ludzi oblegały lady barowe od zmroku do czwartej nad ranem, kiedy w końcu przestawaliśmy serwować alkohol. Od nalewania tysięcy mrożonych herbat, drinków i koktajli bolały mnie ręce i nadgarstki. Wśród współpracowników miałam imigrantów z Jamajki, Gwatemali, Irlandii, Niemiec i wielu innych krajów, w tym nawet z Liberii, skąd nie znałam nikogo innego. Tworzyliśmy jednak zgrany zespół, w którym płeć czy narodowość nie stanowiły żadnego problemu. Pomagaliśmy sobie nawzajem i dbaliśmy o każdego. Tylko w ten sposób dało się znieść tę harówkę: koleżeńskość w obliczu przeciwności. Wśród szoferów rodziny królewskiej sytuacja wyglądała zupełnie inaczej.

Później tego samego wieczoru stałam na uliczce na tyłach hotelu z Charlesem i Samim, który dał mi tę cudną turkusową puderniczkę, obecnie w posiadaniu syreny. Oni wiedzieli, że jestem raczej miła, a przynajmniej się staram. Kiedy omawialiśmy szczegóły mojej krótkiej kariery menedżerskiej, zadzwonił do mnie Stu i powiedział, że zaszła straszna pomyłka, że szefowie mnie potrzebują i chcą przywrócić mnie na stanowisko. Dodał, że Fausto nie powinien był mnie zwalniać, i ponownie zaproponował mi nową funkcję (nadal bez podwyżki).

– Jesteś niezbędna w całym przedsięwzięciu – przekonywał.

Używałam zestawu głośnomówiącego, żeby koledzy wszystko słyszeli. Charles pokręcił głową, a Sami rzucił mi groźne spojrzenie. Odpowiedziałam Stu, że przemyślę jego propozycję. Potem zadzwonił do mnie któryś z szefów ochrony z obietnicą podwyżki – nie mógł niczego zagwarantować, ale istniała taka szansa, pod warunkiem że natychmiast do nich wrócę. Jemu też powiedziałam, że potrzebuję czasu do namysłu. Następnie pozostali kierownicy też próbowali wywierać na mnie presję, bombardując mnie telefonami i nieustannie zapraszając na rozmowy w cztery oczy. Obiecywano mi nawet stanowisko menedżera w czasie kolejnej wizyty innej rodziny królewskiej we wrześniu. Te niespodziewane naciski były bardzo dziwne. Ni stąd, ni zowąd ktoś zdecydował, że beze mnie sobie nie poradzą.

Pomiędzy atakami Charles radził mi, żebym nie dała się zmanipulować.

– Już cię ostrzegałem, to może się dla ciebie tylko źle skończyć. Musisz się sama o siebie zatroszczyć.

Jakaś część mnie chciała się zgodzić – w końcu szefowie pochlebiali mi, komplementując moją inteligencję i zdolności. W pierwszym odruchu chciałam przyjąć ich propozycję i udowodnić, że zasługuję na te pochwały. Zdawałam sobie jednak sprawę, że mówią to, co mówią, żeby skłonić mnie do powrotu na stanowisko. Powtarzałam sobie, że szoferka nie jest moją wymarzoną karierą, że to tylko tymczasowe, doraźne rozwiązanie. Podejrzewałam, że za dzień czy dwa i tak znów mnie zdegradują. Już po dwudziestu czterech godzinach kilku kierowców straciło pracę, bez wyraźnego powodu – niektórzy nie dość szybko odebrali telefon, inni nie spodobali się komuś z ochrony, jeszcze inni wkurzyli pasażera tym, że nie znali adresu jakiejś restauracji, chociaż trudności z lokalizacją wynikały z tego, że klient nie podał poprawnej nazwy. Szoferzy wykruszali się bardzo szybko, ofiar było wiele. Byliśmy traktowani jak towar wymienny.

Posłuchałam Charlesa, wiedząc, że dobrze mi życzy, i nie ugięłam się pod presją. Postanowiłam unikać konfrontacji i najdłużej jak się da nie zwracać na siebie uwagi.

– Po prostu bierz kasę i zwiewaj – radził Charles.

Chociaż wysokie stanowisko pozornie było bardzo atrakcyjne, postanowiłam się o siebie zatroszczyć.

Następnego wieczoru myślałam o tym, jak udało mi się nie ulec presji ze strony szefostwa i zatroszczyć się o siebie. Żałuję, że dokonując innych życiowych wyborów, nie kierowałam się tą samą zasadą. Niektórzy umieją świetnie walczyć o swoje interesy, dopinać swego i sprawiać, że wszystko obraca się na ich korzyść. Dbanie o siebie i walka o swoje są dla nich priorytetem, czymś naturalnym, wręcz instynktownym. Sama natomiast wielokrotnie znajdowałam się w sytuacjach, w których moje wysiłki i osiągnięcia nie były należycie doceniane, a awans dostawał ktoś mniej zdolny i rzetelny. Nie chodzi o to, że dopuszczałam do czegoś takiego – miałam wrażenie, że kątem oka widzę, co się dzieje, ale jestem bezsilna i nie mogę zareagować.

Niektórzy rodzą się z poczuciem, że wszystko im się należy, dzięki czemu są w stanie zainterweniować i natychmiast przerwać to, co w jakikolwiek sposób umniejsza ich zasługi lub zagraża interesom. Ja taka nie byłam. Często ludzie, którzy dopinają swego, są niesamowicie egoistyczni. Ja zaś chcę być dobrym człowiekiem, który dopina swego, a nie kimś, kto sam sobie szkodzi, jak było dotychczas. Są tacy, którzy umieją nawet wybiegać daleko w przyszłość i tak się ustawić, żeby zawsze być w korzystnej sytuacji, niezależnie od tego, jakie trudności napotkają na swojej drodze. Ja tego nie potrafię. Nie sądzę, żeby ktoś, kto spotyka mnie w sytuacji towarzyskiej, tak mnie postrzegał – świetnie się maskuję. Często słyszę, że sprawiam wrażenie pewnej siebie, ale tak naprawdę chciałabym być bardziej bezwzględna. Życie byłoby wtedy przyjemniejsze.

Bez wątpienia pociągała mnie ta odrobina władzy, którą dawała praca dla Saudyjczyków. Przechodząc przez hole luksusowych hoteli, zachowywałam się tak, jakby to było moje naturalne środowisko, i tak też byłam traktowana przez gości i obsługę. Portierzy codziennie się ze mną witali, zawsze pamiętając moje imię. Dostawałam od nich nawet schłodzonego eviana, świeże owoce i międzynarodowe dzienniki. Wiedzieli, że nie mieszkam w hotelu, ale pracowałam dla Saudyjczyków, co nadawało mi prawie taki sam prestiż.

Pewnego wieczoru na początku zlecenia, kiedy jeszcze starałam się mieć elegancką fryzurę, staranny makijaż i nosiłam świetnie skrojony włoski kostium, który dostałam od mojej siostry restauratorki, stałam na szczycie wiodących do holu schodów otoczona przez kilku muskularnych ochroniarzy i szoferów, którym udzielałam wskazówek. Nagle poczułam, że ktoś lekko pociąga mnie za rękaw.

– Przepraszam, czy pani jest gwiazdą filmową?

Spojrzałam w dół i zobaczyłam śliczną, małą, pewną siebie Angielkę z rumianymi policzkami, która przyglądała mi się wyczekująco.

– Przykro mi, ale nie – odpowiedziałam.

Nawet dziecko wie, co oznacza grupka ochroniarzy – w pobliżu jest ktoś ważny. Ja stałam w centrum zgromadzenia, więc dziewczynka uznała, że muszę być celebrytką.

– Bardzo chcę zobaczyć gwiazdę. Wie pani, gdzie mogę jakąś znaleźć? – zapytała.

– Spróbuj w restauracji około pierwszej, kiedy wszystkie gwiazdy jedzą lunch ze swoimi agentami. Może poszczęści ci się też przy basenie w porze koktajlu – powiedziałam.

Przygładziłam włosy jedną ręką, a drugą obciągnęłam marynarkę, zadowolona, że ktoś mnie zauważył, nawet jeśli była to tylko ośmiolatka.

Moja praca miała też inne zalety. Zauważyłam, że w ciemnym kostiumie, z zaczesanymi do tyłu włosami często byłam brana za agenta FBI albo innego strażnika prawa i porządku, zwłaszcza kiedy prowadziłam czarną crown victorię albo nawet tylko przy niej stałam. Lubiłam to nowe poczucie władzy, a kostium działał. Czasem przykładałam palec do ucha, jakbym słuchała czegoś w słuchawce, jaką mają agenci służb specjalnych, a ludzie schodzili mi z drogi, a potem z ciekawością przyglądali mi się z pewnego oddalenia.

Od czasu do czasu w kolejce do Starbucksa rzucałam komuś poważne spojrzenie, a ofiara ustępowała mi miejsca, sugerując, że mój czas jest cenniejszy. Przemykałam przez skrzyżowania, zajeżdżając drogę innym samochodom, a potem skinieniem głowy dziękowałam kierowcom za pomoc służbom porządkowym. Wszyscy zawsze uprzejmie mnie przepuszczali. Czułam się tak, jakby chroniła mnie wspaniała zbroja. Nie miałam wrażenia, że kogokolwiek oszukuję, ale oczywiście tak właśnie było. Zastanawiałam się, czy nie kupić w sklepie z gadżetami w Hollywood fałszywej odznaki policyjnej i nie położyć jej na przedniej szybie. Później jednak moja siostra, doświadczona prawniczka, mi to odradziła, informując mnie, że mogę zostać aresztowana za podszywanie się pod policjantkę.

{ ROZDZIAŁ 7 }

CZY MOŻNA MIEĆ ZA DUŻO HERMÈSÓW?

Wyprawy na zakupy z księżniczką Zahirą były męczarnią – po pierwsze dlatego, że odbywały się codziennie, czasem przez cały dzień, po drugie – ponieważ kupowała tyle chłamu. Były tego niewyobrażalne ilości. Jeśli chłopak z lotniska mówił prawdę i rodzina rzeczywiście przywiozła ze sobą dwadzieścia milionów dolarów, musieli wydać wszystko co do centa. Wiem, że rachunki hotelowe uregulowali gotówką – a płacili przynajmniej za siedem tygodni i pięćdziesiąt pokojów, w tym apartament prezydencki, który kosztował dziesięć tysięcy za dobę. Posiłki w pokojach i inne fanaberie musiały wynieść co najmniej kilka tysięcy dolarów dziennie. To wszystko daje minimum pięć milionów dolarów za siedmiotygodniowy pobyt.

Podczas wypraw na zakupy jedna z wyżej postawionych służących zajmowała się gotówką – wszystkie rachunki regulowali studolarówkami. Nikt z rodziny królewskiej nie dotykał pieniędzy. Wyjąwszy jedną młodą księżniczkę, nie widziałam, żeby ktokolwiek z nich własnoręcznie za coś płacił. Spacerowali tylko i wybierali, a służba zajmowała się prozaicznymi transakcjami.

Jeśli dostało się w przydziale pasażera, który miał towarzyszyć Zahirze w zakupach, to praca polegała na jeździe pustym samochodem tam i z powrotem wzdłuż Rodeo Drive, po którym kobiety spacerowały od butiku do butiku. Z reguły nawet przychodziły tam pieszo, ale i tak musieliśmy czekać w pogotowiu, na wypadek, gdyby ktoś zażyczył sobie wracać i dwie przecznice do hotelu pokonać samochodem, gdyby wzywała go natura albo nagle miał dość palącego kalifornijskiego słońca. Najwyraźniej wydawanie milionów dolarów bywa wyczerpujące, a po takim wysiłku dwuminutowy spacerek może zagrażać życiu lub zdrowiu.

W rezultacie siedem do dziewięciu samochodów w żółwim tempie jechało ulicą za księżniczką i jej świtą wchodzącymi do każdziuteńkiego butiku, nawet jeśli dzień wcześniej zupełnie go ogołocili. Sprzedawcy jednak byli zawsze gotowi i doskonale przygotowani. Musieli spędzać każdą noc na uzupełnianiu towaru, bo nigdy nie brakowało torebek do wzięcia.

Od czasu do czasu jedna z młodych służących przybiegała do samochodów z siatami butów od Jimmy'ego Choo, naręczem sukienek od Diora albo torebkami Birkin z krokodylej skóry od Hermèsa we wszystkich dostępnych kolorach (nawet sto pięćdziesiąt tysięcy dolarów za sztukę). Elegancka kobieta, z którą chodzę na jogę, też taką ma, czarną. Powiedziała mi z dumą, że przez trzy lata była na liście oczekujących, żeby ją zdobyć i że naprawdę było warto.

– Jest przepiękna – entuzjazmowała się. – I niezwykle praktyczna!

Służące nigdy nie wychodziły ze sklepów z pudłami, bo trudno byłoby je zapakować i wysłać do domu. Rezygnowały nawet ze ślicznych pomarańczowych pudełek Hermèsa, których można używać do artystycznych instalacji. Znajomy projektant Theodore zgromadził ich całą kolekcję i wykorzystuje je do dekoracji domów, które przygotowuje do sprzedaży. Rozmieszcza pudełka w szafach w wyszukanych konfiguracjach, niczym bezcenne rzeźby, i w czasie oględzin domu ma je na oku, bo ludzie często je podkradają.

Wszystkie łupy wrzucano na tył czekającej przy ulicy furgonetki, która regularnie wracała do hotelu, żeby zostawić tam rzeczy. Patrzyłam, jak tydzień w tydzień napełniano wielkie przenośne kontenery, które następnie wysyłano do Arabii Saudyjskiej, gdzie były rozpakowywane i sortowane przez pałacowe służące. Nie zwracano najmniejszej uwagi na cenę, nikt nigdy o nią nie pytał. Jeśli czegoś chcieli, kupowali to, a potem więcej, więcej i więcej. Było jak w bardzo drogiej bajce. Boże! – myślałam. – Chciałabym na ułamek sekundy zakraść się do sklepu z jedną Saudyjką, żeby dorzucić na jej stos sukienkę bandażową Hervé Léger. Poproszę rozmiar M, kolor ametystowy albo turkusowy. Obejdę się nawet bez rejestrowania numeru seryjnego sukienki (każda go ma). Nosiłabym ją w mieszkaniu i trzymała w bezpiecznym miejscu.

Po kilku długich popołudniach spędzonych na oglądaniu imponujących dowodów niezmierzonych bogactw zaczęłam myśleć, że saudyjskie kobiety robią zakupy nie tylko dlatego, że lubią mieć piękne nowe rzeczy, lecz także dlatego, że dzięki temu czują się lepiej. Kiedy mnie jest smutno, kupuję coś małego, żeby poprawić sobie humor. Działa to szczególnie skutecznie, jeśli uda mi zdobyć coś w dobrej cenie. Każdy, kto spędził wiele godzin na eBayu albo QVC, powie to samo. Ja mam jednak jeszcze wiele innych sposobów podnoszenia się na duchu – mogę iść na siłownię, żeby trochę poboksować, obejrzeć wystawianą przez przyjaciół w lofcie w centrum awangardową sztukę, w której występują nago, albo wybrać się na siłownię Gold Gym, żeby pooglądać pakujących mięśniaków w fioletowych getrach w cętki – to bywa niezwykle zabawne, zwłaszcza, kiedy zaczynają stękać.

Możliwości Saudyjek są natomiast bardzo ograniczone – większość, o ile nie wszystkie, z moich sytuacji podrywowych jest dla nich zakazana.

W Arabii Saudyjskiej wiele kobiet wysyła na zakupy męskich krewnych, którzy wybierają im na przykład odpowiedni rozmiar majtek czy stanika. Tradycyjnie personel sklepowy składa się z mężczyzn. Ekspedientki są bardzo nieliczne, ponieważ konserwatywni muzułmanie nie pozwalają kobietom pracować poza domem, gdzie mogliby oglądać je obcy mężczyźni. Dopiero niedawno, w wyniku królewskiego dekretu, w sklepach z bielizną i kosmetykami dla pań jest więcej sprzedawczyń. W Stanach, gdzie klientów wszędzie obsługują głównie kobiety, Saudyjki mogą kupować swobodniej. Dlatego też zakupy tutaj nie tylko sprawiają im przyjemność, ale też dają ekscytujące poczucie większej władzy – mogą oglądać i kupować, co chcą, gdzie chcą i od kogo chcą. To one wybierają.

Saudyjczycy, wydając pieniądze, równocześnie je zarabiają. Każdy z członków rodziny i świty miał przydzielony samochód. Wszystkie te SUV-y, które całymi dniami pełzały wzdłuż chodnika, potrzebowały benzyny. Nie mogły się bez niej obejść także wszystkie auta, które stały w korku za konwojem, próbując się przecisnąć – ponieważ oczywiście uniemożliwialiśmy przejazd przez wiele godzin każdego popołudnia. Rodzina królewska blokowała Beverly Hills, marnując paliwo, które najprawdopodobniej Stany importowały z Arabii Saudyjskiej. W ten sposób Saudyjczycy nie tylko ustalali początkową cenę benzyny, lecz także, zwiększając popyt, znacznie ją windowali. Nie sądzę jednak, żeby zdawali sobie sprawę z tego gospodarczego bonusu. To było po prostu genialne.

Jedną z pierwszych kobiet z rodziny królewskiej, którą miałam wozić, była Fahima, kuzynka księżniczki Zahiry. Była dobrze zakonserwowaną kobietą po pięćdziesiątce – miała silnie zarysowaną linię szczęki, głęboko osadzone, świdrujące oczy i sięgające do ramion włosy, które nosiła tak ufryzowane, że przypominały hełm. Fahima była zawsze nienagannie ubrana, nosiła modne, ale raczej tradycyjne ubrania oraz tony drogiej biżuterii. Szoferzy nie powinni zadawać pytań, można za to nawet stracić pracę, ale Fahima dość uprzejmie traktowała moją ciekawskość. Władała wieloma językami, była obyta w świecie, wiele podróżowała i z zaskakującą cierpliwością odpowiadała na pytania, które zadawałam, wożąc ją po mieście. Z reguły celem wyprawy było znalezienie jej ulubionych angielskich papierosów, które można było dostać tylko w specjalnych sklepach z tytoniem. Paliła bardzo dużo, podobnie jak wielu przybyłych z nią do Los Angeles rodaków – nawet niektóre młode kobiety odpalały papierosa od papierosa – a w torebce zawsze miała przenośną popielniczkę Fabergé. Saudyjczycy regularnie ogołacali większość zapasów w Beverly Hills, więc często musiałyśmy jeździć do Westwood lub Santa Monica po jej preferowane nikotynowe remedium.

Fahima nie ukrywała, że czuje się ode mnie znacznie lepsza, ale dawała mi też do zrozumienia, że zgodnie z zasadą *noblesse oblige* nie może mi skąpić swojej wiedzy. Nigdy otwarcie mnie nie obraziła – jej pogarda była dużo bardziej subtelna i wyrafinowana – ale nie ulegało wątpliwości, że uważa mnie za istotę gorszego gatunku. Moja niewiedza i naiwność, bo tak to postrzegała, zdawały się ją bawić i dlatego traktowała mnie jak dziecko, które potrzebuje jej pomocy. To w jej towarzystwie po raz pierwszy boleśnie odczułam, że jestem niewierną, poganką i ateistką. Próbowałam to zlekceważyć.

– Na pewno trudno ci zrozumieć wyjątkowość naszego społeczeństwa, ale skoro nalegasz, chętnie opowiem ci o naszym kraju i zwyczajach, Janni Amelio – powiedziała. – O co chciałabyś zapytać?

– Dlaczego musicie nosić abaję?* – Tak naprawdę chciałam się dowiedzieć, po co Saudyjki tyle wydają na markowe ciuchy i biżuterię, skoro potem pozwalają się od stóp do głów zakutać w czarny koc, ale w ten sposób postawione pytanie byłoby niegrzeczne.

– Proszę, zrozum, Janni Amelio, że w Królestwie kobieta musi być całkiem zasłonięta, musi mieć abaję, hidżab, a czasem nawet nikab** w towarzystwie każdego mężczyzny z wyjątkiem swojego syna, brata, męża i ojca. To oczywiste. Jeśli

* Abaja (z arab.) – długi czarny płaszcz (przyp. tłum.).

** Nikab (z arab.) – welon, zasłona na twarz (przyp. tłum.).

tego nie robi, to zachowuje się jak prostytutka. Kiedy jesteśmy w domu, z dziećmi, z rodziną, nie musimy się okrywać. Ale na ulicę nie wychodzimy bez abai. Nie rozmawiamy z mężczyznami, którzy nie są z nami spokrewnieni. W kawiarni nie siedzimy z nikim, kto nie jest naszym synem, bratem, mężem lub ojcem. Wcale byśmy tego nie chciały! Zawsze gdzieś na tyłach znajduje się bardzo wygodny pokój rodzinny dla kobiet z dziećmi, gdzie czują się swobodniej – wyjaśniała.

– Ale dlaczego to kobieta ma się zakrywać? Czy mężczyźni nie mogą po prostu nie patrzyć? Czemu to ma być problem kobiety?

– Widzisz, Janni Amelio, kobiety kuszą mężczyzn. Jesteśmy kusicielkami. To leży w naszej naturze, nie możemy nic z tym zrobić. A jeśli mężczyźni ulegną pokusie – na widok kobiecego policzka, nadgarstka czy kostki – wtedy zapanuje chaos. Dlatego kobieta się zasłania. To nasz obowiązek, inaczej nastanie chaos, z powodu którego ucierpi nasze społeczeństwo, a potem cała ludzkość.

– W takim razie czemu nie musicie się zakrywać, kiedy wyjeżdżacie za granicę? Czy Allah nie widzi was przez cały czas? – zapytałam.

– Oczywiście, ale wiele Saudyjek nie zasłania się, kiedy przyjeżdża do waszego kraju, bo to zwraca uwagę i sprawia, że jesteśmy dyskryminowane, zwłaszcza od czasu niefortunnej tragedii z 11 września. Ale w Królestwie musimy się zakrywać, w przeciwnym razie grozi nam aresztowanie za nieprzyzwoitość. Takie jest prawo, oczywiście. Saudyjkom chodzenie bez zasłony przynosi wstyd. Amerykanki nie są w stanie tego zrozumieć – powiedziała.

Trochę mnie tym zirytowała, bo zabrzmiało to tak, jakbym była panienką lekkich obyczajów.

Przejawem takiego samego lekceważenia, z jakim traktowała mnie Fahima, było to, że większość członków rodziny królewskiej zdawała się nie zauważać, że kierowcy też są ludźmi, którzy mają życie osobiste i czekające na nich w domach rodziny. Chociaż Saudyjczycy spędzali w samochodach długie godziny, ani przez sekundę nie pomyśleli, że ich szoferzy i służący pracują bardzo ciężko, najprawdopodobniej borykają się z poważnymi kłopotami finansowymi i mogą wcale nie mieć ochoty cali poświęcać się zaspokajaniu potrzeb superbogaczy. Nawet nie przyszło im to do głowy. Czemu mieliby się przejmować?

Jeśli od zawsze miało się pieniądze, powiedzmy: setki milionów dolarów, to chyba nie da się współczuć tym, którzy nie mają nic i muszą harować dzień i noc za kilkaset dolarów albo oszczędzać przez wiele lat, żeby kupić wymarzoną rzecz. Jest to zupełnie obce. Nawet jeśli człowiek urodził się w biedzie, a potem się wzbogacił, stara się zapomnieć o tym, co było wcześniej. Wyrzuca to z pamięci, wypycha jak najdalej. Tak daleko, jak to tylko możliwe, bo wspomnienie biedy sprawia, że czujemy się gorsi. Naszą tożsamość wyznacza wyższość nad innymi. Staramy się wyrzucić z pamięci to, że kiedykolwiek byliśmy dużo niżej.

Arystoteles nazwał to filotimią – umiłowaniem czci, potrzebą moralnej wyższości nad innymi. Abstrahując jednak od moralności, moim zdaniem chcemy czuć się lepsi, bo w przeciwnym razie dopada nas wstyd. Zaobserwowałam, że przejawia się to w tym, jak żyjemy, gdzie mieszkamy i co posiadamy. Nie chodzi tylko o rzeczy materialne, to dotyczy też innych aspektów życia – na przykład tego, czy mamy wpływowych znajomych albo utalentowane dzieci. Przejawem tego samego zjawiska są też moje dwa dyplomy uniwersytetów z Ligi Bluszczowej, o których czasem, nawet nieświadomie, wspominam w rozmowie, kiedy chcę wzmocnić swój autorytet albo dodać wiarygodności opinii, którą wygłaszam. Robię to, żeby ludzie lepiej o mnie myśleli. Wszystkie cenne rzeczy, które posiadamy, są dowodem naszej wyższości, a ta z kolei stanowi naszą społeczną legitymację. Udawanie agenta FBI dysponującego cennymi informacjami, zdolnością przetrwania, a może nawet bronią palną, podczas gdy tak naprawdę byłam tylko zaharowanym i poniewieranym szoferem, dodawało mi pewności siebie. Tak samo muszą czuć się księżniczki, które nie mogą głosować ani prowadzić samochodu, ale mają inną torbę Birkin na każdy dzień miesiąca. Dzięki takim gadżetom czujemy się ważniejsze. Nie wiem, czemu tego potrzebujemy, ale tak właśnie jest. Ja tego potrzebuję, Saudyjki tego potrzebują, wszyscy tego potrzebujemy, może z wyjątkiem Dalajlamy. Mam ogromną nadzieję, że on tego nie potrzebuje. Poza tym wątpię, żeby często chodził na zakupy – tak świetnie wygląda w tych szafranowych szatach, że pewnie ktoś szyje je dla niego na miarę.

ROZDZIAŁ 8

DAM SOBIE RADĘ!

Po całodziennych zakupach i wieczornym czesaniu nadworny fryzjer kazał zawozić się do kasyn w pobliżu Palm Springs, gdzie pił, palił i grał całą noc. Codziennie. Michel uwielbiał automaty. Najbliższe takie maszyny znajdują się prawie dwieście kilometrów od Beverly Hills, tuż za Palm Springs, w rezerwatach Indian – na przykład Penchaga czy Morongo.

Hazard jest wielkim biznesem w rezerwatach. Przedsiębiorcy zawarli ugodę z władzami stanu Kalifornia, że poszczególne gry można oferować tylko w konkretnych lokalizacjach. W Hollywood Park Casino w Los Angeles można grać w karty, więc starałam się przekonać fryzjera, żeby wybrał się tam, unikając długiej podróży do Palm Springs. Jednak jedyne automaty w Kalifornii znajdują się właśnie w rezerwacie.

Morongo wygląda wyjątkowo surrealistycznie. Kiedy podjeżdża się tam o zachodzie słońca, na tle skąpanej w pomarańczowym blasku pustyni budynki sprawiają wrażenie fatamorgany. Zupełnie tak, jakby wysokie stacje kosmiczne rodem z filmów Disneya wyrosły wśród piasków niczym jakaś zwariowana oaza w stylu lat sześćdziesiątych, z pulsującym, jaskrawym światłem neonów, które ma przyciągnąć masy. Jest tam nawet basen pod palmami i zjeżdżalnia.

Podróż z Los Angeles do Morongo zajmuje dwie godziny, jeśli jedzie się sto pięćdziesiąt kilometrów na godzinę w środku nocy, kiedy nie ma ruchu. Natomiast o piątej po południu w korkach może to trwać trzy i pół godziny lub więcej. Fryzjer zawsze właśnie o tej porze był gotowy do drogi.

– TERAZ! JEDZIEMY DO KASYNO! TERAZ! TERAZ JEDZIEMY! – wrzeszczał.

– To nie jest najlepsza pora, sir – oponowałam. – Wszyscy wracają teraz z pracy do domu. – Nie wiem, czemu zadawałam sobie trud zwracania się do niego per „sir", zachowywał się jak trzylatek.

– JEDZIEMY INNĄ DROGĄ TERAZ!

– Nie ma innej drogi, sir. Przynajmniej takiej, którą dojechalibyśmy szybciej. Do Palm Springs prowadzi tylko jedna droga i wszyscy teraz nią jadą – mówiłam.

– KAŻ IM SIĘ USUWAĆ! JEDZIEMY DO KASYNO TERAZ. ONI JADĄ DO DOMU PÓŹNIEJ.

– Hmm, w tym kraju to tak nie działa, sir. Mają takie samo prawo być na drodze jak my.

– KAŻ IM SIĘ USUWAĆ!

Musiał żartować, bo oczywiście w żaden sposób nie mogłam skłonić tysięcy kierowców, żeby zjechali nam z drogi, ale wcale to tak nie wyglądało, bo praktycznie gotował się z wściekłości. Miał niezwykle silne przeświadczenie, że wszystko mu się należy, które wtedy uważałam za odrażające, ale teraz nawet je podziwiam. Może dostałabym więcej ról, a moje nazwisko byłoby bardziej wyeksponowane w napisach końcowych, gdybym także wierzyła, że świat należy do mnie i domagała się tego, czego chcę, przynajmniej w połowie tak często jak fryzjer. TERAZ! TERAZ! Jestem gwiazdą tego filmu! Jestem producentem! Moje nazwisko jest na osobnej karcie! TERAZ!

Fryzjer palił papierosa za papierosem przez całą drogę, nie pozwalając mi otworzyć okna (LA! LA, OKNO NIE, LA!), i jeśli podobała mu się jakaś piosenka w radiu, śpiewał razem z artystą, głośno i fałszywie. Brzmiało to jak wycie zranionego psa z uszkodzonymi strunami głosowymi, który wzywa swojego pana, żeby wrócił do domu. Najbardziej lubił *I Will Survive* Glorii Gaynor, które maltretował między pociągnięciami papierosa. Nie znał większości słów, ale to nie przeszkadzało mu wydzierać się ile sił w płucach z całkowitym i godnym podziwu zatraceniem się w śpiewie. W uszach boleśnie mi dzwoniło.

Kasyno jest dziwną przestrzenią – przypomina ogromną męską melinę, do której wpuszcza się jednak również kobiety – nawet zachęca się je do przybycia, najlepiej w minispódniczkach, z wysoko upiętymi włosami i tacami darmowego piwa, rumu i coli. Nigdzie nie ma okien. Światło jest zawsze takie samo, więc nie można się zorientować, czy jest dzień, czy noc. W rezultacie zegar wewnętrzny zupełnie się nam rozregulowuje i nie wiadomo, kiedy powinno się odczuwać zmęczenie, więc człowiek po prostu gra dalej. Koleżanka z liceum, która pracuje w branży hotelarskiej, powiedziała mi, że do kasyna wpompowuje się tlen, żeby gracze nie pozasypiali i mogli dłużej zostać przy stolikach. Właściciele manipulują klientami, oferując im darmowy alkohol, żeby nie byli w stanie racjonalnie myśleć. Dzięki temu gracz, który na dodatek nie śpi od siedemdziesięciu dwóch godzin, a od czterdziestu sześciu nie jadł nic oprócz suchych precelków, jest skłonny przepuścić w karty dom albo córeczkę.

Kilka lat temu podkładałam głos w reklamówce sieci kasyn i dostałam wytyczne, że mam brzmieć jak „połączenie królowej elfów granej przez Cate Blanchett we *Władcy Pierścieni* z seksowną dominatrix, która wzbudza strach i pożądanie". Dobra. Sam tekst też stanowił nie lada wyzwanie, bo było to mniej więcej coś takiego: „Jesteś KRÓLEM świata! PANEM wszystkiego! Wszystko może być TWOJE! ALE musisz na to ZASŁUŻYĆ! Musisz NAUCZYĆ się być królem. W naszym NIEDOŚCIGNIONYM kurorcie zaznasz ROZKOSZY dzięki luksusowemu CENTRUM SPA, które zaspokoi wszystkie twoje potrzeby, jednej z najbardziej WYKWINTNYCH kuchni na świecie oraz pięciu tysiącom stołów do GRY. Wszystko na twoje żądanie! Teraz to ty jesteś WŁADCĄ!". Innymi słowy – przyjedź do naszego kasyna, żeby przepuścić większość majątku na masaże, prostytutki i naukę królewskiego zachowania; przegraj to, co ci zostało, w blackjacka, w którym krupier zawsze wygrywa, i zakończ swoje męczarnie, wyskakując przez okno, kiedy w końcu zdasz sobie sprawę, co narobiłeś. Dzięki Bogu w większości kasyn okien specjalnie nie da się otworzyć, żeby zapobiec takim sytuacjom.

Michel przyklejał się do takich kasyn jak lakier do natapirowanego koka i godzinami przesiadywał na wysokim stołku otoczony brudnymi popielniczkami i częściowo pogryzionymi plastikowymi kubkami pełnymi żetonów. Po kilku podwójnych whisky bez lodu stawał się nawet całkiem rozmowny. Powiedział mi, że chociaż w Królestwie nie ma hazardu, podczas podróży z księżniczką Zahirą bywa w kasynach na całym świecie. Jego pracodawczyni znaczną część roku spędza poza krajem, odwiedzając krewnych i znajomych w Londynie, Paryżu i Marbelli. Teraz, kiedy wszystkie jej dzieci są niemal dorosłe, wraca do domu tylko na wezwanie męża albo na specjalne okazje, takie jak na przykład pogrzeb kogoś z rodziny. Michel powiedział, że książę daje jej długą smycz, bo bardzo ją ceni.

Fryzjer twierdził, że najbardziej lubi grać w Le Grande Casino w Monte Carlo, bo pełno tam pięknych ludzi. Wątpię jednak, czy udałoby mu się wejść do tak eleganckiego lokalu. Jego fryzura przypominała szkolny eksperyment naukowy, a nigdy nie widziałam, żeby nosił co innego niż zniszczone stare dżinsy i przepocony podkoszulek. Ale może miał smoking, który wyciągał tylko wtedy, kiedy księżniczkę Zahirę nachodziła ochota na podróż do Monte Carlo. To od niej musiał dostawać pieniądze, bo zawsze miał niewyczerpane zasoby gotówki.

Lubił Morongo również dlatego, że jest tam ponad dwa tysiące automatów, a wśród nich Bogate Świnki, Dzika Impreza Deana Martina oraz automat z filmem wideo pod tytułem *Marilyn Monroe,* z którego podczas gry wydobywa się imitujący aktorkę szczebiocik. Moim zdaniem ten ostatni był całkiem zmyślny.

Pierwszej nocy, kiedy zawiozłam tam Michela, wygrał czterdzieści tysięcy dolarów. Wiedziałam o tym, bo kasyno zażądało adresu do celów podatkowych. Nie wystarczyło podać hotelu jako miejsca zamieszkania, więc poproszono też o moje dane, po tym jak potwierdziłam, że go znam i że zatrzymał się w Beverly Hills. Później przez wiele miesięcy zapychali mi skrzynkę pocztową materiałami promocyjnymi: saszetkami do paska, styropianowymi podkładkami pod kufel i dziesiątkami kuponów na darmowe weekendy, które rozdałam znajomym gustującym w kasynach.

Po początkowym łucie szczęścia i dużych wygranych fryzjer każdej nocy tracił tysiące dolarów i stawał się coraz bardziej marudny i wulgarny. Grał zawsze do czwartej albo piątej rano, podczas gdy ja czekałam w samochodzie, popijając espresso za dziewięć dolarów. Parkingi przy kasynach to samotnie – prawie nic się tam nie dzieje. Hazardziści zostawiają auta i znikają na wiele dni. Sale gry wsysają ich niczym neonowe czarne dziury. Od czasu do czasu wchodziłam do środka, żeby skorzystać z toalety albo zajrzeć do Michela – sprawdzić, czy nie potrzebuje papierosów albo popilnować mu miejsca przy maszynie, kiedy musiał iść do łazienki. Przyglądałam się wtedy, co się dzieje przy stolikach i automatach. Nikt nie wyglądał na szczęśliwego.

W drodze powrotnej fryzjer spał wyciągnięty na skórzanym siedzeniu – stękając, chrapiąc i puszczając wiatry – a ja sunęłam sto pięćdziesiąt kilometrów na godzinę do hotelu. Drogówka patrolująca autostradę nigdy nie nagabywała crown vica. Tym samym modelem jeździ policja, więc pewnie myśleli, że jestem gliniarzem w cywilu, który załatwia jakieś ważne sprawy służbowe. Nasz samochód był czarny, więc tym bardziej przypominał tajny wóz policyjny – choć w zależności od agencji rządowej, używa się też zgniłozielonych i granatowych. Parking przy siedzibie agencji federalnych przy Wilshire Boulevard jest wypełniony białymi i szarymi samochodami, z reguły mającymi kilka zakrzywionych anten z tyłu i przy przedniej szybie. Kiedy widzi się takie auto mknące autostradą 405, zwłaszcza jeśli w środku siedzi czterech groźnie wyglądających facetów, obciętych na jeża i w lotniczych okularach, można mieć pewność, że to agenci federalni. Wersja naszego samochodu używana przez policję nazywa się Crown Victoria Police Interceptor (CVPI) i nie jest dostępna na rynku, ale można ją kupić używaną na aukcji. W ten sposób trafia do wypożyczalni.

Pędząc do hotelu, myślałam o tym, jak fryzjer pierwszego dnia protestował, że zasługuje na coś lepszego niż crown vic. Mylił się. Crown vic ma 250 koni mocy, silnik V8, który osiąga pełną prędkość w kilka sekund, i piekielnie twardą karoserię, co się przydaje przy pościgach, kiedy trzeba zepchnąć z drogi inne auto albo ostro manewrować. Właśnie dlatego agencje rządowe wybierają tego sedana. Wiem, że to wszystko brzmi, jakbym była automaniaczką, ale wcale tak nie jest. Po prostu po miesiącach wielogodzinnego siedzenia za kółkiem nie mogłam nie nabrać głębokiego szacunku i nie docenić maszyny, która sunie tak szybko i gładko. Nazwałam swój samochód „Rakieta". Pewnego ranka Rakieta i ja wróciłyśmy z Palm Springs do Beverly Hills w osiemdziesiąt pięć minut zamiast, jak zwykle, w dwie godziny. Frunęłyśmy. Auto było moim przyjacielem. Z reguły Rakietka dowoziła mnie do domu na siódmą rano, tak że mogłam choć kilka godzin się przespać.

W hotelu każdego popołudnia księżniczka Zahira chciała wiedzieć, jak przebiegł poprzedni wieczór, bo sama nie uczęszczała do kasyn. Przypuszczałam, że pewnie mąż jej tego zabronił, ale może tak podpowiadało jej własne poczucie przyzwoitości. Wiedziałam, że saudyjscy wojskowi na nieustającej służbie cały czas uważnie ją obserwują, więc i tak miała niewielkie pole manewru. Fryzjer zauważył, że umiem całkiem dobrze naśladować ludzi i zaczął rekrutować mnie do pomocy w odtwarzaniu wydarzeń poprzedniej nocy.

– CHODŹ, Janni! – wrzeszczał i przywoływał mnie gestem do zaparkowanego przed hotelem mercedesa księżniczki.

Chciał, żebym odegrała, co działo się przy stołach pokerowych i maszynach, kiedy przyszłam sprawdzić, czy czegoś mu nie trzeba.

– TERAZ! Powiedz księżniczce, co widziałaś przy blackjacku! TERAZ! Powiedz księżniczce!

Popychał mnie w kierunku otwartych drzwi i moim oczom ukazywała się Zahira, która w królewskiej swobodnej pozie spoczywała na tylnym siedzeniu. Uśmiechała się do mnie dobrotliwie i patrzyła wyczekująco.

– TERAZ! – powtórzył.

Nie proszono mnie o pomoc. To był rozkaz.

Michel opisał jej po arabsku sytuację przy stole do blackjacka, a potem pokrótce przedstawił poszczególne osoby dramatu: znudzonego krupiera, pijanego nieudacznika, ostrożnego nowicjusza. Budował napięcie przed wprowadzeniem głównego wątku, w którym występował on, fryzjer. W tej roli występowałam ja – rozglądałam się, jakby była przy stole pokerowym, udawałam, że patrzę na leżące przede mną karty, że potajemnie podnoszę róg jednej z nich, a potem sprawdzam innych graczy i krupiera. Następnie patrzę jeszcze raz w swoje karty. Wzdycham. Udaję, że piję coś ze szklanki, a potem krzywię się, dając do zrozumienia, że to mocny alkohol. Zdenerwowana, rozglądam się dookoła. Liczę nieistniejące żetony. Znów sprawdzam swoje karty. Ocieram pot z czoła. Ponownie sprawdzam karty. Drapię się po głowie i mamroczę: „Dobrać? Nie dobierać? Tak? Nie?". Pytam sąsiada: „Dobrać kartę? Nie dobierać karty? Tak? Nie?". Milknę, jeszcze raz sprawdzam karty, a potem mówię niechętnie do krupiera: „Dobieram". Przyglądam się, jak rozdaje karty. Robię dramatyczną pauzę, a potem krzyczę: „Nie!!!", zakrywając twarz dłońmi i udając, że łkam rozpaczliwie. Zahira i fryzjer piszczeli z zachwytu.

Księżniczka wiele razy prosiła mnie o odgrywanie dla niej różnych scenek. Ten rytuał był jedyną formą kontaktu, jaką z nią miałam. To i dostarczanie różnych rzeczy do apartamentu prezydenckiego, w którym mieszkała. Wyczuwałam, że zazdrości nam nocnych eskapad. Myślałam też, że mimo wystawnego stylu życia i nieograniczonego dostępu do wszystkiego, co można kupić za pieniądze, było wiele miejsc, które księżniczka pewnie chciała odwiedzić, a nie mogła. Wydawało się, że przyjmuje swój los spokojnie i z godnością, ale nie bez odrobiny smutku.

Widziałam, że Michel też ma swoje skrywane zmartwienia. Nie miałam wątpliwości, że jest gejem, ale tłumił własne pragnienia i potrzeby, żeby służyć księżniczce, niczym dworski eunuch. To tłamszenie własnej natury sprawiało, że był złośliwy. Kilka razy próbowałam zabrać go do klubów w zachodnim Hollywood (wszędzie byle nie do Palm Springs), żeby na parkiecie mógł dać ujście negatywnej energii, ale zawsze kategorycznie odmawiał. Czasem celowo odwoziłam go do hotelu okrężną drogą, przez Santa Monica Boulevard albo koło baru Abbey przy Robertson Boulevard, żeby zobaczył wczesnoporanne igraszki chłopców i zdał sobie sprawę, co traci, omijając gejowskie dzielnice. Nigdy nie komentował tego, co widział z samochodu, i nigdy nie poprosił, żebym się zatrzymała. Homoseksualizm jest w Arabii Saudyjskiej zakazany pod groźbą kary śmierci, więc może Michel po prostu na zawsze zamknął tę część siebie, choć większą część roku spędzał w Paryżu i za granicą, podróżując z księżniczką Zahirą.

Nawiązała się między nami dziwna nić koleżeństwa – wiedziałam, że mnie lubi, na swój krzykliwy sposób, ale trzy tygodnie całonocnych wypraw do Palm Springs stanowiły limit moich możliwości. Michel był niezwykle trudny w obyciu – apodyktyczny, wymagający i opryskliwy. Na dodatek co noc cierpiały przez niego moje płuca, bo w aucie cały czas odpalał papierosa od papierosa. Widziałam, że jest samotny i nieszczęśliwy, ale to moim zdaniem nie usprawiedliwiało jego obraźliwego zachowania.

Pewnego ranka doczołgałam się na posterunek dowodzenia i oznajmiłam ochroniarzom, że jeśli nie przydzielą mi kogoś innego, to odchodzę. Pod względem hierarchii nadal byłam uważana za płotkę. Wiedziałam jednak, że reputacja całej grupy ucierpiałaby, gdyby ktoś sam zrezygnował, zważywszy na to, jak łatwo było stracić pracę. Rodzina królewska nie lubiła odstępców. Poza tym zależało im, żeby mnie nie stracić, bo zaczynałam być dla nich cenna – i zdawałam sobie z tego sprawę. Są pewne sprawy, które tylko kobieta może załatwić. Ochrona zgodziła się spełnić moje żądanie, z zastrzeżeniem, że sama muszę to uzgodnić z Michelem.

Powiedziałam mu, że nie mogę go już dłużej wozić, bo mój „mąż" nie pochwala późnych powrotów do domu. Już po pierwszych kilku dniach zaczęłam nosić obrączkę odziedziczoną po babci, żeby historia o moim małżeństwie brzmiała wiarygodniej i żeby zniechęcić szoferów i ochroniarzy do zalotów, dlatego kłamstwo, które sprzedałam fryzjerowi, przeszło bez problemów. Udawanie mężatki to sztuczka, której nauczyłam się, pracując jako barmanka i która bardzo mi się przydała w szoferowaniu, zwłaszcza dla Saudyjczyków. W kulturze arabskiej jest oczywiste, że mąż może zabraniać kobiecie pewnych rzeczy i aprobować inne. Mimo to Michel był wyraźnie urażony, że go zostawiam. Odtąd ilekroć chciałam się z nim przywitać, odwracał wzrok, niczym chłopak, który dostał kosza. Wcale mi go nie brakowało.

{ ROZDZIAŁ 9 }

KIM SĄ CI LUDZIE?

Zanim zaczęłam tę pracę, nie znałam nikogo z Arabii Saudyjskiej, więc kiedy tylko miałam wolną chwilę, na przykład kiedy czekałam na wezwanie od ochrony, wyciągałam laptopa i surfowałam po internecie. Nie miałam karty sieciowej, więc jeździłam powoli ulicami Beverly Hills i podkradałam sygnał z różnych hoteli.

Arabia Saudyjska ma krajobraz w większości pustynny lub półpustynny – tylko dwa procent jej terytorium nadaje się pod uprawę. Nie ma tam stałych rzek ani jezior, wszystkie na część roku wysychają. Turystyka w tym kraju jest bardzo słabo rozwinięta i ogranicza się do pielgrzymek. Arabia Saudyjska jest uważana za kolebkę islamu i to tam znajdują się dwa najświętsze miejsca tej religii – Medyna, gdzie spoczywa prorok Mahomet, i Mekka. Pobożny muzułmanin musi przynajmniej raz w życiu odwiedzić Mekkę – *hadż* stanowi jeden z pięciu filarów islamu.

Podczas dorocznej pielgrzymki do tego miasta nawet milion ludzi równocześnie okrąża Kaabę, a jeszcze kilka milionów czeka w pobliżu. Kaaba to Czarny Kamień, najważniejsza świątynia muzułmańska i miejsce, w którym Allah objawił swoją wolę Mahometowi. Wyznawcy islamu pięć razy dziennie w czasie modlitwy zwracają się w stronę Kaaby.

Wstęp do Mekki mają tylko muzułmanie. Na terenie prastarego miasta nie ma lotniska, sieci kolejowej ani wodociągów. Znajomy, który wyznaje islam, powiedział mi: „Jeśli chcesz wejść, musisz przyjść pieszo, być muzułmanką i przygotować się na pragnienie". Chodzi o modlitwę i poświęcenie, nie o wygody. Ten sam kolega poinformował mnie jednak, że tuż za miastem znajduje się mnóstwo restauracji Burger King, McDonald i KFC.

Dawniej do Mekki trudno było się dostać, pielgrzymka wymagała wytrzymałości i ogromnych wyrzeczeń. Dziadkowi mojego znajomego dotarcie tam z Maroka na wielbłądzie zajęło sześć miesięcy, a droga powrotna – kolejne sześć. Spędził cały rok, przemierzając pustynię, i zmarł wkrótce po podróży. Dziś, żeby zjednoczyć się z Allahem, wystarczy wsiąść do samolotu, więc co roku miliony ludzi pielgrzymują do Mekki. Stała się niezwykle uczęszczanym miejscem. W 2006 roku w pobliskiej Minie podczas symbolicznego kamienowania szatana zwanego *dżamra* doszło do wybuchu zbiorowej paniki, w wyniku którego zginęło ponad trzysta czterdzieści osób, a około trzystu zostało rannych. W 1990 roku w masowym popłochu w pieszym tunelu pod Kaabą życie straciło ponad tysiąc czterysta osób. Od tamtego czasu Saudyjczykom udało się usprawnić przepływ ruchu.

Jako kobieta niezamężna nie mam szans na wizę do Arabii Saudyjskiej, chyba że podróżowałabym z ramienia rządu, miała jakąś ważną funkcję (coś w rodzaju pracy dla Departamentu Stanu czy „New York Timesa") albo znajdowałby się tam oddział mojej firmy (na przykład Boeinga czy Coca--Coli). Tego typu wizy bardzo trudno zdobyć. Przeciętna kobieta, taka jak ja, nie może przyjechać do tego kraju sama w celach turystycznych, żeby obejrzeć święte miejsca, pojeździć na nartach wodnych w Dżuddzie albo wziąć udział w wyścigach wielbłądów. Gdybym jakimś cudem zdobyła pozwolenie na wjazd, z lotniska musiałby mnie odebrać mężczyzna, który wszędzie by mi potem towarzyszył.

Współczesna nazwa „Arabia Saudyjska" pochodzi od nazwiska rodowego Su'ud, które oznacza „pomyślny".

Saudyjska rodzina królewska składa się z członków dynastii As-Su'ud zapoczątkowanej w XVIII wieku przez Muhammada ibn Su'uda. Największą władzę zdobyli potomkowie jego praprawnuka, legendarnego wojownika Abdul Aziza ibn Abdur Rahmana al-Faisal as-Su'uda, który w 1932 roku zjednoczył ziemie w tym regionie i stworzył Królestwo Arabii Saudyjskiej. To za jego panowania w państwie zaczęła płynąć ropa. W Arabii Saudyjskiej król jest głową państwa i szefem rządu. Obowiązuje tam prawo islamskie, czyli szariat. Nie istnieje spisany kodeks karny, przepisy szariatu są interpretowane przez urzędujących sędziów mianowanych na dożywotnie kadencje, którzy studiowali Koran i nauki Proroka.

Król Abdul Aziz miał czterdziestu dwóch oficjalnych synów z dwudziestu dwóch żon, chociaż niektóre źródła twierdzą, że małżonek była nawet setka. Narodzin dziewczynek nigdzie nie rejestrowano. Nie dlatego, że córki są mniej kochane, ale pewnie jako mniej cenne nie musiały być dokumentowane. Obecnie Arabia Saudyjska ma tysiące książąt i dziesiątki tysięcy mężczyzn z książęcymi prerogatywami.

Szacuje się, że król Fahd, zmarły w 2005 roku syn Abdula Aziza, miał ponad sto żon. Jego młodszy brat, Abdullah, który objął po nim panowanie, jak na razie wstąpił w związek małżeński ponad trzydziestokrotnie, co oznacza, że ma spore zaległości. Zgodnie z saudyjskim zwyczajem mężczyzna w ciągu życia może mieć tyle żon, ile mu się podoba, ale nie więcej niż cztery równocześnie, i wszystkie musi traktować jednakowo, jeśli chodzi o standard utrzymania, wspólnie spędzone noce, prezenty, bicie i tak dalej. Prorok Mahomet nauczał, że z małżonkami należy się obchodzić sprawiedliwie albo w ogóle z nich zrezygnować, a cztery uważa się za maksymalny dzielnik męskiego majątku.

Jeśli pan młody jest mieszkającym na pustyni Beduinem, to wystarczy, że ma cztery identyczne namioty, po jedynym dla każdej żony. Jeśli natomiast jest księciem z milionami dolarów majątku, wtedy musi mieć cztery pałace, wszystkie takie same.

Zwyczaj ten wywodzi się z okresu walk plemiennych, kiedy wiele wdów i dzieci zostawało bez opieki i środków do życia. Obowiązkiem mężczyzny było poślubić żony zmarłych braci i zapewnić im utrzymanie. Teraz Saudyjczycy z klasy średniej mają problem z tym systemem. Z reguły nie stać ich na więcej niż jedną czy dwie żony. Na pewno są z tego powodu rozczarowani.

Król Fahd był łaskawym i lubianym monarchą, znanym ze swojej szczodrości, ale sądząc po zdjęciach, raczej niezbyt przystojnym. To nie wygląd sprawił, że udało mu się skłonić aż tyle kobiet (sto!) do małżeństwa. Fahima, kuzynka księżniczki Zahiry, wyjaśniła mi, że wiele z nich prawdopodobnie dostał w prezencie od ich rodziców w ramach zawierania starannie obmyślanych strategicznych sojuszy plemiennych. Saudyjska rodzina królewska wykorzystuje małżeństwa do celów politycznych tak samo, jak przez wiele stuleci robili to monarchowie Francji, Anglii czy Hiszpanii. Król Abdul Aziz był mistrzem zawiązywania węzłów małżeńskich umacniających jego panowanie i postarał się, żeby umiejętność tę opanowali też jego synowie.

Fahima powiedziała mi, że wiele współczesnych Saudyjek ceni sobie poligamię, bo przynajmniej mogą odpocząć trochę od męża, kiedy ten spędza czas z innymi małżonkami. Nurtowało mnie, czy takie rozwiązanie nie prowadzi do rywalizacji między kobietami, zwłaszcza jeśli jedna z nich jest naprawdę zakochana w mężu i nie chce dzielić się nim z innymi. Zastanawiałam się, czy dochodzi do walk żon o męża albo o jego uwagę, nawet jeśli większość z nich wzięła ślub nie z miłości, ale żeby podnieść prestiż swojej rodziny.

– Czy kobieta może wyjść za kogo chce? – zapytałam Fahimę podczas jednej z przejażdżek

– Musisz wiedzieć, Janni Amelio, że w moim kraju zwyczaje są inne niż u was. Zgodnie z islamem kobieta oczywiście ma prawo głosu w kwestii wyboru męża, ale Saudyjce partnera często wybiera lub aprobuje *mahram*, jej opiekun aż do zamążpójścia, którym zwykle jest ojciec lub brat. Potem funkcję tę przejmuje mąż. *Mahram* działa zawsze w trosce o dobro kobiety, starając się zapewnić jej szczęśliwy związek, który przyniesie korzyści wszystkim zainteresowanym. Saudyjka rozumie, że aby mieć bezpieczną przyszłość, musi dbać o żywotność związku, starając się przypodobać mężowi.

Jest to w pewnym sensie wspaniały... taniec, który z radością wykonuje, żeby pielęgnować szczęście domowe i podtrzymać zainteresowanie swojego mężczyzny. Wie to każda Saudyjka.

Szacuje się, że czterdziestu dwóch oficjalnych synów króla Aziza poślubiło ponad tysiąc czterysta kobiet, średnio ponad trzydzieści trzy żony na głowę. To dopiero jest impreza. Albo koszmar. Wielu moich żonatych kolegów fascynuje się poligamią i są rozczarowani, kiedy mówię im, że nie udało mi się zapytać o nią żadnego Saudyjczyka. Po prostu nie chcieli ze mną rozmawiać. Próbowałam. Wiem natomiast, że wielu z nich ma przez całe życie tylko jedną żonę, pewnie dlatego, że i z jedną można mieć masę problemów, a co dopiero z czterema.

Jako osobie z zewnątrz trudno było mi się zorientować, kto jest kim w grupie, a nawet w rodzinie królewskiej, szczególnie że nie znałam żadnych nazwisk. Zorientowałam się, kim są niektóre osoby, wyławiając wskazówki z podsłuchanych rozmów ochroniarzy. Wiedziałam, że ta grupa Saudyjczyków musi składać się z ludzi o wysokiej pozycji w królewskiej hierarchii, skoro towarzyszyła im taka obstawa – czuwało nad nimi wielu ochroniarzy przysłanych przez Waszyngton, w większości byłych wojskowych z wielkim ego i negatywnym nastawieniem oraz ludzie z prywatnych agencji ochrony w Los Angeles. Byli to głównie Amerykanie, ale też kilku obcokrajowców. Prawie wszyscy pracowali wcześniej w wojsku lub w policji i znakomita większość nosiła broń. Najwyżsi rangą męscy przedstawiciele rodziny królewskiej zwani szejkami, których prawie nie widywałam, podróżowali z elitarną obstawą z Wielkiej Brytanii, ale księżniczka Zahira miała lokalnych chłopaków. Prawie wszyscy ochroniarze cechowali się doskonałymi manierami i umieli pracować w bardzo stresujących warunkach. Nie spodziewali się za to fanfar, czego najlepszym dowodem jest Stu. Zdarzali się jednak i tacy, którzy wzbudzali postrach i byli raczej obcesowi. Szczególnie bałam się pewnego Jaco – na jego widok zawsze dostawałam gęsiej skórki, bo wydawało mi się, że tylko kilka synaps dzieli go od psychopatii. Jaco miał nieustanną potrzebę demonstrowania swojej męskości i dominacji nad absolutnie wszystkimi – kobietami, mężczyznami, a nawet bezczynnym cadillakiem escalade. Przebywanie w jego towarzystwie było niezwykle męczące. Regularnie podchodził do mojego zaparkowanego przed hotelem SUV-a po to, by udowodnić, że jest w stanie rozhuśtać wielki samochód ze mną w środku, a nawet go przewrócić, jeśli przyjdzie mu na to ochota.

Rodzinę królewską eskortowali także pułkownik saudyjskiej armii, dwóch majorów i kapitan. Żaden z nich ani razu nie spojrzał mi w oczy, nawet kiedy coś do mnie mówili. Zawsze zwracali się do stojących obok mężczyzn, jakbym była niewidzialna. Wątpię, czy pokazaliby, że zdają sobie sprawę z mojego istnienia, jeśli zadałabym im pytanie wymagające odpowiedzi. Pewna kontrolerka lotu, którą poznałam, powiedziała mi kiedyś, że doszło do poważnej scysji między Królestwem a Federalną Administracją Lotnictwa, kiedy saudyjski pilot oświadczył, że nie będzie słuchał wskazówek kontrolerki. Saudyjczycy nie życzą sobie poleceń od kobiet. Pilot domagał się mężczyzny na wieży kontrolnej i, zgodnie z doniesieniami, Administracja spełniła jego żądanie. Po skardze pracujących tam kobiet zwołano zebranie związku zawodowego. Odnotowano kilka podobnych przypadków, w tym najgłośniejszy, kiedy król Abdullah odwiedził prezydenta Busha na jego ranczu w Teksasie.

Saudyjski pułkownik wyglądał wyjątkowo groźnie – miał surowe spojrzenie i czarne wory pod oczami, jakby nie spał od miesięcy. Mówił niskim, zachrypniętym od papierosów głosem. Był masywny i najwyraźniej zbyt często raczył się ciastkami, bo miał wielkie miękkie brzuszysko, jakby jedna część jego osoby zapomniała, że ma być twarda i groźna, więc zwisała sobie beztrosko. Niedługo po przyjeździe przedstawił nam swoje oczekiwania.

– Podróżujemy z rodziną królewską jako ochroniarze i doradcy. Musicie wiedzieć, że wszyscy jesteśmy w służbie Jego Królewskiej Mości. Zawsze jesteśmy na służbie. Zawsze jesteśmy w pobliżu. Zawsze. Wy też macie być dostępni dwadzieścia cztery godziny na dobę, siedem dni w tygodniu. Macie być nieustannie gotowi i cały czas dostępni. To nie podlega dyskusji. Poinformowano was o protokole, którego należy przestrzegać. Jeśli kierujecie głównym samochodem, zawsze utrzymujcie jak najmniejszy dystans między sobą a obstawą. Bądźcie czujni. Przydzielony wam ochroniarz musi kontrolować wszystkie zamki i okna. Wy macie się do tego nie wtrącać. Jeśli nie jedzie z wami ochrona, drzwi i okna mają być zamknięte. To niezwykle istotne. Chodzi o bezpieczeństwo zarówno rodziny królewskiej, jak i wasze.

Czasami jednak przyłapywałam pułkownika na tym, że mi się przyglądał, kiedy myślał, że go nie widzę. Błyskawicznie odwracał wtedy wzrok. Wielokrotnie mijaliśmy się przy wejściu do hotelu i nie rozumiałam, dlaczego zawsze spogląda w drugą stronę. Później znajomy Arab wyjaśnił mi, że uprzejmy Saudyjczyk nigdy nie patrzy kobiecie w oczy, bo ona należy do innego mężczyzny – ojca, męża albo brata. Pułkownik pewnie zauważył obrączkę babci, którą nosiłam, i po prostu zachował się grzecznie wobec mnie i mojego małżonka.

W Królestwie kobiety i mężczyźni nie stykają się w przestrzeni publicznej, a w wielu domach też istnieje podział na pomieszczenia dla kobiet i małych dzieci oraz dla mężczyzn. W kawiarniach, restauracjach, a nawet w centrach handlowych – wszędzie obowiązuje segregacja płci. Saudyjki mogą studiować, ale w wykładach mężczyzn mogą uczestniczyć tylko przez transmisję wideo, nigdy osobiście. Król Abdullah niedawno dokonał uroczystego otwarcia Uniwersytetu Naukowo-Technicznego swojego imienia, gdzie kobiety i mężczyźni mają zajęcia razem, ale to jedyna taka placówka w kraju, położona na odległym kampusie na środku pustyni, z dala od ciekawskich oczu i gorliwej policji religijnej zwanej *Muttawa*. Ten Komitet Krzewienia Cnót i Zapobiegania Złu składa się z ochotników, którzy z pewnością są przerażający – wymachując biczami, patrolują miasto i tropią tych, którzy postępują nierozważnie. Abdullah chciał przyciągnąć najlepszych wykładowców z amerykańskich uniwersytetów i w tym celu musiał zagwarantować pewną dozę wolności osobistej i akademickiej.

Kobieta nie może wyjechać za granicę bez pisemnego zezwolenia swojego *mahrama*, prawnego opiekuna z najbliższej rodziny, nawet jeśli jest nim dziesięcioletni syn, bo wszyscy jej dorośli męscy krewni nie żyją. Podobnej zgody potrzebuje, jeśli chce pracować, studiować albo pójść do szpitala. W 2012 roku kobiety nadal nie mają prawa głosu, ale na 2014 obiecywana jest reforma i podobno kobiety będą mogły zagłosować bez pozwolenia *mahrama*.

Proszenie mężczyzny, zwłaszcza brata albo siostrzeńca, by zaaprobował to, co chcę robić, a szczególnie co mam na siebie włożyć, byłoby dla mnie trudne do przyjęcia. Jeden z moich wczesnych chłopaków usiłował przekonać mnie, żebym ubierała się w modne wtedy długie sukienki od Laury Ashley i upinała włosy do góry na modłę wiktoriańską, w czym jego zdaniem było mi najbardziej do twarzy. W końcu po prostu otwarcie zaprotestowałam przeciwko tym ciągłym zakusom stylizacyjnym. Prawdę mówiąc, część mnie chciała wkładać ubrania, które mu się podobały, tylko po to, żeby go zadowolić. Znacznie większa część nienawidziła jednak nieustannych prób naginania mnie do jego woli za pomocą ciągłych wytycznych i porad.

– Jeśli chcesz mieć lalkę, którą będziesz mógł przebierać, to ją sobie kup – oświadczyłam.

Czasami umiałam o siebie zadbać.

Jestem jednak w stanie sobie wyobrazić, że Saudyjka, która wie, że zawsze jest ktoś, kto się nią zaopiekuje – kto zatroszczy się o jej dobrobyt, nawet jeśli równocześnie ściśle ją kontroluje – musi czuć się bardzo komfortowo. Sądzę, że taka świadomość dałaby mi poczucie bezpieczeństwa. Może to bardzo wygodna sytuacja, ale i tak uważam ją za udrękę. Moje pierwsze mieszkanie w Los Angeles pozwoliło mi doświadczyć czegoś, co nazwałam „przywiązaniem mieszkaniowym". Znajdowało się w sercu Hollywood i hałas wokół był nie do zniesienia – całą noc nad głowami ryczały helikoptery, a akompaniowały im wyjące syreny. Budynek był w okropnym stylu lat siedemdziesiątych – struktura modułowa i mieszkania z szorstkimi białymi wykładzinami. Miał natomiast kort tenisowy i wielki kryty basen, w którym razem ze współlokatorką pływałyśmy każdego wieczoru po grillu na tarasie – od zmroku do północy taplałyśmy się w ciepłej wodzie. Trudno było się z tym wszystkim rozstać, kiedy przyszedł czas przeprowadzki do ślicznej małej chatki z ogródkiem i drzewkiem cytrynowym, bo mieszkanie miało ponętny, słodki powab apartamentowego amanta.

{ ROZDZIAŁ 10 }

OSOBA OD SPRAW BEZNADZIEJNYCH

Na początku codziennie przynosiłam do pracy swój laptop. Byłam w mniejszości – wielu szoferów nie potrafiło nawet obsługiwać komputera albo nie mieli sprzętu, który mogliby wozić ze sobą, bo cała rodzina dysponowała tylko jednym. Szybko stałam się punktem pomocy internetowej. Wszyscy prosili mnie, żebym wyszukiwała przeróżne informacje dla nich lub ich klientów: Gdzie późno w nocy można w Los Angeles dostać najlepszy suflet czekoladowy? O której jest ostatni seans *Alvina i wiewiórek* w kinie Century City? Czy w centrum handlowym Beverly Center jest butik Gucci, czy tylko Dolce & Gabbana? Zaczynałam być też punktem wszelkiego wsparcia. Byłam wysyłana na trudne misje, bo z reguły wracałam ze skarbem, nawet jeśli nie udało się to wielu poprzednikom. Wkrótce moja praca stała się znacznie trudniejsza, bo sama ją sobie utrudniłam – z własnej woli zostałam osobą do spraw beznadziejnych – i słono płaciłam za to, że na moje usługi nigdy nie brakowało popytu.

Pewnego popołudnia przy hotelowym basenie na dachu było niemiłosiernie gorąco, zwłaszcza komuś, kto, tak jak ja, był tam w czarnym wełnianym kostiumie. Przysłała mnie ochrona, żebym wyświadczyła jakąś przysługę księżniczce Anisie, córce Zahiry. Problem polegał na tym, że ona i jej koleżanki dryfowały w basenie, a żadnej nie przyszło na myśl wydać mi jakiekolwiek polecenie albo pozwolić mi odejść. Nikt nawet na mnie nie spojrzał, jakby nie zauważyli, że od czterdziestu minut stoję w słońcu, gotując się w czarnej wełnie. Czułam, jak po plecach spływa mi strużka potu i gromadzi się w zagłębieniu pleców, tuż nad gumką od majtek. Mimo że nie był to wymóg, cały czas nosiłam garnitury, bo uważałam, że wyglądam w nich bardziej profesjonalnie. Niestety, kostiumy donaszałam po modnej siostrze, mieszkance Północnego Wschodu, której ubrania nie nadawały się na lato w Beverly Hills – wszystkie były z gabardyny, włóczki albo czystej wełny. Żałowałam, że nie kupiłam sobie porządnego lnianego garnituru. Chciałam jednak uniknąć dodatkowych wydatków, za co teraz cierpiałam. Czekając, obiecywałam sobie w duchu, że wygrzebię z szafy długie spodnie i cienkie bawełniane bluzki i zacznę w nich chodzić.

Na hotelowym dachu było bardzo spokojnie – był tam basen, wokół niego zapewniające prywatność wiklinowe kosze z wzdętymi wiatrem białymi zasłonkami oraz cichy ogród na tyłach, a w nim zraszacz rozpylający chłodną eukaliptusową mgiełkę. Zastanawiałam się, czy nie dałoby się jakoś zaaranżować wpadnięcia do basenu albo pod zraszacz, tak żeby wyglądało to na wypadek (umiem świetnie udawać niezgrabę), ale nie chciałam zniszczyć pięknego kostiumu siostry.

Obok basenu znajdowało się luksusowe spa, z którego Saudyjki nigdy nie korzystały. Wolały, żeby masaże czy pedikiur robili im ich służący w pokojach. Czasem wynajmowały masażystki z zewnątrz – nieodmiennie były to radosne, uśmiechnięte młode kobiety, które o najróżniejszych porach dnia i nocy pielgrzymowały po pokojach, taszcząc przenośne stoły. Jedna z kuzynek księżniczki Zahiry miała masaż codziennie, żeby móc się lepiej odprężyć. Po czym ona, do cholery, ma się odprężać? – zastanawiałam się. Cały dzień zajmuje się wyłącznie zakupami i jedzeniem.

U księżniczki Anisy natychmiast uderzyło mnie, to, że nie odziedziczyła po matce ani urody, ani życzliwej natury. Była pulchna, wiecznie naburmuszona i ze skwaszoną miną, jakby właśnie powąchała coś cuchnącego albo życie ostro się z nią obeszło. Miała szesnaście lat, była księżniczką i służyły jej trzy pokojówki. Chyba nie było jej aż tak źle? Jestem pewna, że było coś, o czym nie wiedziałam (ludzie zawsze mają swoje sekrety), ale trudno było jej współczuć. Podróżowała z kilkoma koleżankami, które pełniły poniekąd funkcję dwórek. Nigdy niczego nie sprzątały, nie pakowały ani nie nosiły. Po prostu włóczyły się za Anisą i nieustannie chichotały, sprawiając, że księżniczka lepiej się prezentowała. Łatwo można było odgadnąć, kto w tej grupie ma błękitną krew, a sama Anisa nie pozwalała nikomu o tym zapomnieć.

Ponieważ w gorącej, ciężkiej głowie cały czas miałam instrukcje Stu – „nigdy nie odzywajcie się pierwsi" – omdlewałam na brzegu basenu, topiąc się z gorąca i czekając na instrukcje. W końcu jedna z towarzyszek Anisy, Jasmina (chyba), do mnie podeszła. Nie znałam jeszcze dobrze ich imion, a one słabo mówiły po angielsku. Umiały za to wyrecytować większość tekstów popowych hitów: „*Baby drop another slow jam (...) And all us lovers need hold hands*".

– Księżniczka mówi do Mac jechać? – powiedziała Jasmina.

Zastanowiłam się przez chwilę.

– A, chce jechać do sklepu Apple'a? – zapytałam. – W porządku, podprowadzę samochód i zaczekam na nią na dole.

Anisa miała własny samochód z szoferem, więc nie wiedziałam, dlaczego to ja mam ją wozić i czemu muszę prawie przez godzinę smażyć się na słońcu, żeby się o tym dowiedzieć. Nie oponowałam jednak. Pewnie słyszała, że jestem punktem konsultacyjnym do spraw wszelkich, i dlatego wybrała właśnie mnie. Jasmina wyjęła z kieszeni szlafroka kilka studolarówek i mi je wręczyła.

– Księżniczka mówi ty musisz przynieść ona iphone.

– Chce, żebym sama pojechała do sklepu Apple'a i kupiła jej iphone'a? Czy ona zdaje sobie sprawę, że trzeba podpisać umowę, jeśli sprzęt ma działać jak telefon?

Jasmina przyglądała mi się, nic nie rozumiejąc, więc pokazałam jej swoją komórkę.

– AT&T. Usługa telekomunikacyjna. Musi podpisać na to umowę. Ja nie mogę tego za nią zrobić. To kontrakt na dwa lata.

Jasmina krzyknęła coś po arabsku do pozostałych dwórek i wszystkie głowy obróciły się w moją stronę. Potem jedna z nich pstryknęła, przywołując w ten sposób służące, które siedziały na krawędzi basenu. Jedna z nich, najlepiej władająca angielskim, podbiegła do mnie.

– Janni! Proszę, księżniczka, ona musi mieć iphone! – powiedziała.

– Przepraszam, ty jesteś Zuhur, prawda?

Opowiedziała skinieniem głowy. Zaczynało mi być wstyd, że muszę cały czas dopytywać się o ich imiona i usilnie starałam się je zapamiętać, ale było mi trudno, bo prawie z nimi nie rozmawiałam. Poza tym nikt się nie przejmował, jaka jest poprawna wersja mojego imienia, więc nie wiem, czemu mi tak zależało, żeby odpowiednio się do nich zwracać. Każdy z członków rodziny królewskiej i świty nazywał mnie inaczej: Janni, Jennie, Joanie, Junie, Yianni, Yanie, Yoanie. Nauczyłam się reagować na wszystkie.

– Tak, Zuhur, wiem, że księżniczka chce, żebym kupiła jej iphone'a, ale musi sama podpisać umowę, jeśli chce, żeby działał jak komórka. W przeciwnym razie to będzie po prostu drogi ipod.

Pot spływał mi z górnej wargi. Otarłam go ręką, rozglądając się za chusteczką. Nie było tam nic z wyjątkiem stosów ręczników kąpielowych w zielono-białe paski poukładanych w każdym koszu.

Widziałam, że księżniczka Anisa obserwuje nas z rogu basenu, gdzie dryfowała na zielonym piankowym materacu. Przy prawej ręce na specjalnym stojaku miała napój, lewą pluskała w wodzie. Powoli obracała się na powierzchni basenu, a zmarszczone brwi świadczyły o tym, że śledzi akcję. Syknęła coś po arabsku w naszym kierunku i Zuhur niemal podskoczyła.

– Tak, to pieniądze – powiedziała, wręczając mi kolejny zwitek setek, około tysiąca dolarów. – Księżniczka mówi trzy iphone. Musisz przynieść teraz. Trzy iphone. *Okay*? *Jalla**! *Jalla*!

---

* *Jalla* (arab.) – pospiesz się (przyp. tłum.).

– Ale nie będą działały, jeśli księżniczka nie podpisze umowy – powiedziałam to bardzo głośno i wyraźnie, żeby Anisa też mnie usłyszała. – Musi im dać numer karty, żeby mogli sprawdzić jej historię kredytową, a potem podpisać dwuletnią umowę. W ten sposób się to odbywa. Nie ja wymyślam te zasady – Apple po prostu tak sprzedaje swoje telefony.

Przerwał mi warkot przelatującego nad nami jeta. Było to dość niespotykane, bo nie sądzę, żeby przeloty nad Beverly Hills były dozwolone. To musiał być samolot wojskowy. Obie zadarłyśmy głowy i przez chwilę przyglądałyśmy się białym śladom, które maszyna zostawiała na niebie.

Kiedy znów popatrzyłyśmy na siebie, zobaczyłam, że Zuhur przeskakuje z nogi na nogę, jakby beton parzył ją w stopy. Wiedziałam jednak, że podłoga nie jest gorąca – w luksusowych hotelach używa się specjalnej nawierzchni, tak żeby goście mogli swobodnie przemieszczać się wokół basenu. Ciągle zerkała w stronę księżniczki, potem na mnie, a następnie znów na Anisę. Było wyraźnie widać, że coś jeszcze ją trapi. Anisa ponownie syknęła, a Zuhur się skrzywiła. Dołączyły do nas dwie inne służące, stając po obu stronach Zuhur. Wszystkie patrzyły na mnie przestraszonymi oczami.

– Proszę, musi telefon. Musi telefon albo księżniczka jest niezadowolona – powiedziała Zuhur.

Zdałam sobie sprawę, że ona, a może nawet wszystkie służące odpowiedzą za to, że Anisa nie dostanie działających iphone'ów. Oczywiście to, że telefony nie zostaną aktywowane, nie będzie ich winą, ale wyraźnie się tym martwiły. Może bały się tylko gniewu księżniczki, ale wydawało mi się, że gnębi je coś jeszcze. Nie byłyby tak zdenerwowane, gdyby nie obawiały się jakiejś kary za niespełnienie życzeń Anisy.

Miałam ochotę sama porozmawiać z księżniczką i wyjaśnić jej, w czym tkwi problem. Nie mogłam jednak odezwać się pierwsza, a księżniczka nie zamierzała się do mnie zwracać. Zachowywała się tak, jakby mnie tam nie było. Zniżyłam głos.

– Dobrze Zuhur, poproszę ochronę, żeby porozmawiała z sekretarką księżniczki Zahiry. Może uda się jakoś obejść te umowy. W porządku?

Znałam kilku ludzi w różnych salonach Apple'a i miałam nadzieję, że jakoś mi pomogą.

– *Jalla*, Janni. Proszę, zrób to, a ja powiem księżniczce – błagała Zuhur.

Bałam się, czy Zuhur nie przekaże Anisie, że sprawa jest już załatwiona i w ten sposób obie wpadniemy w tarapaty. Na tym etapie jeszcze kilku kierowców straciło pracę za dużo bardziej błahe przewinienia niż rozczarowanie księżniczki. Dzień wcześniej jeden z szoferów został zwolniony, bo rzekomo nie zwracał należytej uwagi na pasażerkę, ale pewnie po prostu nie chciał być nieuprzejmy i przyglądać się jej zbyt nachalnie. Stąpaliśmy po grząskim gruncie.

– Proszę, powiedz jej, że zrobię, co w mojej mocy, ale wyjaśnij, że to wszystko nie twoja wina. Taka jest polityka Apple'a. Ani ja, ani ty nie jesteśmy za nią odpowiedzialne.

Żałuję, że nie mam jak przekazać Anisie, że nie robię tego, żeby ją uszczęśliwić – pomyślałam. – Zależy mi tylko, żeby służących nie spotkała żadna kara. Jeszcze kilka tygodni wcześniej dołożyłabym wszelkich starań, by zadowolić księżniczkę, niezależnie od natury jej polecenia. Teraz jednak szybko traciłam cierpliwość.

– *Jalla*, Janni – powtarzała Zuhur. – Proszę, proszę, żeby iphone był telefonem.

Kiedy się odwróciłam i zaczęłam iść w stronę windy, dziewczyna delikatnie ścisnęła mi ramię.

– *Szukran**, dziękuję Janni, dziękuję. *Jalla*!

Wszystkie służące potruchtały na odległy brzeg basenu, żeby zająć się księżniczką i jej towarzyszkami.

Kupiłam Anisie iphone'y, ale zdjęcie blokady i aktywację zostawiłam ochronie. Starałam się też unikać wszelkich kontaktów z nią. W końcu nauczyłam się zostawiać laptop w domu albo w bagażniku i używać go tylko wtedy, kiedy nikt nie widział. Przestałam również tak często wychodzić z inicjatywą, rzadziej oferowałam pomoc i często mówiłam „nie", nawet jeśli coś było wykonalne. Była to dla mnie trudna lekcja.

Jako mała dziewczynka wierzyłam, że na świecie panuje merytokracja – że odrobina talentu, ciężka praca i wytrwałość gwarantują sukces i uznanie. Mimo że wcześniej przeżyłam wiele rozczarowań, dopiero harówka dla Saudyjczyków uświadomiła mi, że to po prostu nieprawda. O przyszłości człowieka może zdecydować przypadek albo to, gdzie i kiedy się urodził. Czasem po prostu ma się szczęście.

---

* *Szukran* (arab.) – dziękuję (przyp. tłum.).

ROZDZIAŁ 11

JAK HIDŻAB NA WIETRZE

W końcu przydzielono mi inną stałą pasażerkę – nastoletnią bratanicę Zahiry, małą księżniczkę Radżiję, która dopiero później dołączyła do rodziny. Konwój sześciu samochodów zawiózł na lotnisko kilku krewnych, żeby mogli ją przywitać. Dowiedziałam się, że zarówno w Królestwie, jak i w czasie zagranicznych podróży duża delegacja rodzinna zawsze odbiera członka rodziny czy przyjaciela po podróży, nawet jeśli wyjechał tylko na kilka godzin, a widzieli się przed paroma dniami. Skoro nikt z nich nie musi pracować, wycieczki na lotnisko stanowią pewnie częstą i lubianą rozrywkę.

Kiedy młoda księżniczka wyszła z odprawy celnej, zobaczyłam, że podróżowała z trzema służącymi, a każda z nich ciągnęła za sobą dwa ogromne wózki, na których znajdowało się co najmniej po osiem wielkich waliz lub pudeł. Tak wyglądał bagaż trzynastolatki. Wszyscy krewni wracali jednym nawigatorem, natomiast reszta SUV-ów transportowała jej rzeczy.

Każdy klient miał własny samochód, a Radżija poprosiła o kabriolet. Ochrona protestowała, bo tego typu auta są szczególnie narażone na ataki. Księżniczka była jednak nieugięta i zdołała przekonać rodzinę, że bezwzględnie musi je mieć. Fausto uganiał się po całym mieście, żeby w środku lata znaleźć w Los Angeles luksusowy czarny kabriolet.

Odebrałam go wczesnym rankiem z wypożyczalni w Beverly Hills, a następnie oddałam do kontroli i starannie przygotowałam, zaopatrując się standardowo w słodycze, chusteczki i butelkowaną wodę. Samochody miały być zawsze nieskazitelnie czyste, tak w środku, jak i na zewnątrz, niezależnie od pory dnia ani od tego, ile godzin były już w trasie. W wyposażeniu musiało się znajdować wszystko, czego członkowie rodziny królewskiej mogą sobie zażyczyć. Oczytany książę, pasażer Santiaga, lubił letniego eviana i chrupki Doritos. Z reguły upijał tylko łyk wody i zjadał dwa chipsy, ale Santiago zawsze musiał mieć w aucie nowe butelki i nienapoczęte paczki. Dla księżniczki Radżii kupiłam przekąski, które się nie topią – żadnej czekolady ani cukierków. Na szczęście nic takiego nie chciała, bo po jednym dniu w samochodzie słodycze zamieniłyby się w lepką miazgę. Przekonałam się o tym na własnej skórze, kiedy musiałam przez cały ranek czyścić czekoladę z podstawek na napoje i dywaników, po tym, jak pasażer otwarł paczkę M&M'sów, zjadł kilka, a resztę zostawił, żeby przez resztę dnia piekły się w kalifornijskim słońcu.

Kiedy w końcu podjechałam pod hotel, cała rodzina właśnie z niego wychodziła, więc jak najszybciej wysiadłam, żeby otworzyć Radżii drzwi. Nadal właściwie nie wiedziałam, jak ona wygląda – na lotnisku przemknęła mi tylko przed oczami, po czym wskoczyła do pełnego kuzynek SUV-a, więc nie miałam okazji się jej przyjrzeć. Wiedziałam jedynie, że jest niska i ciemnowłosa. Stałam zatem przy otwartych drzwiach samochodu i uśmiechałam się uprzejmie, z nadzieją, że ktoś wsiądzie.

Piękna kobieta, od której biła władza, w hidżabie, długich spodniach i tunice pod kolor, przedstawiła mi się doskonałą angielszczyzną.

– A więc to ty jesteś szoferem Radżii! – oznajmiła.

Ponieważ była częściowo zasłonięta, trudno było określić jej wiek. Miała bardzo cienkie brwi, ciemne, łagodne oczy i gładką twarz z kilkoma ledwie zmarszczkami. Była bez makijażu, ale jej skóra była gładka i świetlista.

– Tak, proszę pani – odparłam.

– Nazywam się Malika – chwyciła rękę, którą do niej wyciągnęłam, mocno w obie dłonie i przez dłuższą chwilę przyglądała mi się taksująco, po czym poklepała mnie, dodając: – Cieszę się, że mogę cię poznać. Radżija jest moim aniołkiem. Razem będziemy się o nią troszczyć.

– Oczywiście, proszę pani – przytaknęłam.

Założyłam, że ta imponująca kobieta jest matką małej księżniczki, ale okazało się, że Malika to jej niania. Jako pobożna muzułmanka nigdy nie odsłaniała ramion, kostek ani głowy. Większość ubrań kupowała w ojczystym Libanie, kiedy wracała tam na ramadan – podczas pobytów z rodziną królewską w Paryżu podpatrywała różne trendy, modyfikowała je, a potem zamawiała stroje na miarę u krawcowej w Bejrucie, co wychodziło dużo taniej. Nigdy nie widziałam z bliska tak elegancko ubranej kobiety. Wyglądała wspaniale. Malika nosiła rękawiczki z koronkowym wykończeniem, żeby mieć pewność, że ma zakryte nadgarstki, nawet na plażę wkładała legginsy z delikatnej bawełny i baletki do chodzenia po piasku. Większość jej ubrań była z pięknie haftowanego jedwabiu. Dobierała do nich kolorowe chusty, tak że jej garderoba składała się z bardzo eleganckich, ale niezwykle skromnych strojów.

– Bardzo dobrze. Widzę po twojej twarzy, że będzie się nam dobrze układać – powiedziała i mrugnęła do mnie.

Potem się oddaliła i natychmiast otoczył ją tłumek niań i służących. Tak miało być już do końca pobytu. Malika była widocznie uważana za szefową domowej służby, choć skromność nie pozwała jej samej się tak określać. Każdy przychodził właśnie do niej po nowe rozwiązania, informacje czy porady.

Tym razem wszyscy mówili równocześnie, w większości po arabsku, więc nie wiedziałam, co się dzieje. Wyraźnie coś było jednak na rzeczy. Nie miałam pojęcia, czego się ode mnie oczekuje ani jaki ma być mój następny krok. Rozglądałam się nerwowo, próbując rozeznać się w sytuacji, ale właśnie wtedy do kabrioletu podszedł jeden z ochroniarzy, żeby mi się przedstawić.

George był jednym z niewielu czarnoskórych Anglików w saudyjskiej obstawie. Pochodził z hrabstwa West Midlands, skracał samogłoski, miał śpiewny akcent, a na koncie kilka orderów armii brytyjskiej. Był barczysty i umięśniony, a ramiona miał mocne i bez włosków. Jedno z nich przecinała długa różowa blizna, jakby po ranie zadanej mieczem. Był przystojny, elokwentny i uprzejmy, niemal szarmancki, więc wszystkie kobiety za nim przepadały – księżniczki, służące i cała żeńska część hotelowego personelu. Nawiązywał ciepłe stosunki z każdym, kogo spotykał. Kiedy George wydawał mi polecenie, robił to tak, jakby prosił mnie o przysługę, która ułatwi mu pracę. Nie miałam wrażenia, że mi coś nakazuje, choć właśnie to robił. Kiedy mówił, delikatnie chwytał mnie za ramię i nachylał się w moją stronę – jego zachowanie było uprzejme, ale nie ulegało wątpliwości, że sprytnie mną manipuluje. Zawsze mówił: „Dziękuję, kochana. Jesteś wspaniała", kiedy zgadzałam się spełnić jego prośbę. Wydawało mi się, że naprawdę uważa mnie za „kochaną".

George poinformował mnie cichym głosem, że mam zawieźć Radżiję i jej kuzynkę, księżniczkę Avę, do restauracji w Beverly Hills, gdzie zjedzą lunch razem z resztą rodziny. Krewni wyrazili zgodę, żeby Ava i Radżija jechały razem kabrioletem, mimo że ochrona się temu sprzeciwiała. George był bodyguardem pracującym na stałe dla rodziców Avy i jeździł z nimi po całym świecie. Avie zawsze towarzyszył albo on, albo kobieta zatrudniona do jej ochrony oraz francuska niańka. Księżniczka miała czternaście lat, szczupłą chłopięcą sylwetkę i długie kręcone włosy, które zawsze zakładała za uszy. Interesowała się muzyką i sztuką, była poważna, często zamyślona (młody książę, który jeździł na zajęcia na Uniwersytet Południowej Kalifornii, to jej brat). Okazało się, że dziewczyna jest typem samotnika, i rzadko spędzała czas z rozrywkowymi kuzynkami.

Radżija była wrażliwą, pełną werwy trzynastolatką. Miała obsesję na punkcie mody i była niezwykle stanowcza, czego nie ujawniała jej łagodna okrągła twarzyczka obramowana miękkimi czarnymi lokami. Oprócz pokrewieństwa niewiele ją z Avą łączyło. Dziewczyny zajęły miejsca z tyłu kabrioletu, a George usiadł z przodu. Przypomniał mi, że do niego należy kontrola wszystkich zamków i okien. Następnie opuścił dach samochodu, a pasażerki zapiszczały z zachwytu – więc miały jednak coś wspólnego. Odniosłam wrażenie, że rzadko miewają tego rodzaju rozrywki, szczególnie Ava, której rodzina pozostawała pod bardzo ścisłą ochroną. Przed samym odjazdem podeszła do nas Malika, uśmiechnęła się do księżniczek, położyła mi rękę na ramieniu i powiedziała:

– Do zobaczenia wkrótce.

Brzmiało to niemal jak groźba, ale całkiem uprzejma.

Niania Avy jechała już do restauracji jednym z SUV-ów, który wyruszył przed nami. Malika natomiast stała i przyglądała się, jak odjeżdżamy, a potem szybko wskoczyła do następnego auta. Była niczym jastrząb. Gdziekolwiek udawała się Radżija, Malika podążała w ślad za nią. Księżniczka nazywała ją „swoją chorągiewką", ponieważ wiedziała, że jeśli tylko w polu widzenia będzie miała hidżab opiekunki, nigdy się nie zgubi i zawsze będzie bezpieczna, niezależnie od tego, gdzie były i jak wielki otaczał je tłum. Radżija miała pewność, że Malika nieustannie jej strzeże i w każdej sytuacji ją obroni.

Malika była czymś więcej niż tylko nianią – pełniła też funkcję cierpliwej nauczycielki. Uważnie przyglądała się Radżii i pomagała jej odnajdywać się w nowych sytuacjach. Młoda kobieta stosowała się do wskazówek i rad, nawet jeśli dochodziło między nimi do kłótni o to, co wolno, a czego nie. Malika nigdy nie zabraniała niczego podopiecznej – to nie leżało w jej gestii – przypominała jej tylko zdecydowanym tonem, jakie ma powinności i zobowiązania. Toczyła się między nimi nieustanna wojna. Właściwie Radżija mogła robić, co jej się podobało, pod warunkiem że uzyska zgodę matki, u której lobbowała często i bardzo skutecznie. Malika była jednak tak silnym przeciwnikiem, że jej rozsądne rady nierzadko brały górę nad błaganiami Radżii.

Kiedy zaczynałam tę pracę, zastanawiało mnie, po co Saudyjczykom aż taki nadzór i tylu ochroniarzy. Większość członków rodziny królewskiej, z którymi się zetknęłam, była pilnie strzeżona. Czyżby obawiali się porwania i żądań okupu? A może chodzi o islamskich ekstremistów, którym nie podobają się zachodni styl życia książąt i księżniczek oraz ich olbrzymia rozrzutność? Czy zdarzyło się coś, co sprawia, że czują się zagrożeni?

Rick, jeden z wysoko postawionych amerykańskich członków ochrony, przedstawił mi swój pogląd w tej kwestii:

– Pracuję dla nich od lat i moim zdaniem chodzi o to, że po prostu przyzwyczaili się do ochroniarzy. Dzięki nim są w centrum uwagi i czują się wyjątkowi. Czy potrzebna im tutaj ochrona? Wątpię. W Rijadzie też na pewno nikt z nimi nie zadziera. Jadą ponad sto kilometrów na godzinę konwojem SUV-ów do centrum handlowego, bo umówili się w Häagen-Dazs na lody, a zwykli śmiertelnicy schodzą im z drogi, bo wiedzą, że jedzie rodzina królewska. Teraz najwięcej kłopotów sprawia nam trzymanie na wodzy młodych księżniczek, bo w Stanach czują się przeszczęśliwe. Nikt ich właściwie nie nagabuje – musimy tylko pilnować, żeby nie podszedł do nich żaden chłopak, który chciałby je poznać. To byłby problem. Ich ojcom na pewno by się to nie spodobało.

Trudno uwierzyć, że tyle pieniędzy i wysiłku inwestowano w ochronę, która najwyraźniej była bardziej na pokaz niż z prawdziwej konieczności. Legiony bodyguardów miały nie tylko strzec członków rodziny królewskiej, lecz także odgradzać ich od reszty świata. Saudyjczycy lubili otaczać się służbą – dzięki temu czuli się wyjątkowi. Lepsi od innych.

Radżija była w trudnym wieku i rodzina wolała, żeby pilnowały jej kobiety. Rozumiałam to. Sama chodziłam do żeńskiego gimnazjum i przeżyłam szok, kiedy w połowie mojej tamtejszej edukacji połączono nas ze szkołą dla chłopców. Nagle boleśnie zdałam sobie sprawę z tego, jak wyglądają moje włosy, twarz, sylwetka. Jeden z braci doniósł mi, że jego kolega, zobaczywszy mnie na basenie w białym kostiumie, nazwał mnie orką. Byłam załamana i wiem, że ucierpiały na tym moje stopnie.

Presja, z jaką muszą radzić sobie nastolatki, kiedy stają się niezależne i zaczynają wchodzić w interakcje ze światem, bywa ogromna. Saudyjska dziewczyna ma jeszcze gorzej – nie chodzi tylko o bolesne przytyki. Całe jej życie może lec w gruzach, jeśli splami honor rodziny (a raczej ojca i męskich krewnych, bo w ten sposób się to interpretuje), dopuszczając się, świadomie lub nieświadomie, czynu, który w jakikolwiek sposób narazi na szwank jej reputację. Nawet niewinna rozmowa z chłopcem, który nie jest jej krewnym, może zostać uznana za poważne przewinienie, w zależności od wieku kobiety i poglądów jej rodziny. Za każde naruszenie zasad przyzwoitości może spotkać ją surowa kara. O charakterze sankcji decyduje ojciec, który za większe wykroczenie może nawet skazać córkę na śmierć.

Mam kilku opiekuńczych braci (nawet ten, który powiedział mi o orce, zrobił to pewnie po to, żebym przestała zadawać się z jego kolegą) i ojca, który jest staroświecki i dość pruderyjny, ale żaden z nich nigdy nie czuł potrzeby ukarania mnie, żeby oczyścić swój honor. Tata w życiu by mnie

nie skrzywdził, gdyby dowiedział się, że w siódmej klasie podczas gry w butelkę pocałowałam jakiegoś chłopca. Tym bardziej nie zakatowałby mnie na śmierć za rozmowy z nieznajomym na Facebooku – a tak zrobił jeden urażony saudyjski ojciec, który uznał, że internetowe kontakty jego córki są dla niego ujmą na honorze. Kiedy lepiej poznałam normy społeczne obowiązujące księżniczki, które woziłam, też zaczęłam się o nie troszczyć. Nie mogłam postępować inaczej – czułam, że moim obowiązkiem jest ich strzec, ponieważ stawką jest ich przyszłe szczęście.

Po lunchu Ava, jej niania i George wrócili do hotelu z resztą rodziny królewskiej, natomiast Radżija wskoczyła na przednie siedzenie kabrioletu. Malika wsiadła do tyłu.

– Proszę, kierowco, chciałabym zobaczyć Los Angeles! – powiedziała Radżija, w ogóle na mnie nie patrząc. – Możemy jechać i zobaczyć wszystko? Daleko jest stąd do Hollywood? Zobaczymy jakieś gwiazdy? Możemy zobaczyć je teraz? Gdzie jest plaża? Gdzie są najlepsze sklepy? Jamba Juice jest niedaleko? Koleżanki mówiły mi, że jest najlepszy? To jest niedaleko? Gdzie jest Melrose Avenue? Chcę zobaczyć wszystkie sklepy. Możemy jechać teraz? Chcę wejść do studia i zobaczyć, jak się robi film. Chcę jechać do Universal City, słyszałam, że jest tam świetnie. Disneyland jest bardzo daleko? Możemy tam też jechać? – Radżija mówiła do przedniej szyby, jakby mnie tam nie było, i wcale nie czekała, aż jej odpowiem. Cały czas zerkała na Malikę, szukając u niej potwierdzenia i aprobaty.

– Tak, tak, Radżija – powiedziała opiekunka. – Pojedziemy teraz na wycieczkę.

Siedząca z tyłu Malika nachyliła się w moją stronę i mówiła cicho, jakby mi się zwierzała. Radżija pogłośniła właśnie muzykę, ale Malika szeptała mi prosto do ucha, więc wyraźnie słyszałam każde słowo.

– Proszę, Janni, zabierzesz nas tam, gdzie możemy zobaczyć te wspaniałości? Radżija będzie bardzo szczęśliwa. Pierwszy raz jest w Los Angeles, więc bardzo się tym ekscytuje i chce wszystko zobaczyć. Może ci się to wydawać dziwne, ale to naturalne u nastolatek.

– Mhm, jasne – odparłam. – Jeśli chcecie, możemy chyba jechać do Hollywood i dopiero stamtąd do hotelu.

Jedyne, na co miałam ochotę, to powrót do domu i zakopanie się w pościeli na zawsze. A było dopiero wczesne popołudnie. Ogarnęło mnie przygnębienie i poczucie osaczenia, jakby ktoś zamknął mnie w ciemnym pokoju – tak samo czułam się, kiedy o piętnastej zaczynałam zmianę w klubie nocnym ze świadomością, że będzie trwała do piątej rano. Koniec wydawał się tak odległy. Pracowałam tam wtedy dopiero od kilku tygodni i nie mogłam zrezygnować. Mimo trudnych początków musiałam wierzyć, że później będzie lepiej. Musiałam. Nie mogło przecież być gorzej. Zaciśnij zęby – przekonywałam się. – Po prostu zaciśnij zęby i rób, co do ciebie należy.

– Może sama nie masz dzieci? – zapytała Malika.

Nie po raz pierwszy zadano mi to pytanie, więc zaczęłam się zastanawiać nad jakąś niefortunną przypadłością, która uniemożliwiła mi i „mężowi" posiadanie potomstwa. W Malice było jednak coś, co sprawiło, że nie chciałam jej okłamywać.

– Nie, nie mam swoich dzieci – odpowiedziałam. – Mam za to dużo bratanków i siostrzenic, więc wydaje mi się, że potrafię zapewnić księżniczce rozrywkę.

– Na pewno nie masz nic przeciwko tej wycieczce? – zapytała.

– Nie, oczywiście, że nie. Cała przyjemność po mojej stronie.

– No to jedźmy. Obiecuję, że wszystkie będziemy się dobrze bawić – powiedziała Malika, poklepując mnie delikatnie po ramieniu. Była bardzo spostrzegawcza. Pewnie zauważyła, że jestem zdenerwowana, choć starałam się tego nie okazywać. Rozpraszało mnie, że Radżija siedzi z przodu i nieustannie majstruje coś przy radiu, które lubiła ustawiać jak najgłośniej. Zasypywała mnie pytaniami, a potem zupełnie mnie ignorowała. Ciągle zmieniała zdanie co do tego, dokąd chce jechać i co chce zobaczyć. Nalegała, żebyśmy jechały z opuszczonym dachem, chociaż południowe słońce prażyło niemiłosiernie. Zapomniałam posmarować się kremem z filtrem i czułam, jak dostaję poparzeń. Nie pomyślałam też, żeby spiąć włosy, więc po kilku godzinach w kabriolecie wokół głowy miałam wielką skołtunioną masę. Zamierzałam powiedzieć Radżii, że tylko turyści jeżdżą z opuszczonym dachem przed zachodem słońca, ale doszłam do wniosku, że to będzie złośliwe, więc ugryzłam się w język.

Przez kilka godzin woziłam Radżiję i Malikę po Beverly Hills i Hollywood, pokazując im najważniejsze miejsca. Księżniczka bardzo na tym skorzystała, bo była najmłodsza z całej grupy i pierwszy raz odwiedzała południową Kalifornię. Przed 2001 rokiem wielu Saudyjczyków przyjeżdżało tu regularnie, ale po 11 września ich wizyty stały się rzadsze. Rodzina Radżii była w Stanach tylko kilkakrotnie, żeby pojeździć na nartach w Aspen. Rodzice wielu jej kuzynek mieli domy w Bel Air czy Beverly Hills, które utrzymywali przez cały rok, albo wynajmowali wielkie posiadłości na lato, kiedy szczególnie chętnie tu przyjeżdżali. Rówieśniczki Radżii wiedziały więc, dokąd pójść, co robić i kto jest kim w Los Angeles, a ona jeszcze nie. Była jednak inteligentniejsza od nich i szybko się uczyła. Nie wiedziała, jak mnie traktować, bo moja pozycja w hierarchii była niejasna. Początkowo zupełnie mnie ignorowała, ale później zdała sobie sprawę, że takie zachowanie jest dla niej niekorzystne. Stanowiłam cenne źródło informacji, więc warto było częściej się ze mną konsultować. Po jednej szybkiej rundce ze mną w roli przewodnika Radżija, która pilnie mi się przysłuchiwała, znała Los Angeles jak własną kieszeń.

Przejechałam z nią Sunset Strip i pokazałam jej kluby z muzyką – Whisky, Roxy, Viper Room, a potem Sky Bar w Mondrianie (to naprawdę zrobiło na niej wrażenie), no i oczywiście hotel Chateau Marmont. Akurat odbywała się tam sesja zdjęciowa, więc Radżija była w siódmym niebie. Zajrzałyśmy też do Teatru Chińskiego Graumana, gdzie pokazałam jej stojących przed budynkiem ludzi w kostiumach filmowych herosów, którzy pozowali do zdjęć z opalonymi na czerwono, brzuchatymi wczasowiczami w szortach i koszulkach z napisem „Made in Hollywood". Zaproponowałam, że zatrzymam się na chwilę na chodniku, żeby mogła podejść i zobaczyć wszystko z bliska. Zasugerowałam tylko, żeby nie podchodziła zbyt blisko podstarzałego Spidermana odzianego w poliester. Spojrzała na niego, zmarszczyła brwi, a potem kiwnęła potakująco głową. Pojechałyśmy też do hotelu Roosevelt, gdzie kręcony jest *Jimmy Kimmel Show*. Powiedziałam Radżii, że jeśli chciałaby być na widowni tego albo jakiegoś innego programu, to mogę zdobyć od znajomej bilety. Zabrałam ją też do oryginalnej kawiarni Fred Segal przy Melrose Avenue, gdzie zjadłyśmy lody, gapiąc się na paradę gwiazd. Potem zawiozłam ją do hipsterskich sklepów przy tej samej alei, do Pacific Design Center i modnych butików w okolicach Robertson Boulevard – zaliczyłyśmy sklepy takie jak Kitson, Lisa Kline czy Curve, w których zaopatrują się debiutujące celebrytki. Nie robiłyśmy tam żadnych zakupów, tylko szybki rekonesans, żeby Radżija poczuła atmosferę Los Angeles i miała pojęcie, z czego słynie to miasto.

Dziewczyna zwracała się do Maliki po arabsku, ilekroć chciała wykluczyć mnie z rozmowy albo nie znała odpowiednich angielskich słów. W drodze powrotnej z naszej wycieczki przez kilka minut rozmawiały ze sobą cicho, a potem usłyszałam, jak Malika mówi po angielsku:

– Może w takim razie powinnyśmy ją zapytać?

Radżija w końcu na mnie popatrzyła i wydusiła z sobie pytanie:

– Dlaczego ty jesteś moim kierowcą?

Wtedy wiedziała już, że studiowałam na Uniwersytecie Cornella (kiedy przejeżdżałyśmy koło salonu Tesli przy Santa Monica Boulevard, powiedziałam jej, że najważniejsze wynalazki serbskiego inżyniera powstały właśnie na tej uczelni), a potem na Harvardzie (słyszała, jak rozmawiam z George'em o zamknięciu legendarnego baru Tasty przy Harvard Square). Tak bardzo różniłam się od szoferów, z którymi dotychczas miała do czynienia, że nie wiedziała, co o tym myśleć.

– Mhm, jestem teraz, jak to się mówi, pomiędzy etatami. Pracuję w przemyśle rozrywkowym, więc zdarzają się przestoje i muszę jakoś inaczej zarabiać na chleb. To nic nadzwyczajnego – wyjaśniłam.

Nie chciałam dłużej się nad tym rozwodzić. Prawdę mówiąc, miałam poczucie, że stoczyłam się dość nisko. Radżija była jednak tylko nastolatką, zbyt młodą, by zrozumieć, jak straszne mogą być kłopoty finansowe. Sama i tak pewnie nigdy ich nie doświadczy. Będzie się borykała z innymi trudnościami, o których ja nie mam nawet pojęcia, ale wśród nich nigdy nie znajdą się pieniądze.

Niedługo po naszej rozmowie Radżija zobaczyła mnie w powtórce jakiegoś programu późnym wieczorem.

– Jeśli jesteś gwiazdą, to czemu teraz mnie wozisz? Czemu ciągle nie występujesz w programie? – zapytała.

– Nie jestem gwiazdą, byłam tam tylko gościnnie. To nie była stała praca, która oznaczałaby kręcenie co tydzień. Niestety, pojawiłam się zaledwie w paru odcinkach – odpowiedziałam.

– Czyli nie chcieli, żebyś była stałą prezenterką w tym programie? – pytała dalej Radżija.

Zabolało mnie to, bo wiedziałam, że tak właśnie było.

– Nie, raczej nie.

– Ale czemu cię nie chcieli? – drążyła.

– Nie wiem – odparłam. – Naprawdę nie wiem.

Mówiłam szczerze. Zupełnie nie pojmuję, dlaczego niektórym udaje się zrobić karierę w show-biznesie, a innym nie. Tymczasem wymaga się ode mnie, żebym wyjaśniła dziewczynie trzy razy ode mnie młodszej, czemu NBC nie chciała mnie w swoim programie i musiałam wcielić się w rolę szofera. Skrzywiłam się w duchu.

Radżija zaczęła uważnie śledzić każdy mój krok i nieustannie mnie wypytywała, co sądzę o wszystkim, począwszy od Davida Beckhama, na tenisówkach z limitowanych edycji skończywszy. W ten sposób chciała mnie lepiej zrozumieć. Chadzała ze starszymi Saudyjkami na uwielbiane przez nie wielkie zakupy, a potem przymierzała przy mnie nowe ubrania, żebym wyraziła o nich swoje zdanie. Nigdy otwarcie się ze mną nie zgodziła i udawała, że moich opinii słucha tylko jednym uchem. Czasem nawet chłodno je lekceważyła, ale zorientowałam się, że i tak zapamiętuje wszystko, co mówię, więc zaczęłam ostrożniej wygłaszać swoje poglądy. Kilka razy słyszałam, jak parafrazuje coś, co usłyszała ode mnie dzień wcześniej.

– Muszę co wieczór pić świeży sok grejpfrutowy, żeby schudnąć! Wszystkie gwiazdy tak robią! – mówiła do jednej z koleżanek.

Chodziło jej o mój „hollywoodzko-królewski program oczyszczający", który polega na jedzeniu całego owocu, a nie tylko piciu soku, który składa się praktycznie z samego cukru. Zapomniała o kluczowym elemencie, czyli ogromnych ilościach kofeiny. Gdybym wiedziała, że będę cytowana jako ekspert w dziedzinie dietetyki, bardziej uważałabym na słowa. Martwiło mnie też, że chciała schudnąć, bo miała idealną figurę. Jak większość nastolatek zaczynała się jednak martwić swoimi krągłościami.

Postanowiłam, że nie będę mówić nic bez zastanowienia. Uznałam też, że Radżija nie musi wiedzieć, co sądzę o gwiazdach – dla siebie zachowałam pogląd, że uwielbienie, którym są otaczane, to idiotyzm, bo to naprawdę tylko zwykli ludzie, często z poważnymi problemami, i że koszulkę z czyimś imieniem na piersiach założyłabym tylko, jeśli zapłaciliby mi za reklamę, a nie odwrotnie. Ona uwielbiała amerykańską popkulturę, więc zdecydowałam, że pozwolę jej się nią nacieszyć – w końcu miała tylko trzynaście lat.

Pod wieloma względami Radżija była niedoświadczona i bardzo naiwna, nawet jak na swój wiek. Zauważyła, że trzymam w aucie zapas batonów energetycznych, bo często upływało wiele czasu, zanim mogłam wymknąć się na kolejny posiłek. Poprosiła, żebym zawiozła ją do sklepu ze zdrową żywnością, żeby mogła kupić kilka dla siebie. Na miejscu załadowała do koszyka mnóstwo pudeł z batonami w różnych smakach za ponad trzysta dolarów. Doradziłam jej, że może przecież kupić po jednej sztuce z każdego rodzaju, spróbować, który smakuje jej najbardziej, i wrócić po więcej. Obruszyła się na tę sugestię. Takie postępowanie byłoby niestosowne, niegodne księżniczki. Zakup pojedynczego batona mógłby sprawiać wrażenie, że nie może sobie pozwolić na całą paczkę.

W sklepie Malika skorzystała z okazji, żeby nauczyć Radżiję posługiwania się pieniędzmi. Musiała opanować tę umiejętność, jeśli zdecydowałaby się na studia w Stanach. Opiekunka wiedziała, że podopieczna o tym właśnie marzy, więc próbowała ją zawczasu przygotować. Przy kasie księżniczka zadowolona odliczyła kilkaset dolarów i położyła je na ladzie. Następnie odeszła, dumna z dobrze wykonanego zadania. Zaskoczona ekspedientka roześmiała się i zawołała za Radżiją:

– Hej, zapomniałaś reszty.

Malika zatrzymała dziewczynkę i wyjaśniła, że należy jej się reszta i że musi poczekać, aż kasjerka wyda jej różnicę między tym, co zapłaciła, a tym, ile wynosi rachunek. Radżija była przerażona – stała czerwona przed ekspedientką i cała się trzęsła. Było to dla niej ogromne upokorzenie. Moment był niemal surrealistyczny. Współczułam jej, choć chwilę przedtem w duchu krytykowałam zakup ogromnych ilości batonów i rozrzutność księżniczki.

Niedawno obserwowałam, jak moja czteroletnia bratanica kupuje swojego pierwszego loda za trzy dolary, które dostała od mamy. Poradziła sobie dużo lepiej niż Radżija, bo wiele razy widziała rodziców na zakupach. Księżniczka pewnie nigdy tego nie doświadczyła. Miała trzynaście lat i jeszcze w życiu za nic nie zapłaciła ani nie widziała, żeby robili to rodzice – takie prozaiczne czynności wykonywali za nich służący.

Radżija miała nianię i własną pokojówkę, usługiwało jej też kilka innych służących. Kiedy wracała wieczorem do domu, zrzucała z sobie ubrania i zostawiała je na podłodze, skąd zbierała je służba. Sama nie robiła nic wokół siebie.

Ja, kiedy byłam rok czy dwa lata starsza od Radżii, pracowałam latem w restauracji sieciowej niedaleko domu. Rodzice byli szczodrzy i zapewniali nam wszystko, czego potrzebowaliśmy – co w tak dużej rodzinie jest nie lada wyczynem – ale sami musieliśmy zarobić na wszelkie rozrywki i przyjemności. Zaczęłam grać w golfa i potrzebowałam nowego zestawu kijów marki Ping. Bardzo chciałam je mieć i byłam pewna, że zmiana beznadziejnego sprzętu z wypożyczalni albo starych kijów po bracie na nowe, odpowiednio wymierzone sprawi, że stanę się świetnym graczem, a może nawet pozwoli mi odjąć dwadzieścia punktów z mojej średniej. Pokładałam w nich duże nadzieje. Ojciec zasugerował, żebym znalazła sobie pracę na wakacje i obiecał, że dołoży mi brakującą sumę, abym mogła kupić kije. Miałam już wtedy pewne doświadczenie, bo kilka razy letnie miesiące spędzałam w jego biurze, odbierając telefony i wykonując drobne czynności biurowe. Praca w restauracji była jednak inna, bo po raz pierwszy miałam znaleźć się poza bezpiecznym kręgiem rodzinnym.

Kawiarnia pękała w szwach od samego rana do północy – nie było przestojów, podczas których mogłabym poznać swoje obowiązki i nauczyć się je wykonywać z zachowaniem choćby pozorów profesjonalizmu. Na domiar złego musiałam nosić strój z piekła rodem – ohydną szarą sukienkę z poliestru z pomarańczowymi wykończeniami, która była obcisła w nieodpowiednich miejscach i drażniła skórę. Czułam się tak, jakbym miała na sobie włosienicę.

Pewnego ranka kazano mi przygotować mrożoną herbatę, którą mieliśmy podawać w porze lunchu. Kilka dzbanków zrobiłam bez problemu, ale potem jedno szklane naczynie pękło, kiedy napełniałam je wrzącą wodą. Eksplodowało głośno, sprawiając, że w kawiarni natychmiast zapadła cisza. Nadal doskonale pamiętam, jak dzbanek zaczął wibrować i pękł mi w rękach. Przód mojej szaro-pomarańczowej włosienicy był mokry od herbaty. Czułam się strasznie upokorzona. Byłam tym tak wstrząśnięta, że nie dałam rady dotrwać do końca zmiany i menedżer wysłał mnie do domu. Oczywiście następnego dnia nie chciałam wracać do pracy. Nie miałam jednak wyboru – zatrudniono mnie na całe lato i nie mogłam zrezygnować. Kiedy przyszłam rano do kawiarni, miła starsza kelnerka pokazała mi, że dzbanek nie pęka, jeśli przed napełnieniem włoży się do niego srebrną łyżkę. Przeżyłam w tej pracy jeszcze inne katastrofy, ale jakoś udało mi się ją utrzymać i zarobiłam wystarczająco dużo pieniędzy, żeby kupić nowy zestaw kijów, torbę golfową, a nawet modne białe buty. Tata nie musiał niczego mi dokładać, za wszystko zapłaciłam sama. To był dla mnie prawdziwy chrzest bojowy i pamiętam, że pękałam z dumy, pokazując rodzicom nowy sprzęt. Przyglądając się księżniczce na zakupach, pomyślałam, że sama nigdy czegoś takiego nie doświadczy, bo wszelkie jej zachcianki są natychmiast spełniane – jakby wszystko się jej należało, ale nie mogła się niczym cieszyć, bo sama na to nie zapracowała.

Radżija przez cały dzień unikała mojego wzroku i nie odzywała się do mnie aż do następnego popołudnia. Rozumiałam, że w jej mniemaniu pierwsza próba funkcjonowania jak normalna amerykańska nastolatka zakończyła się dla niej klęską. Szczególnie chyba denerwowało ją to, że byłam świadkiem całego zdarzenia. Nie do końca wiedziała, kim jestem i jakie jest moje miejsce w pałacowej hierarchii, co sprawiało, że czuła się jeszcze bardziej zażenowana.

Mimo uprzywilejowanej pozycji Radżija nie była zawistna ani złośliwa, a przynajmniej nigdy naumyślnie. Kiedy wracałyśmy późno w nocy do hotelu, zawsze ściszała muzykę. Początkowo sądziłam, że w końcu znudziły jej się nieustannie powtarzane kawałki w radiu. Później jednak zdałam sobie sprawę, że robi to, bo nie chce obudzić innych. Wiele hotelowych okien i balkonów wychodziło na okrągły podjazd, więc dudniąca muzyka łatwo mogłaby wyrwać ze snu tych, którzy mieli otwarte okna. Przypuszczam, że to zasługa Maliki, bo zawsze starała się pokazywać swojej podopiecznej, jak ważne są takt i uprzejmość, czego sama była najlepszym przykładem. Już samo przebywanie w towarzystwie Maliki sprawiało, że człowiek stawał się lepszy. Uwielbiałam spędzać z nią czas.

Często odbywałyśmy długie rozmowy, czekając przed prestiżową szkołą w Beverly Hills, aż Radżija skończy zajęcia. Dziewczynka zawarła umowę z mamą, księżniczką Aminą, szwagierką Zahiry, że jeśli trzy przedpołudnia w tygodniu spędzi na nauce, to resztę dnia będzie mogła poświęcić na rozrywki z koleżankami. Matka wiedziała, że córka chce się dostać na studia w Stanach, więc postanowiła zapewnić jej dodatkowe lekcje, które to ułatwią. Radżija była jedyną z saudyjskich nastolatek, która uczęszczała do szkoły, więc *chapeau bas* dla księżniczki Aminy. Myślała na tyle przyszłościowo, żeby przygotować córkę do życia w zglobalizowanym, szybko zmieniającym się świecie.

Siedziałyśmy z Maliką w sąsiadującej ze szkołą kawiarni, tak że niania mogła cały czas patrzeć na bramę i pilnować księżniczki. Zajmowała się Radżiją od maleńkości, a wcześniej opiekowała się jej siostrą. Darzyła całą rodzinę szczerą miłością i zależało jej, żeby Radżija odniosła sukces i była szczęśliwa.

Malika pochodziła z Libanu i przez większą część dorosłego życia pracowała dla rodziny królewskiej jako niania. Wcześnie

straciła rodziców w wojnie domowej, która targała jej ojczyzną. Potem to ona utrzymywała rodzinę, udało jej się nawet wykształcić trzech młodszych braci i trzy siostry. Może to dlatego nigdy nie wyszła za mąż. Moim największym zmartwieniem było to, czy po zapłaceniu rachunku za komórkę zostanie mi dość pieniędzy, żeby kupić ekologiczną nowozelandzką wołowinę po osiemnaście dolarów za pół kilo, natomiast Malika z pensji niani opłaciła edukację sześciorgu rodzeństwa. Dodatkowo dużą część tego, co zarabiała, rozdawała biednym. Nigdy nawet nie przyszło jej do głowy, że mogłaby tego zaniechać. Jednym z pięciu filarów islamu jest *zakat*, jałmużna, i Malika traktowała ten obowiązek bardzo sumiennie. Mimo licznych poświęceń miała pogodne usposobienie. Zawsze była życzliwa, tolerancyjna i pomocna – zachowywała się jak swego rodzaju drużynowa całego dworskiego personelu.

To dzięki niej i jej ciekawym miniwykładom mogłam zrozumieć, co się wokół mnie dzieje. Stała się dla mnie autorytetem.

Tak jak Fahima, cierpliwie odpowiadała na moje pytania, wyjaśniając islamskie zwyczaje dotyczące kobiecego ubioru. Chciałam dowiedzieć się więcej na temat powodów, dla których muzułmanki, a w szczególności ona sama, zasłaniają się. Często, żeby łatwiej było mi coś zrozumieć, opowiadała mi różne historyjki.

– Dobrze, Janni. Powiedzmy, że lubisz sałatki, *nam**? Ja też je lubię, mogłabym je jeść codziennie. Uwielbiam pyszne sałatki z różnymi rodzajami delikatnej sałaty i świeżymi warzywami. Dobra sałatka ma wszystko to, co lubisz i czego się spodziewasz, oraz coś, co ją uzupełnia i cię zaskakuje. W moim przypadku jest to cytryna, dodawana na końcu i wieńcząca dzieło. Owszem, sałatka jest smaczna przyprawiona tylko oliwą i solą, ale to cytryna sprawia, że już absolutnie niczego nie brakuje. Tym właśnie jest dla mnie hidżab – ostatnim składnikiem. Wszystkim swoimi uczynkami oddaję cześć Allahowi, ale codzienne noszenie hidżabu sprawia, że to, co robię, staje się pełniejsze. Właśnie dlatego się zasłaniam.

– Ale czemu ma to robić kobieta? – Fahima już mi wyjaśniła, że jesteśmy kusicielkami, ale nie kupowałam tego. Musiał być jeszcze jakiś inny powód.

– Janni, islam wymaga, żeby zarówno kobiety, jak i mężczyźni zachowywali się skromnie i obyczajnie. Tak się mówi, *nam*? Ale we wszystkich społeczeństwach to właśnie kobieta

* *Nam* (arab.) – tak (przyp. tłum.).

częściej jest obiektem pożądania – spójrz na piękne obrazy na całym świecie, a przekonasz się, że tak właśnie jest. Muzułmanka poza domem nosi hidżab, żeby się chronić, ale również po to, co dla mnie jest nawet ważniejsze, żeby zwracano uwagę na jej charakter, a nie na ciało. W ten sposób ludzie oceniają jej czyny, a nie tylko urodę. W Los Angeles na każdym kroku widzi się wulgarne wykorzystywanie kobiet, ale też mężczyzn i dzieci. Ciała ludzkiego używa się w reklamach i pornografii. To musi się źle skończyć, Janni. Seksualność jest czymś naturalnym, ale należy do sfery intymnej, ma budować szczęśliwą rodzinę. Jej zadaniem nie jest sprzedawanie pasty do zębów, tenisówek ani niczego innego. *Nam, nam.*

Jak wielu kobietom, trudno mi zaakceptować to, że jestem uprzedmiotawiana. Chcę, żeby mnie słuchano i szanowano niezależnie od tego, czy wyglądam atrakcyjnie, czy nie. Mimo to wiele czasu poświęcam na dbanie o ciało i staram się prezentować jak najlepiej. Owszem, zdarza mi się zaniedbywać zabiegi upiększające, ale zawsze o tym myślę. Wydaje mi się, że pragnienie piękna jest tak głęboko zakorzenione w kobiecej psychice, że odczuwała je nawet Malika, wbrew temu, co mówiła.

Któregoś ranka przyjechałam po nią i Radżiję kilka minut przed czasem. Usłyszałam ciche gwizdanie, zadarłam głowę i zobaczyłam na jednym z hotelowych balkonów uśmiechniętą Malikę z odkrytymi włosami.

– Widzisz mnie, Janni? – zawołała, a potem szybko zniknęła w pokoju.

To był jeden jedyny raz, kiedy widziałam ją z odkrytą głową. Stałam przez chwilę z szeroko otwartymi oczami. Malika miała piękne, sięgające do pasa rude włosy ze świeżo nałożoną henną. Farbowała je, choć były zawsze schowane pod hidżabem i tylko ona je oglądała.

Ten sam paradoks dotyczy całego stroju muzułmanki. Czarne szaty, które Saudyjki muszą nosić, składają się z wielu skomplikowanych pojedynczych części. Mogą być wykonane z przeróżnych materiałów, w wielu wersjach i ze skomplikowanymi zdobieniami. Niektóre kobiety noszą ubrania z tkanin zdobionych brokatem, haftem albo koralikami, a czasem nawet brylantami czy perłami. Najważniejszymi elementami stroju są stanowiący wierzchnie okrycie długi czarny płaszcz zwany abaja oraz przykrywający twarz nikab, długi welon, który w miejscu otworu na oczy ma trzy warstwy cienkiej gazy, żeby kobieta mogła cokolwiek widzieć. Hidżab i nikab składają się z reguły z trzech lub czterech elementów i noszone są niemal nieustannie, nawet w domu, tak że szyja i włosy są całkiem zakryte. Poszczególne części połączone są szpilkami, które czasem stanowią dzieła sztuki jubilerskiej. Do tego dochodzą rękawiczki, osłonki na kostki, a niektóre kobiety noszą nawet długie rękawice zakrywające przedramię.

Welon i hidżab muzułmanka może wykorzystywać do subtelnej komunikacji albo wzbudzania zainteresowania. Nieustanne poprawianie, żeby mocno się trzymały, pozornie przypadkowe przesunięcia i odsłonięcia – to wszystko przyciąga uwagę do jej włosów, twarzy, oczu oraz ogólnej aparycji. Coś, co miało odwrócić od kobiety spojrzenia, może działać z odwrotnym skutkiem, kiedy sama zasłona staje się obiektem zainteresowania i źródłem spekulacji na temat tego, co się pod nią kryje. Nawet niesforny kosmyk, który wymknął się spod welonu, nabiera ogromnego znaczenia. Hidżab i nikab stały się elementami kobiecego wdzięku, bo przyciągają mężczyzn, którzy chcą się dowiedzieć, co się pod nimi skrywa.

Podziwiam muzułmanki za to, że są w stanie w ogóle poruszać się w tych szatach, a one przecież robią w nich wszystko. Kiedy przymierzyłam abaję i nikab, nie dałam nawet rady przejść przez własną łazienkę ani korytarz bez obijania się o ściany. Malika uwielbiała jeździć na nartach i szusowała na stokach Gstaad i Aspen w pełnym stroju, z długą, sięgającą butów narciarskich tuniką wystającą spod puchowej kurtki.

– Od dzieciństwa lubiłam wszelkie sporty – powiedziała. – Na szczęście mogę je uprawiać podczas wyjazdów z rodziną, bo w Królestwie to z reguły niemożliwe. Hidżab czy *abaja* niczego nie utrudniają. To ja nauczyłam Radżiję jeździć na nartach, nie jej rodzice. Jeździłam nawet na nartach wodnych w Dżuddzie, pływałam tam też w morzu, ale tylko w środku nocy, kiedy wszyscy spali i nikt mnie nie widział.

Drzwi szkoły otwarły się i Radżija wybiegła w radosnych podskokach, zadowolona, że lekcje się już skończyły. Wszystkie wsiadłyśmy z powrotem do samochodu i ruszyłyśmy, żeby dołączyć do jej kuzynek. Widziałam, że na tylnym siedzeniu Malika mocuje się z hidżabem – jechałyśmy z opuszczonym dachem i miała trudności z utrzymaniem go na głowie. Zaczęłam zamykać okna, żeby choć trochę mniej wiało, ale Radżija mnie powstrzymała.

– Nie, Janni. Lubimy czuć kalifornijską bryzę. Uwielbiamy to – oświadczyła, po czym pogłośniła radio.

W lusterku wstecznym zobaczyłam, że Malika się do mnie uśmiecha, przytrzymując łopoczący na wietrze hidżab.

ROZDZIAŁ 12

PRAWDZIWE PANIE DOMU Z RIJADU

Potrzebujemy dwadzieścia siedem butelek Hair Offu! *Jalla*!

Asra, sekretarka księżniczki Zahiry, wydała mi polecenie zakupu dwudziestu siedmiu opakowań kremu Hair Off („do delikatnej, supernawilżającej depilacji"). Nie chciała Nairu, nie chciała Veeta – domagała się Hair Offu, i to natychmiast, *jalla*!

Czyżby organizowały depilacyjną domówkę? – zastanawiałam się.

Kiedy wychodziłam z hotelu, nagabnęła mnie Majsam, jedna ze ślicznych nastoletnich służących z Afryki Północnej. Chwyciła mnie za rękę i błagała mnie, żebym się pospieszyła, jakby zależało od tego jej życie.

– *Jalla*, Janni, *jalla*! Księżniczka potrzebuje dziś wieczór, dziś, Janni, dziś wieczór! *Jalla*!

Odwiedzałam wszystkie apteki i drogerie w promieniu trzydziestu kilometrów. Byłam łącznie w ponad dwudziestu sklepach. Większość miała na stanie tylko dwa lub trzy opakowania, więc zjeździłam całe hrabstwo Los Angeles.

Nie mogą się wybrać na depilację laserową? Tak to się robi w Kalifornii. Dwie lub trzy wizyty i już na stałe wygląda się jak Brazylijka – zastanawiałam się.

Zaczęłam pracę o dziesiątej rano, a dwanaście godzin później jeździłam po całym mieście, kompletując dwadzieścia siedem sztuk depilatora w kremie. Sądziłam, że stałam się dla nich cennym pracownikiem ze względu na swoją zaradność, ale zaczęłam przypuszczać, że po prostu nie chciały wysyłać mężczyzny po tego typu zakupy. Pobyt rodziny królewskiej w Los Angeles był dopiero na półmetku. Chociaż wiedziałam, że będzie ciężko, nie spodziewałam się, że aż do tego stopnia. Przejechałam już prawie sześć i pół tysiąca kilometrów, czasem nawet sześćset jednego dnia, odrabiałam szesnastogodzinne dniówki i spałam po cztery godziny na dobę. Byłam wrakiem człowieka. Bałam się, że nie przetrwam całych siedmiu tygodni. Wiedziałam jednak, że Saudyjczycy dają napiwki dopiero na końcu zlecenia, więc nie mogłam rzucić tej pracy. Musiałam się przemęczyć, żeby dostać nagrodę. Starałam się właśnie na niej skupić. Byłam zobligowana do zdobycia tego Hair Offu, choć miałam ochotę powiedzieć Asrze, żeby po prostu chwyciła za telefon, umówiła się na wizytę i wsadziła wszystkie Saudyjki pod laser.

Przyjechały tu na operacje plastyczne – był to niewątpliwie jeden z głównych powodów ich pielgrzymek do Beverly Hills, mekki medycyny estetycznej. Większość z nich przeszła już liposukcje, odsysanie tłuszczu z brzucha, korektę nosa, powiększanie piersi, blepharoplastykę (podnoszenie, rozciąganie i podszywanie powiek), a nawet odmładzanie pochwy, o którym nigdy wcześniej nie słyszałam, a które, jak się okazuje, jest bardzo powszechną praktyką.

W Beverly Hills przy skrzyżowaniu Rodeo Drive i Dayton Way na wysokim piedestale z brązu stoi lśniąca srebrna rzeźba Roberta Grahama zatytułowana *Torso*. Nie ma głowy – jest to kobiecy tułów z idealnymi biodrami i pośladkami. Mimo doskonałych proporcji jest w tej rzeźbie coś niepokojącego, jakaś straszna anonimowość. Ponieważ składa się ze starannie dobranych bloków aluminium, sprawia wrażenie piękna zbudowanego kawałek po kawałku, jakby najdoskonalsze części wybrano do skomponowania idealnego korpusu. Połączenie braku głowy i wyidealizowanego ciała stanowi pewnego rodzaju podsumowanie możliwości i atrakcyjności operacji plastycznych. W moim odczuciu rzeźba jest zimna i niepokojąca – wydaje mi się tak lodowata, że często przejeżdżając obok niej późno w nocy, miałam ochotę owinąć się szalem. Saudyjki natomiast, podobnie jak większość ludzi, piszczały na jej widok z zachwytu.

Jedna ze starszych kobiet w świcie księżniczki Zahiry, pomarszczona kobiecinka, którą wszyscy nazywali cioteczką, miała na koncie pełen zestaw operacji – lifting, liposukcję, powiększanie piersi, wszystkie przeprowadzone w zaledwie kilka tygodni. Na początku było to dla mnie nie do pojęcia, ale kiedy trochę dla nich popracowałam, zdałam sobie sprawę, że dla wielu Saudyjek to rutyna. Początkowo zastanawiałam się, zresztą nie tylko ja, dlaczego kobiety, które w ojczyźnie spędzają większość czasu zakutane w czarne szaty, inwestują tyle czasu i pieniędzy w poprawianie tego, czego prawie nikt nie ogląda. Oczywiście, robią to dokładnie z tych samych powodów co Amerykanki – dla siebie, żeby zachować młodość, żeby stworzyć wygląd, o którym zawsze marzyły, albo po prostu dla adrenaliny. Jedna operacja z reguły prowadzi do następnej, a potem kolejnej i tak dalej.

Pewnego popołudnia musiałam odebrać przyjaciółkę księżniczki Zahiry, Amsę, po zabiegu w jednej z klinik przy Spaulding Drive w Beverly Hills. Mniej więcej pięćdziesięciopięcioletnia Amsa miała obfite kobiece kształty, farbowane mahoniowe włosy, mocno zaznaczone henną brwi i szorstką skórę z białymi plamami. Nie była może miss piękności, ale miała przyjazne usposobienie i traktowała innych dużo życzliwiej niż większość znanych mi Saudyjek. Darzyłam ją dużą sympatią. Nie wiedziałam, jak dużo czasu spędziła w klinice, może kilka godzin, a może kilka dni. Powiedziano mi tylko, że mam ją odebrać w południe. Czekałam. Pod wieczór w końcu wywieziono ją na wózku przed szpital. Cały czas traciła przytomność. Odprowadzająca ją pielęgniarka poinstruowała mnie, jak mam postępować z Amsą w drodze do domu, po czym natychmiast wróciła do szpitala. Na górze już się niecierpliwili, a ona musiała się zająć pozostałymi pacjentami. Jak tylko siostrzyczka zniknęła z pola widzenia, Amsa odpłynęła.

– Amsa! Amsa! Obudź się! No dalej, pobudka! – Klaskałam jej przed twarzą, ale ona oni drgnęła. Do jasnej cholery, ona się nie ocknie – myślałam. Nie ma mowy, żeby udało mi się załadować ją w tym stanie do auta.

Rozejrzałam się i zauważyłam, że z windy prowadzącej do garażu wychodzi kilka Saudyjek, a wśród nich kuzynka Amsy,

Sadżida, która miała wizytę kontrolną u tego samego lekarza. Szła sztywno i z ogromną trudnością, bo przed tygodniem usunięto jej halluksa i nosiła teraz specjalny but ortopedyczny, żeby chronić gojący się paluch. Miała również gruby bandaż wokół twarzy, więc najwyraźniej upiększała się od stóp do głów. Kuzynki były do siebie tak podobne, że mogły uchodzić za siostry, ale Sadżida lepiej mówiła po angielsku. Miała w Stanach rodzinę i regularnie odwiedzała oba wybrzeża.

– Sadżido? Mogłabyś powiedzieć coś do Amsy po arabsku? Pomożesz mi ją ocucić? Powiedz, że nie dam rady wsadzić jej do samochodu, jeśli nie oprzytomnieje – poprosiłam, podchodząc do niej.

– Nie przerywaj. Rozmawiam z synem w Waszyngtonie – rzuciła, po czym przycisnęła telefon do ucha i zaczęła się oddalać.

Już wcześniej oznajmiła mi, że jej syn jest bardzo wpływowym biznesmenem i źródłem matczynej dumy. Jak wspominałam, w saudyjskiej rodzinie synowie mają bardzo ważną pozycję – do tego stopnia, że kiedy kobieta urodzi chłopca, to potem określana jest jego imieniem, na przykład *Umm Amad*, matka Amada.

– Amad jest teraz w interesach w Waszyngtonie, dystrykt Kolumbia – oznajmiła, jakbym nie wiedziała, że chodzi jej o stolicę.

– Przepraszam, nie wiedziałam, że rozmawiasz przez telefon. Chodzi o to, że Amsa...

Doskonale zdawałam sobie sprawę, że konwersuje przez komórkę. Miałam jednak nadzieję, że Umm Amad przerwie na chwilę swoją ważną rozmowę, żeby pomóc nieprzytomnej krewnej. Przeliczyłam się.

– Musisz poczekać. Syn mnie potrzebuje – ucięła i odeszła. W ogóle nie przejęła się tym, że jej kuzynka jest nieprzytomna. Zastanawiałam się, czy nie wyjść na górę i nie poprosić o pomoc, ale nie chciałam zostawiać Amsy samej. Zadzwoniłam z komórki do hotelu.

– Mogę prosić z pokojem 1205?

– Jak nazywa się gość?

– Nie wiem... nie znam nazwiska. Pokój 1205.

– Przepraszam, ale nie mogę połączyć pani z pokojem 1205, jeśli nie poda pani nazwiska gościa.

– Nie ma nazwiska! – odpowiedziałam.

– Przepraszam, ale nie mogę połączyć pani...

– Chodzi o to, że jest dużo nazwisk. To pokój ochroniarzy saudyjskiej rodziny królewskiej, która zajmuje dwunaste piętro. Całe dwunaste piętro. I jedenaste i... Czy pani jest nowa? Pracuję dla nich. Proszę mnie natychmiast połączyć. Dziękuję za pomoc.

Odebrał Boyd. Zakłuło mnie serce. Ten pompatyczny dureń był strasznie zadziorny. Najprawdopodobniej nie powiodło mu się w zielonych beretach, a teraz uważał się za strasznego ważniaka, bo dowodził ochroną odwiedzających Los Angeles VIP-ów, którzy wymagali opieki podczas kupowania trzystu torebek na Rodeo Drive. Chciał wiedzieć, czemu jeszcze nie wróciłam z Amsą, skoro czekały na mnie inne obowiązki – sugerował, że celowo przesiaduję przy klinice, bo może sprawia mi to przyjemność. Pewnie słyszał o mojej słabości do pooperacyjnych ekscesów i omdlałych pacjentek.

– Jesteśmy na parkingu, Amsa straciła przytomność. Pielęgniarka wywiozła ją na wózku, a potem nas zostawiła. Boyd, ja nie dam rady sama wsadzić jej do auta. Waży co najmniej dziewięćdziesiąt kilo, poza tym chyba ma implanty w pośladkach! Kazali mi nie dotykać jej tyłka. Jak mam ją włożyć do SUV-a, skoro nie mogę dotykać jej tyłka? Musisz mi przysłać kogoś do pomocy.

Amsa zaczęła jęczeć.

– O, chyba się budzi. Oddzwonię – powiedziałam i rozłączyłam się.

Amsa wybuchnęła płaczem.

– Już dobrze, Amso, wszystko jest dobrze – uspokajałam ją. – Wiem, że siedzenie sprawia ci ból, ale niedługo poczujesz się lepiej.

Potem wymamrotała coś, nad czym musiałam się dłuższą chwilę zastanowić. Brzmiało to jak „śliczny tyłeczek, twój taki śliczny tyłeczek".

– Och – mruknęłam, kiedy zrozumiałam, co mówi.

Bardzo miło z jej strony, że umierając z bólu, prawiła mi komplementy. Najwyraźniej miała jednak omamy – mimo wieloletnich ćwiczeń ta część ciała nigdy nie była moim atutem. Chciałam okazać jej wdzięczność, ale nie wiedziałam, jak się odnieść do tego typu komentarza, zwłaszcza wygłoszonego przez starszą kobietę, której właśnie wszczepiono baloniki w pośladki.

– *Szukran*, Amso. *Insza'Allah** twój tyłeczek będzie wkrótce tak samo piękny. *Insza'Allah.*

– *Insza'Allah* – jęknęła.

Korzystając z okazji, natychmiast dorzuciłam:

– *Insza'Allah,* Amso. Ale teraz Allah chce, żebyś wsiadła do samochodu. Właśnie tak. Chce, żebyś do niego wsiadła.

---

* *Insza'Allah* (arab.) – jeśli taka jest wola Allaha (przyp. tłum.).

Potem będziesz mogła wrócić do hotelu i położyć się do miękkiego łóżeczka. Oczywiście położyć się na boku, w malutkim łóżeczku. Dobrze, Amso? Poczekaj, poproszę tylko o pomoc parkingowych.

Podbiegłam do pilnujących parkingu mężczyzn.

– *Hey, guapos, pueden ayudarme por favor? Hmm, yo quiero levantarla a ella para arriba en dentro el SUV? Por favor?** – wydukałam. Nie mam pojęcia, dlaczego właśnie wtedy postanowiłam poćwiczyć swój marny hiszpański.

– Spokojnie, pomożemy – odpowiedział w końcu jeden z nich idealną angielszczyzną.

Musieli być przyzwyczajeni do pacjentów po operacjach, bo natychmiast załapali, w czym tkwi problem. Sprawnie otoczyli Amsę i zaczęli ją podnosić. Od razu jednak sytuacja się skomplikowała. Amsa wyła z bólu. Pewnie parkingowi nigdy wcześniej nie mieli do czynienia z implantami w pośladkach.

– *Cuidado!* – krzyknęłam. – *No toca el culo!* Nie dotykajcie jej tyłka.

Amsa wrzasnęła jeszcze raz i zemdlała.

To było naprawdę straszne. W końcu po długiej walce wsadziliśmy łkającą Amsę do SUV-a. Sadżida wracała z nami do hotelu i nagle zaczęła interesować się niedomagającą kuzynką. Przez całą drogę wznosiła modły do Allaha – jęczała, zawodziła i błagała go o ocalenie Amsy. Zachowywała się tak, jakby krewna zaraz miała umrzeć w wyniku nagłego wypadku, którego nie dało się uniknąć. Robiła taki hałas, że trudno mi było prowadzić. Amsa na przemian traciła

---

* *Hey, guapos, pueden ayudarme por favor? Hmm, yo quiero levantarla a ella para arriba en dentro el SUV? Por favor?* (hiszp.) – Hej, chłopaki, możecie mi pomóc? Chcę ją podnieść od prawej strony i wsadzić do SUV-a. Bardzo was proszę (przyp. tłum.).

i odzyskiwała przytomność, jęczała, stękała i skomlała, podczas gdy jej kuzynka wykrzykiwała prośby do Boga. Cała sytuacja przypominała odcinek *Prawdziwych Pań Domu z Rijadu*. Przypuszczałam, że to nie była pierwsza operacja Amsy i wiedziała, czego się spodziewać. Chociaż na pewno strasznie cierpiała, wstydziłam się za nie obie i miałam nadzieję, że w końcu się uspokoją. Nie byłam przekonana, czy Allah chciał dla Amsy operacji tyłka, i wydało mi się niestosowne, że po wszystkim błagają o jego wstawiennictwo.

Kiedy zbliżałyśmy się do hotelu, zadzwoniła do mnie ochrona z informacją, że zawiadomili osobistego lekarza rodziny królewskiej, który wyjdzie nam naprzeciw. Miałam podwieźć Amsę pod prywatną windę w podziemnym garażu. Przed budynkiem czekało na nas dwóch ochroniarzy, którzy następnie, biegnąc przed SUV-em, robili nam miejsce. Wjeżdżałam na parking od złej strony, więc musieli mnie eskortować, żebym nie zderzyła się z parkingowymi, którzy wyprowadzali auta dla gości. Zjechałam na sam dół poprzedzana przez dwóch truchtających facetów, jakbym wiozła prezydenta Stanów Zjednoczonych. Wyglądało to absurdalnie, ale cieszyłam się, że mam ich ze sobą. Amsa tymczasem już od dłuższej chwili się nie poruszała. Bałam się, że coś z nią nie tak, i wina jak zwykle spadnie na mnie. Kiedy dotarłam pod windę, lekarz już tam stał. Ochroniarze sprawnie wyciągnęli Amsę z SUV-a, posadzili na wyłożonym poduszkami wózku i błyskawicznie ją zabrali, nie odzywając się do mnie ani słowem. Sadżida też mnie zignorowała.

Siedziałam jeszcze chwilę w samochodzie, rozkoszując się ciszą. Czułam się tak, jakbym właśnie wzięła udział w ciężkiej bitwie i jakimś cudem udało mi się wyjść bez szwanku.

Kiedy odbierałam Amsę, rzuciło mi się w oczy, że poczekalnia kliniki przy Spaulding Drive była pełna kobiet – nie tylko Saudyjek, ale też mieszkanek Beverly Hills z upierścienionymi palcami i wysoko upiętymi platynowymi włosami. Przybyłe z Królestwa kobiety nie różniły się niczym od lokalnych elegantek z wielkimi nadmuchanymi piersiami i wydatnymi wargami z wstrzykniętym silikonem, które widywałam, spacerujące po Melrose Avenue. Wszystkie musiały się niesamowicie nagimnastykować, żeby się nie zestarzeć, utrzymać szczęśliwy związek i zdobyć uznanie w oczach mężów.

Następnego dnia wieczorem, kiedy wychodziłam z hotelu księżniczki Zahiry, na podjeździe stanęło jedno z należących do rodziny porsche cayenne. Wysiadło z niego kilku szczupłych, zniewieściałych młodzieńców, którzy chichotali i byli wyraźnie podekscytowani. Następnie z tylnego siedzenia wygramoliła się wysoka postać. Miała długie włosy i wąskie ramiona. Wszyscy stojący pod hotelem szoferzy zaczęli gwizdać pod nosem, bo lalunia miała wspaniałą pupę. Wielką, jędrną i idealnie okrągłą, niczym dojrzała brzoskwinia. Prezentowała się świetnie w obcisłych elastycznych dżinsach. Potem postawna nieznajoma odwróciła się i wszystkim zaparło dech – ona miała wąsy. To był mężczyzna, jeden z książąt. Najlepszy tyłeczek w rodzinie królewskiej, najlepszy na całym dworze, należał do młodego księcia. Nie wiem, czy przeszedł jakieś operacje plastyczne, ale pupę miał naprawdę fantastyczną.

Jakkolwiek by było, zabiegi na zadku polecam tylko prawdziwym masochistom.

{ ROZDZIAŁ 13 }

NIE-UNIKNIONE

Pewnego dnia miałam wozić kuzynkę księżniczki Zahiry, siedemnastoletnią księżniczkę Soraję. W niczym nie przypominała pozostałych młodych Saudyjek, które ubierały się od stóp do głów w markowe ciuchy, mocno się malowały i obwieszały kosztowną biżuterią, żeby upodobnić się do dorosłych. Soraja była szczupła, miała krótkie czarne włosy i tego dnia włożyła po prostu podkoszulek w paski, dżinsy i śnieżnobiałe tenisówki. Przypominała mi Audrey Hepburn w filmie *Rzymskie wakacje*, w którym aktorka gra europejską księżniczkę zakochaną w Amerykaninie. Młoda Saudyjka wyglądała bardzo świeżo, niemal łobuzersko, ale zachowywała się spokojnie i powściągliwie, bardzo dojrzale jak na swój wiek.

– Dziękuję, to bardzo miłe – powiedziała do boya hotelowego, który otworzył jej drzwi do samochodu. Wsiadła do czarnej crown victorii i uśmiechnęła się do mnie szeroko. – Dzień dobry, szoferze – przywitała się. Mówiła po angielsku z wyrafinowanym, lekko brytyjskim akcentem. – Mam na imię Soraja. Bardzo miło mi cię poznać. Chciałabym pojechać do Krispy Kreme, dobrze? Chciałabym też odwiedzić Uniwersytet Kalifornijski, dobrze? I chciałabym jechać na plażę, dobrze? Dziękuję.

Wyjeżdżając spod hotelu, zauważyłam, że Soraja bezskutecznie próbuje otworzyć okno. Zmarszczyła brwi i mocowała się dalej. Po kilku chwilach powiedziała:

– Przepraszam, szoferze. Odblokujesz mi okno, proszę?

Przypomniałam sobie, co pułkownik mówił nam o zamykaniu drzwi i okien.

– Przepraszam, Sorajo, ale dostałam polecenie... – zaczęłam, po czym zerkając w lusterko wsteczne, zauważyłam, że patrzy na mnie z nadzieją, jakby chciała powiedzieć: proszę, nikt się o tym nie dowie.

Odblokowałam szyby, a ona uśmiechnęła się do mnie promiennie.

– Dziękuję! – powiedziała.

Następnie wystawiła głowę przez okno i zaczęła wąchać powietrze jak wielki psiak, śmiejąc się przez całą drogę. Jechałyśmy bulwarem Wilshire w kierunku Westwood. Obserwowałam ją w bocznych lusterkach – odsunęła podstawkę na napoje przedzielającą tylne siedzenie, zbliżyła się do drugiego okna i znów zaczęła wyglądać. Po dłuższej chwili schowała głowę do środka i jeszcze trochę się pouśmiechała.

– Masz szczęście. Lubisz prowadzić? Bardzo chciałabym się nauczyć, jestem pewna, że bym potrafiła. – Wskazała na mijający nas samochód. – O, to auto ma na górze znak z napisem „Ośrodek szkolenia kierowców Westwood". – Przyjrzała się uważnie pasażerom. – Instruktor jest mężczyzną? – zapytała.

– Tak, to w większości mężczyźni. Ale wcale nie dlatego, że są lepszymi kierowcami.

Soraja przez dłuższy moment wbijała wzrok w swoje ręce.

– Nie mogę się nauczyć prowadzenia samochodu – powiedziała. – Wkrótce będę musiała wrócić z rodziną do kraju. To nieuniknione. – Powiedziała „nieuniknione" jakby to były dwa odrębne słowa: nie-uniknione. – Bardzo chciałabym tu zostać. Chciałabym tu studiować. Studiuję filozofię. Lubię ten przedmiot. Przyjechałam tu tylko na letni kurs w Berkeley, a teraz zwiedzam trochę miasto z ulubionymi kuzynkami.

– Berkeley to świetna uczelnia – powiedziałam. – Mam wielu znajomych, którzy ją skończyli. Sama też chciałam tam studiować, ale jakoś utknęłam na Wschodnim Wybrzeżu. Przedzierałam się tam przez kilkumetrowe zaspy, taszcząc na plecach dziesięć kilo książek. Jakby człowiek ugrzązł w takim śniegu, nikt by go nie znalazł aż do wiosny.

Przechyliła głowę i przyglądała mi się z uwagą. Najwyraźniej nie słyszała jeszcze o szoferze-kobiecie z wyższym wykształceniem.

– O, w Berkley jest bardzo ciepło – powiedziała. – Tam nie da się chyba wpaść w zaspę.

– Podobało ci się tam? – zapytałam.

– Było cudownie. Dużo się nauczyłam – odparła. – To był kurs poświęcony pismom Ralpha Waldo Emersona. Znasz go?

– Znam – odparłam. – „Bezmiar każdego człowieka".

– Tak, właśnie. „Bezmiar każdego człowieka". Cieszę się, że o tym słyszałaś. Zastanawiałam się niedawno nad tym, co napisał o jednej duszy, która ożywia wszystkich ludzi – uważał, że wszyscy jesteśmy częścią Boga. Wierzysz w to?

– Nie jestem pewna, ale podejrzewam, że mógł mieć rację, albo raczej: mam nadzieję, że ją miał. Czytasz dość trudne teksty.

– Trudne? Tak, raczej nie jest łatwy – odpowiedziała cicho i uśmiechnęła się, jakby dzieliła się ze mną tajemnicą. – To było wspaniałe lato. Bardzo podobało mi się w San Francisco – to idealne miasto do spacerów, a to dla mnie nowość. Dobrze bawiłam się też na Embarcadero. Spędziłam tam niezwykle przyjemne chwile.

– Świetnie mówisz po angielsku – powiedziałam.

– Jestem pilną uczennicą – odpowiedziała tym samym tonem, który słyszałam niedawno od swojego pięcioletniego bratanka, kiedy mówił: „Lubię siebie. Jestem z siebie dumny". Było to zdecydowane stwierdzenie, zupełnie pozbawione jednak samochwalstwa. Po prostu deklaracja niepodważalnej prawdy. – Bardzo lubię się uczyć. Nie traktuję tego jak pracy – dodała.

– Też taka byłam.

– Chciałabym, żeby ojciec pozwolił mi zostać tu na cały rok, ale to niemożliwe. Prosiłam go wiele razy, ale zawsze odmawia.

To była prawdopodobnie najdłuższa rozmowa, jaką odbyłam z członkiem rodziny królewskiej, i przez chwilę zapomniałam, że jestem tylko nic nieznaczącym kierowcą. Jadąc w kierunku Westwood, niemal tryskałam radością.

– Czy to jest Uniwersytet Kalifornijski? – zapytała Soraja, znów wystawiając głowę przez okno. – O, jak tu ślicznie, tyle drzew i kwiatów. I tylu ludzi! Cudownie. Na pewno świetnie by mi się tu studiowało, ale nigdy się tego nie dowiem.

– Szkoda, że nie możesz zostać dłużej – powiedziałam.

Soraja milczała przez chwilę, potem oświadczyła:

– Muszę wrócić do domu. To nie-uniknione. – Mówiąc, cały czas powoli podnosiła i opuszczała szybę. W górę i w dół. W górę i w dół. – Cała rodzina będzie świętowała. Już czas. To nie-uniknione. Przyniosę dumę rodzinie. To jest dla mnie źródłem szczęścia. Jestem bardzo szczęśliwa.

Potem usłyszałam cichy płacz.

W lusterku wstecznym zobaczyłam jej spuszczoną głowę. Nie wiedziałam, co robić, bo nie chciałam się jej narzucać. W końcu postanowiłam podać jej chusteczki, które przyjęła w milczeniu. Przez dłuższą chwilę jechałyśmy bulwarem w kierunku plaży, a Soraja cały czas łkała. Był to płacz rezygnacji, nie złości.

Kiedy już nie dało się jechać dalej na zachód, zatrzymałam się przy autostradzie, w miejscu z widokiem na ocean.

– Jesteśmy na plaży, Sorajo.

Kantem dłoni otarła łzy z twarzy i wyjrzała przez okno.

– Tu jest tak świeżo – powiedziała.

Przez chwilę obie w milczeniu wpatrywałyśmy się w spienioną wodę i surferów czekających na odpowiednią falę. Uzbrojeni w czarne elastyczne kostiumy i na tle zachodzącego słońca wyglądali jak morscy wojownicy, którzy strzegą wybrzeża przed atakiem.

– Wyglądają świetnie, co?

– Tak, świetnie – odparła. – Wspaniale.

Cały czas obserwowałam ją w lusterku wstecznym. Starałam się robić to dyskretnie, żeby jej nie przeszkadzać. Była blada, miała czerwone oczy i opuchniętą, mokrą od płaczu twarz. Nie odrywała wzroku od oceanu, ocierając dłonią łzy z policzków – chusteczki trzymała kurczowo w drugiej ręce, jakby bała się je wypuścić.

– W porządku? – zapytałam.

Nie odpowiedziała od razu. Po chwili odwróciła się tak, żeby złapać moje spojrzenie w lusterku. Wiedziała, że się jej przyglądam.

– Mam wyjść za mąż. Mąż już na mnie czeka. To kolega ojca. Będę jego trzecią żoną. Podobno jest bardzo miły.

– Rozumiem.

– Więc jestem szczęśliwa, bardzo szczęśliwa. Rodzina będzie ze mnie dumna.

Mijały minuty, a my się nie odzywałyśmy.

– Nie wysiądziesz? – zapytałam w końcu.

Moje pytanie wyraźnie ją zdziwiło.

– O nie, popatrzę sobie tylko. Dziękuję.

– Jesteś pewna? Nie chcesz pochodzić po piasku, zanurzyć stóp w wodzie?

Cały czas wyglądała przez okno.

– O nie, tylko popatrzę, dziękuję. Tylko popatrzę.

Woziłam księżniczkę Soraję całe popołudnie. Zatrzymałyśmy się w Krispy Kreme przy Wilshire Boulevard. Poprosiła mnie, żebym kupiła kilkadziesiąt różnych pączków dla księżniczki Zahiry i reszty rodziny w hotelu. Wzięłam najwięcej tych o smaku kajmakowym, bo wiedziałam, że szczególnie je lubi. Nalegała, żebym jedno pudełko zabrała dla siebie do domu. W Santa Monica Soraja zapytała, czy mam ochotę na wetzel doga. Odpowiedziałam, że jeszcze nigdy go nie jadłam.

– Na pewno ci zasmakuje – stwierdziła, po czym wręczyła mi pieniądze na dwa hot dogi z miękkich precli w Wetzel Pretzels przy Promenadzie.

Zaparkowałam na zakazie przy końcu alejki i zjadłyśmy spokojnie lunch w samochodzie, przyglądając się przechodzącym obok tłumom rozgadanych zakupowiczów. Znów potwierdziło się, że policja zostawia w spokoju saudyjskie auta, w szczególności crown vica. Soraja dziobała swojego hot doga jak mały ptaszek ziarenka. Później w kieszeni za siedzeniem znalazłam pół zeschniętego precla bez parówki.

Spędziłyśmy razem sześć godzin, a ona w ogóle nie wysiadała z samochodu. Ani razu. Wyglądała tylko przez okno, jakby starała się wszystko zapamiętać. Była przy tym bardzo poważna i skupiona, jakby równocześnie witała się i żegnała z Los Angeles.

Po tym wspólnie spędzonym dniu już nie widziałam Sorai, choć usilnie jej wypatrywałam. Ponieważ nie mogłam nagabywać księżniczki Zahiry ani nikogo z rodziny królewskiej, rozpytywałam wśród ochrony i służących. Chciałam się dowiedzieć, czy wróciła już do domu, ale nikt nie był w stanie mi odpowiedzieć. Pytałam nawet portierów, czy pamiętają śliczną szczupłą dziewczynę, która teraz wydawała mi się zjawą, ale nikt jej sobie nie przypominał. Przypuszczam, że Soraja wróciła do swojej rodziny i przyszłości, która czekała na nią w Królestwie. Mam nadzieję, że jest szczęśliwa.

{ ROZDZIAŁ 14 }

ZABIJ MNIE, ALE UCZYŃ MNIE PIĘKNĄ!

Pewnego dnia późnym wieczorem miałam scysję z Asrą, sekretarką Zahiry. Zauważyłam, że kiedy odgrywam dla księżniczki kasynowe pantomimy, Asra przygląda mi się zmrużonymi oczami. Była Arabką, ale miała zaskakująco europejską urodę – porcelanową cerę, farbowane blond włosy, jasne oczy, regularne, delikatne rysy i drobną figurę z wąską talią. Wyglądała jak lalka, tylko że w jej przypadku była to lalka paląca papierosa za papierosem. Mówiła świetnie po angielsku, znała jeszcze kilka innych języków, w tym francuski. Jako prawa ręka księżniczki Zahiry Asra darzona była ogromnym szacunkiem przez służących i resztę świty. Miała niesamowitą urodę, ale krążyły plotki, że jest fałszywa. Wiedziałam, że zwolniła już kilku szoferów, których jej przydzielono, a wśród nich Jorgego. Pozostali kierowcy ostrzegali się nawzajem, że jeśli to tylko możliwe, lepiej z nią nie zadzierać. Nie należało jej ufać.

To właśnie Asra wysłała mnie po dwadzieścia siedem butelek Hair Offu. Kiedy zakończyłam misję, wezwała mnie do swojego pokoju, żeby mi zapłacić. Jej apartament prawie dorównywał rozmiarem temu, który zajmowała księżniczka Zahira. Był przestronny i luksusowy, ale panował w nim okropny bałagan. Paliła się tylko jedna lampa, więc było niepokojąco ciemno. W kącie jarzył się włączony telewizor z wyciszonym dźwiękiem. Wszędzie porozrzucane były ubrania, a cały pokój przesiąknięty był dymem papierosowym i zapachem zwiędłych kwiatów. Miałam ochotę natychmiast stamtąd uciekać. Wiedziałam, że Asra pracuje do późna, załatwiając różne sprawy dla księżniczki. Najwyraźniej nie chciała, żeby pokojówki zakłócały jej kilkugodzinny ledwie odpoczynek, więc pokój był bardzo zapuszczony. Rozmawiając ze mną, Asra leżała wyciągnięta na łóżku, a mnie nie zaproponowała nawet, żebym usiadła.

– *Merci, merci,* Janni. *Je suis fatiguée*. Wybacz, że przyjmuję cię w takim *déshabillée*. Rozumiesz, co mówię? *Je suis fatiguée*. Jestem taka zmęczona – powiedziała, okrywając szalem gołe ramiona. Zastanawiałam się, czy kiedykolwiek wezwała do pokoju szofera mężczyznę.

– Jesteś taka pomocna. Powiem o tym księżniczce, a ona na pewno cię nagrodzi. Jest bardzo szczodra. Ja oczywiście pochodzę z Paryża. W ten sposób poznałam księżniczkę. Zajmowałam się modą. Księżniczka kupiła ode mnie wiele pięknych strojów, a potem zaoferowała mi pracę dla siebie. Tylko mnie! Nikomu więcej! Jestem przy księżniczce bardzo szczęśliwa, ale praca jest niezwykle męcząca. – Westchnęła głośno, zapaliła papierosa, a potem podniosła ze stolika tacę belgijskich czekoladek. – Chcesz pomadkę? – zapytała, wyciągając je w moją stronę, po czym natychmiast je odsunęła, zanim w ogóle zdążyłam się ruszyć. – Są *très* pyszne – oświadczyła, wgryzając się w jedną pomiędzy pociągnięciami papierosa. Kawałki czekolady przywarły jej do ust i do papierosowego filtra. – Proszę, nie mów księżniczce, że to ty dostarczyłaś ten krem. Ja jej powiem. Bardzo doceniam to, jaka jesteś pomocna. A teraz! Musisz coś dla mnie zrobić. Niech pomyślę, jak ci to wyjaśnić. Potrzebuję coś do mycia włosów bez wody. Znasz coś takiego?

– Chodzi o szampon na sucho? Sprej?

– Nie, to nie to – odparła. – Włosy muszą być umyte wodą i szamponem, koniecznie. Ale szyja i ramiona nie mogą się zmoczyć. Człowiek się cały nie kąpie, ale da radę umyć włosy dzięki temu urządzeniu.

– Coś jak basen do mycia głowy? Czegoś takiego używa się w szpitalach, dla ludzi po operacjach.

– Tak, tak, to właśnie to. Potrzebuję to na dziś, Janni! Na dziś!

– Dziś? Przykro mi, dziś to już niemożliwe. Jest za późno. Wszystko już pozamykane. Poza tym coś takiego można dostać tylko w sklepach ze sprzętem szpitalnym, a one na pewno nie pracują w nocy.

– Mhm, rozumiem – powiedziała. Rozejrzała się po pokoju, przenosząc wzrok z zasłon na dywan, a potem na drzwi. – W porządku. Tak właśnie zrób i przywieź mi coś takiego rano *tout de suite. Merci.* Jesteś bardzo pomocna. *Merci,* Janni. Księżniczka na pewno cię wynagrodzi.

Potem machnięciem ręki wyprosiła mnie z pokoju.

Wcześnie rano wybrałam się na zakupy, żeby znaleźć urządzenie do mycia włosów księżniczki – małą umywalkę w kształcie podkowy z krótkim wężem, który przyczepia się do kranu. Jak tylko wpadła mi w ręce – po przeczesaniu pięciu sklepów ze sprzętem szpitalnym znalazłam ją w końcu w zakurzonej stercie rzeczy do opieki domowej – natychmiast popędziłam do hotelu, żeby dostarczyć ją sekretarce. Natknęłam się na Asrę w holu i dumna ze swojej zaradności i błyskawicznego tempa, wręczyłam jej zdobycz. Spojrzała na nią obojętnie.

– Tak, co to ma być?

– To urządzenie, o które prosiłaś wczoraj wieczorem, do mycia włosów księżniczce – wyjaśniłam.

– Nie, teraz już za późno – powiedziała, po czym obróciła się na pięcie i ruszyła w stronę windy. – Księżniczka nie musi o tym wiedzieć. Powiedziała, że miałaś to przywieźć wczoraj. Teraz wyszła – rzuciła na odchodnym, po czym zniknęła za drzwiami.

Wiedziałam, że księżniczce potrzebna była specjalna umywalka do mycia włosów, bo poprzedniego dnia przywieziono ją z kliniki całą w bandażach, więc pewnie miała jakiś zabieg. Wiedziałam również, że nigdzie nie pojechała, bo jej uzbrojony mercedes stał przed hotelem. Po samochodach łatwo można się było zorientować, gdzie przebywają poszczególni członkowie rodziny królewskiej. Poza tym chwilę wcześniej przed wejściem minęłam jej ochroniarzy i szoferów całkowicie zaabsorbowanych gapieniem się na panienki. Byłam jedynym kierowcą, który zawsze pracował. Stałam się punktem pomocy – najpierw internetowej, teraz umywalkowej, podczas gdy pozostali mogli drzemać w samochodach albo opalać się przed hotelem i ćwiczyć flirciarskie odzywki. Raz jeden z nich powiedział do mnie: „Tak, przeleciałbym twoją matkę”.

To chyba miał być komplement dla mnie i mojej mamy, choć jej tam nie było. Jeśli dobrze go zrozumiałam, to chciał przekazać coś w stylu: „Jesteś trochę starawa, ale nadal nieźle wyglądasz, więc twoja matka też pewnie nie wygląda najgorzej. Gratulacje! Nadal jesteście materiałem do przelecenia".

Później tego samego dnia szef ochrony wziął mnie na stronę i zapytał, czemu nie spełniłam polecenia księżniczki Zahiry. Doszły do niego jakieś skargi.

– Stu, to nie fair – zaprotestowałam. – Powiedziałam Asrze, że nie dam rady kupić tej umywalki w nocy. Poprosiła mnie za późno. Wstałam dziś o ósmej, żeby znaleźć ten cholerny basenik. Zjeździłam całe Los Angeles – takich rzeczy nie sprzedają w każdym sklepie. Miałam szczęście, że w ogóle ją znalazłam.

– Powiedziała, że miałaś to przywieźć wczoraj – oświadczył kategorycznie. – Słuchaj, panienko, wiem tylko, że księżniczka jest niezadowolona. Czaisz? Nie wybijaj się i przestań robić wszystkim przysługi. Masz przez to tylko same problemy. Za bardzo się popisujesz. Czaisz? Musisz wiedzieć, gdzie twoje miejsce.

Moje miejsce? – pomyślałam. Mam wyższe wykształcenie, a jeżdżę po mieście, polując na umywalkę do mycia włosów, więc nie gadaj mi o moim miejscu. Sama to czaję.

Dowiedziałam się później, że sekretarka sama miała zdobyć urządzenie w ciągu dnia. Ponieważ jej się to nie udało, postanowiła zepchnąć cały problem na mnie – w ten sposób za jednym zamachem znalazła kozła ofiarnego i mogła zademonstrować swoją pozycję w hierarchii. Zastanawiało mnie, czemu chce mi zaszkodzić – byłam tak nisko w pałacowej klasyfikacji, że zupełnie jej nie zagrażałam.

Od zawsze byłam typem osoby, która mówi: „Tak, pomogę. Tak, zrobię to. Tak, to da się załatwić". Zaczynałam jednak dochodzić do wniosku, że być może powinnam dołączyć do większości i ułatwić sobie życie. Zdaję sobie sprawę, że wielu ludzi nie postępuje tak jak ja, bo łatwiej jest nic nie robić albo udawać, że się coś robi i uniknąć dodatkowej pracy, odpowiedzialności albo winy.

Po tym wydarzeniu starałam się unikać Asry. Nie odbierałam nawet telefonu, kiedy przypuszczałam, że to ona próbuje się ze mną skontaktować, w pełni świadoma, że grozi mi za to utrata pracy.

Dużo później, już po wyjeździe rodziny królewskiej z Los Angeles, dowiedziałam się, dlaczego wysłano mnie po dwadzieścia siedem opakowań Hair Offu. Kiedy Saudyjka wychodzi za mąż – czasem zaraz po tym, jak stanie się kobietą i zaczyna obowiązkowo nosić w miejscach publicznych abaję, hidżab i nikab – częścią tradycyjnego przygotowania jest depilacja całego ciała z wyjątkiem głowy i brwi, ale włącznie z miejscami intymnymi, a nawet drobnymi włoskami na plecach. Wszystko musi zniknąć.

Ten stary zwyczaj nosi nazwę *halała,* i ma na celu zapewnić komfort mężczyźnie. Rozumiem to i szanuję. Prawdę mówiąc, sama nieraz spędzałam długie godziny na zabiegach upiększających dla przyjemności i wygody mężczyzny. Często się to opłaca. Słowo *halawa* znaczy dosłownie „słodki" i jest to również nazwa gotowanej pasty cukrowej, której używa się do depilacji. Całkowite usunięcie owłosienia ma też uczynić kobietę „słodką" – czystą i niewinną, gotową na przyjęcie mężczyzny. Dla wielu muzułmanek usuwanie włosów łonowych jest częścią nakazanej przez Mahometa *fitry,* dbałości o zachowanie piękna własnego ciała jako tworu boskiego.

Młodej dziewczynie, w wieku trzynastu, czternastu czy szesnastu lat, przed ślubem z sześćdziesięciolatkiem, który ma już dwie lub trzy żony, goli się wszystkie włosy łonowe, tak żeby wyglądała jeszcze młodziej. Natychmiast pomyślałam o Sorai. Może Hair Off był przeznaczony na jej ślub? Księżniczka Zahira miała dwudziestokilkuletniego syna, a sama dobiegała dopiero czterdziestki – więc musiała go urodzić jako nastolatka. Jej mąż przekroczył osiemdziesiątkę, więc kiedy urodził im się syn, miał przynajmniej pięćdziesiąt pięć lat. Soraja natomiast, jako trzecia żona mężczyzny, którego wybrała jej rodzina, wróciła do kraju, żeby wyjść za człowieka, który mógł być jej dziadkiem.

Wiele kobiet powtarza pełną depilację co czterdzieści dni. Nie wiem, czemu nie zdecydują się na trwałe usunięcie owłosienia. Przypuszczam, że chodzi o kultywowanie starej tradycji i pielęgnowanie rytuałów – zwyczaj przygotowywania się dla mężczyzny, który praktykują również Amerykanki, choć na inny sposób. Sama zaczęłam w liceum, na długo przed pierwszym stosunkiem, i nadal to robię, zmieniając praktyki w zależności od tego, z kim jestem, pory roku, a nawet okoliczności. Tydzień w Key West wymaga innych zabiegów niż wypad na narty do Vermont. Rozglądając się w przebieralni przed zajęciami jogi, zdałam sobie sprawę, że nie jestem w tym odosobniona i że istnieje niesamowita różnorodność kolorów, kształtów i stylów intymnego krajobrazu. Widziałam nawet różowego irokeza, i to z ozdobami. Po kilku bolesnych eksperymentach i samodzielnych porażkach wiem, że ból jest nieunikniony.

Znajoma Iranka, Giti, nauczyła mnie perskiego wyrażenia: „Zabij mnie, ale uczyń mnie piękną!". Kobiety na całym świecie wyrażają to w różnych językach. Nie znam żadnego męskiego ekwiwalentu. Dzięki licznym podróżom nowoczesne Saudyjki musiały zorientować się, że zabieg z użyciem kremu Hair Off jest mniej bolesny niż wosk. Teraz, kiedy wiem, do czego jest im potrzebny, mam ochotę wysłać im kilka skrzynek.

{ ROZDZIAŁ 15 }

ALHAMDULILLAH

Janni lubi saudyjska herbata? – zapytała pewnego dnia Majsam, delikatnie pociągając mnie za rękaw, kiedy mijałam ją w hotelowym korytarzu.

– Mhm, jasne, Majsam. Piłam kiedyś turecką, czy to coś podobnego?

– *La, la, la,* Janni. To specjalna herbata z Arabii. Chodź do herbaciarni, usiądź, usiądź. Poczęstuję Janni.

Zaprowadziła mnie do pokoju, w którym rezydował serwis, i usiadłam na wygodnym paryskim szezlongu, jednym z tych, które rodzina królewska przywiozła ze sobą samolotem. Wnętrza hotelowe już wcześniej były pięknie urządzone – stały w nich obite jedwabnym adamaszkiem fotele i stoły z orzechowego drewna, ale saudyjskie sprzęty jeszcze dodały im przepychu. Saudyjczycy palili też dużo kadzidełek, więc w ich pokojach zawsze unosił się egzotyczny, kuszący zapach, który przypominał im dom. Ubrania często przesiąkały mi wonią *bakhor** i jeszcze długo po tym, jak ich odwiedziłam, pachniały ambrą i kwiatem pomarańczy.

Obserwowałam, jak Majsam przygotowuje, a następnie zaparza herbatę. Choć miała najwyżej szesnaście lat, już od bardzo dawna pracowała dla rodziny. Nie mówiła płynnie po angielsku, ale we wszystkim, co robiła, dawała dowód inteligencji i zdrowego rozsądku. Przebywanie z nią sprawiało mi dużą przyjemność, mimo że bardzo mało rozmawiałyśmy. Była cała okrąglutka, nawet nadgarstki miała pulchne i nieustannie się uśmiechała, jakby cieszyła się, że żyje. Przy pracy zawsze coś sobie nuciła. Poruszała się szybko, lecz z wdziękiem – odnosiło się wrażenie, że wszystkie czynności ma tak doskonale wyćwiczone, że nie kosztują jej żadnego wysiłku. Zanim nalała herbaty do porcelanowej filiżanki, owinęła dzióbek czajniczka jakimś egzotycznym ziołem, tak żeby napar przez nie przepływał. Roślina wyglądała jak gruby robak z długimi owłosionymi mackami i nawet z odległości kilku metrów czułam jej ohydny zapach. Zupełnie jak coś z *Nieustraszonych*. Miałam nadzieję, że nie istnieje zwyczaj nakazujący zjedzenie tego paskudztwa.

– O rany, Majsam, co to jest? – zapytałam.

– To specjalna przyprawa z Arabii. Specjalnie dla ciebie, Janni. Masz, spróbuj, spróbuj, spróbuj. Dobre?

Majsam wcisnęła mi do rąk filiżankę, więc nie miałam wyboru. Ulżyło mi, kiedy zobaczyłam, że roślina-robak została na czajniku. Upiłam łyczek i natychmiast zaczęło mi się kręcić w głowie. Zakaszlałam kilka razy, a potem nagle poczułam niesamowitą jasność umysłu, jakbym powąchała sole trzeźwiące. Herbata była mocna, piekielnie mocna – ale smaczna.

---

* *Bakhor* (arab.) – kadzidełko (przyp. tłum.).

– Wow, Majsam, pyszna. Moja mama nazwałaby ją herbatką sierżanta* – daje niezłego kopa. Nic dziwnego, że pijecie ją cały dzień.

– Co to jest popa, Janni? – zapytała Majsam.

– Nie, Majsam, kopa, nie popa. To znaczy, że dodaje ci energii i sprawia, że jesteś wesoła – powiedziałam i uraczyłam się jeszcze odrobiną naparu.

– *Aiwa***, Janni, tak! Napij się jeszcze, jeszcze, żeby mieć pięknego popa.

Czasem wieczorami woziłam Majsam i inne służące, jeśli miały kilka godzin wolnego, bo księżniczka Zahira jadła obiad ze świtą. W większości były to nastolatki z Afryki Północnej lub Filipin, które pracowały dla rodziny dzień i noc. Nigdy nie widziałam, żeby kiedykolwiek dostały dzień wolny. Afrykanki (głównie z Somalii, Etiopii i Sudanu) wyznawały islam i zawsze nosiły kolorowe hidżaby, które zakrywały im włosy i szyję, oraz skromne stroje złożone z wielu warstw – długiej spódnicy, szala, tuniki i spodni do kostek. Z reguły były to ubrania w geometryczne wzory lub w kwiaty zupełnie przykrywające im ręce i nogi. Niektóre dziewczyny były zjawiskowo piękne – miały egzotyczną urodę i kobiece krągłości, kusząco zarysowane pod warstwami odzieży. Nieraz widziałam, jak w hotelu boye i parkingowi przyglądają im się z otwartymi z podziwu ustami. Nawet zakryte od stóp do głów umiały uwodzić publikę – doskonale opanowały sztukę rzucania znaczących spojrzeń, żeby przyciągnąć do siebie uwagę albo dać obserwującemu do zrozumienia, że wiedzą o jego istnieniu.

---

* *Sergeant major's tea* (ang.) – mocna słodka herbata, często z rumem (przyp. tłum.).

** *Aiwa* (arab.) – tak (przyp. tłum.).

Usługując księżniczce Zahirze albo którejś z jej sióstr czy kuzynek, dziewczęta zawsze były ciche i powściągliwe. Wydawały z siebie stłumione dźwięki na znak zrozumienia, zgody albo niezadowolenia. Początkowo zachowywały się tak również w mojej obecności, ale długo pracowałam nad tym, żeby mnie polubiły i komunikowały się ze mną bardziej otwarcie. Dzięki temu, kiedy znajdowałyśmy się same w zaciszu samochodu, służące wyraźnie się ożywiały – tryskały energią, dużo rozmawiały i często się śmiały. Puszczałam im swoje ulubione piosenki z Senegalu i Afryki Zachodniej, a one nie mogły się nadziwić, że słucham takiej muzyki. Cały samochód trząsł się i podskakiwał, kiedy dziewczęta śpiewały i poruszały się do rytmu. Czułam się tak, jakbym woziła dwunastoosobowy zespół z perkusistą i całą resztą. Przemyciłam do auta laptopa i czyste płyty CD, żeby móc przegrać od nich albumy z utworami live słynnych arabskich wykonawców – kiedy je puszczałam, miałam wrażenie, że naprawdę jestem na koncercie – oraz zrobić dla nich kopie mojej muzyki.

One zachwycały się swoimi nabytkami, a ja swoimi. Muzyka, której słuchały, była cudowna. Znajomy przetłumaczył mi z arabskiego słowa niektórych piosenek – wszystkie były rzewnie romantyczne: „Zawsze jestem z Tobą. Jesteś zawsze w moich myślach i w moim sercu. Nigdy cię nie zapomnę. Nieustannie za tobą tęsknię. Nawet kiedy jesteś ze mną". Kolega, który je dla mnie przełożył, powiedział:

– Oczywiście, że mężczyzna zawsze śpiewa o miłości do kobiety, a kobieta – że kocha mężczyznę. Nie ma nic innego.

Służące płakały ze szczęścia, nucąc razem z artystami.

Kiedy zobaczyły, że umiem się posługiwać komputerem, poprosiły, żebym pomogła im z laptopami, które dostawały, gdy któryś z członków rodziny królewskiej się nimi znudził. Pokazałam im, jak używać Google'a po arabsku i w innych językach, tak żeby mogły czytać i dowiadywać się, co się dzieje w ich rodzinnych krajach. Wydrukowałam im mapki z trasami krótkich spacerów po Los Angeles, na które mogły się wybierać, kiedy miały wolne pół godziny, i założyłam każdej konto na Skypie, żeby mogły kontaktować się z krewnymi. Jedna z młodszych służących nie mogła się doczekać, kiedy ściągnę wersję tego programu działającą na jej laptopie. Potem przez cały wieczór płakała, rozmawiając z siostrą po raz pierwszy, odkąd wyjechała z domu, pewnie kilka lat temu.

Dziewczęta powiedziały mi, że mnie kochają.

Tak samo jak bogate Saudyjki, którym usługiwały, one też uwielbiały zakupy. Widziałam, że kupują przedmioty, które miały ułatwić życie ich rodzinom, oraz prezenty dla młodszego rodzeństwa. Wpadłam na pomysł, żeby zabrać je do sklepu Wszystko za 99 centów – słynnego magazynu napakowanego tanimi produktami za mniej niż dolara. Uwieczniony jest na znanym zdjęciu Andreasa Gursky'ego z 1999 roku, które sprzedano za 999 999,99 dolarów. Sama występowałam nawet w legendarnym wakacyjnym spektaklu Orphean Circus *Wszystko za 99 centów*. Było to wspaniały, dziwaczny musical, w którym cała scenografia, wszystkie rekwizyty i kolorowe kostiumy pochodziły właśnie z tego sklepu. Moja kreacja zrobiona była z zasłony prysznicowej, papierowych obrusów, balonów, skrzydełek do pływania dla dzieci (jako bufek), kryształowej girlandy i łańcucha na choinkę. Kapelusz natomiast był wieżą z piknikowych talerzy, noży i widelców oraz plastykowych kwiatów i owoców wysoką prawie na metr. Każdego wieczoru musiałam posypywać się pudrem dla niemowląt, żeby kostium nie przylgnął do mnie na stałe.

Sklep zachwycił dziewczęta. Zupełnie straciły głowę. Kupiły dziesiątki dziecięcych japonek, kilometry wstążek do włosów, naręcza opasek, stosy maleńkich skarpetek i majteczek dla maluchów, lalki, ogromne różdżki do puszczania baniek, pojniki, plastykowe miecze na baterie, które świeciły i wydawały dźwięki, zabawki w kształcie telefonów komórkowych i broni maszynowej, tabliczki czekolady Hershey, Tootsie Rolls, lakiery do paznokci, cążki do pedikiuru i ogromne ilości cheetosów, które zajadały w drodze powrotnej do hotelu, z rozkoszą oblizując pomarańczowe od papryki palce.

Zauważyłam, że bardzo pilnują, żeby nie marnować swoich pieniędzy. Uważnie przyglądały się wszystkim produktom, porównując ich ciężar, jakby starały się oszacować ich ukrytą wartość. Ciągle wracały do już obejrzanego towaru, oceniały jego wady i zalety, podawały go sobie z ręki do ręki, tak żeby każda mogła się mu przyjrzeć, zanim podejmą przemyślaną decyzję co do tego, który najbardziej się opłaca. Mimo to i tak często musiałam nadzorować ich wybory.

– Zuhur, to mielonka! – zawołałam, powstrzymując ją przed wyłożeniem na taśmę przy kasie dwunastu konserw w puszce. – W tym jest wieprzowina. Wy tego nie jecie. To wieprzowina!

Zuhur była wysoka i smukła, miała piegi, czekoladową karnację i robiła wszystko powoli, ale zaskakująco sprawnie. Z dumą popisywała się swoją angielszczyzną i często była tłumaczką całej grupy, choć znała może kilkaset słów w tym języku. Miała jednak dużo inwencji i bogatą wyobraźnię, więc bardzo twórczo używała swojego ubogiego słownictwa. Nie miała jednak pojęcia, czym jest wieprzowina, więc w końcu zaczęłam kwikać jak świnka, na co wszystkie zamarły.

– O, *la, la*!- krzyknęła Zuhur. *Szukran*, Janni! *Szukran*. Dziękuję za cudowne ocalenie, Janni. Nie chcemy wieprzowina! To jest *haram**. Nie możemy rozkoszować się mielonka!

Traktowały mnie niezwykle życzliwie i zawsze były bardzo szczodre. Pewnego razu, kiedy myślały, że podziwiam raczej śmiałe pończochy w dziale z bielizną – podczas gdy ja przyglądałam im się tylko z pewnym przerażeniem – dały mi je później w prezencie. Stałam się więc posiadaczką trzech dzieł sztuki dziewiarskiej w kolorach fuksji, pomarańczy i limonki wykończonych czarną koronką.

– Wow, *szukran*, dziękuję. Nie wiem, co powiedzieć. To naprawdę coś. Bardzo oryginalne. Powinnyście je sobie zatrzymać i zabrać do Królestwa, żeby zawsze pamiętać wspaniały towar w sklepie Wszystko za 99 centów – powiedziałam, próbując wcisnąć im pończochy z powrotem.

– Musisz wziąć, Janni. Musisz przyjąć. Musisz. To prezent!

Wszystkie już wtedy chichotały, przykrywając usta dłońmi. Droczyły się ze mną, ale widziałam, że kupienie mi czegoś, co dla nich samych jest zakazane, i trzymanie tego przez chwilę w rękach sprawiło im ogromną przyjemność. Ujęło mnie, że choć same miały tak niewiele pieniędzy, chciały dać mi coś, co ich zdaniem mogło mnie ucieszyć. Zdarzyło się to kilka razy, tak że w końcu przestałam w ogóle brać cokolwiek do ręki ani czemukolwiek się przyglądać, bo w przeciwnym razie dostawałam to jako prezent.

Podczas jednych zakupów znalazłam je wszystkie stłoczone przy półce w dziale higieny kobiecej. Żadna się nie poruszała. Stały cicho, jak sparaliżowane, z głowami lekko

---

* *Haram* (arab.) – zakazane (przyp. tłum.).

przechylonymi na bok – wyglądały raczej jakby się w coś wsłuchiwały, a nie oglądały towary. Podeszłam, żeby zbadać sprawę. Przed sobą miały szeroką gamę kondomów. Były tam długie rzędy kolorowych pudełek, ale też masa pojedynczych prezerwatyw w wiaderku, przypominającym kubełek z cukierkami, z którego za pięć centów można było wziąć garść. Skromność kazała im odwrócić wzrok, ale były wyraźnie zafascynowane. Nie mogły się oderwać od wystawki – stały nieruchomo, podziwiając niesamowite bogactwo kolorów, rozmiarów i typów. Kiedy podeszłam, popatrzyły na mnie bez słowa. Potem jedna z nich pokazała palcem na kondomy, jakby nie było jasne, co je tu przyciągnęło. Z trudem powstrzymałam się od śmiechu.

Wiedziałam, że nie są w stanie przeczytać, co jest napisane na pudełkach, i pewnie nie chciały niczego dotykać, dokonując zwyczajowej inspekcji i ważenia. Wzięłam do rąk kilka opakowań i parę prezerwatyw z wiaderka, po czym nieporadnie starałam się im przekazać, że niektóre są smakowe (banan, czekolada, truskawka), inne mają ostre krawędzie, jeszcze inne świecą w nocy, mają chropowatą powierzchnię, są nawilżone, w ekstradużym rozmiarze albo ściśle dopasowane. Im bardziej fikuśny był kondom, tym trudniej było mi go opisać, ale starałam się, jak mogłam. One patrzyły na mnie bez mrugnięcia okiem i chłonęły każde moje słowo.

Przerwałam na chwilę i zastanowiłam się nad tym, co robię. Oto stoję na środku sklepu Wszystko za 99 centów i wygłaszam pogadankę o kondomach dla grupki nastoletnich dziewic z Afryki Północnej. No dobra!

Mówiłam powoli, ze staranną dykcją, żebym nie musiała niczego powtarzać. Po zakończeniu lekcji wszystkie milczały.

Nie miały żadnych pytań. Oddaliłam się, żeby mogły swobodnie zrobić zakupy, bez poczucia, że ktoś je obserwuje. Jestem prawie pewna, że nie kupiły żadnych prezerwatyw.

Jedna z dziewcząt długo przyglądała się bieliźnie. Szczególnie interesowały ją bardotki typu push-up. Mouna była niska i krępa, miała gładką, szeroką twarz i bardzo ciemną skórę, która lśniła jak wypolerowana.

– Po co ci taki stanik, Mouno? – zapytałam. – Nosiłabyś coś takiego?

– Ślub – odparła, uśmiechając się nieśmiało.

– Aha, ślub. Ale jesteś pewna, że odpowiada ci właśnie taki? Ten model ma podnosić piersi, jeśli ktoś chce się nimi pochwalić. Bardzo wysoko – wyjaśniłam, obejmując moje piersi i unosząc je w stronę szyi.

Wszystkie dziewczęta zaczęły chichotać, a Mouna otwarła szeroko oczy i powiedziała:

– *La, la,* Janni. – Potem spojrzała w stronę Zuhur, żeby ta wyjaśniła, o co jej chodzi.

– Nie, ona nie chce takiego. Ale musi mieć specjalny biustonosz do sukni ślubnej.

– Do sukni ślubnej? – zapytałam. – Więc masz suknię z dużym dekoltem. Wolno ci? Nie musisz być zakryta? Przecież będą cię oglądać mężczyźni.

– Oni mają osobne przyjęcie. Tylko mąż i mężczyźni – wytłumaczyła Zuhur. – My ich nie widzimy, a oni nie widzą nas. Jesteśmy tylko z kobietami, więc nie trzeba się zasłaniać.

– Muszę mieć specjalną sukienkę, taką jak ten – powiedziała Mouna.

– Kiedy ślub? – zapytałam.

– Najpierw muszę spotkać mąż.

– Aha, więc planujesz z wyprzedzeniem.

– Tak – odparła. – Po to muszę mieć specjalny stanik.

Następnie pokazała mi plik kartek, który nosiła w torebce. Były to strony wydarte z aktualnych czasopism ślubnych. Niektóre z nich prezentowały zachodnią modę, ale część adresowana była do muzułmanek – fotografie prezentowały nakrycia głowy, zasłony na twarz i włosy. Saudyjskie wesele, przynajmniej w rodzinie królewskiej, z reguły zaczyna się o północy, a przyjęcia dla kobiet bywają bardzo głośne – panie śpiewają, tańczą i ucztują do białego rana, a czasem nawet przez kilka dni. Kiedy zabawa na dobre się rozkręca, Saudyjki odkrywają głowy.

Nie wiem, jakie wesele czekało Mounę, pałacową służącą. Miała piętnaście lat i tak jak amerykańskie rówieśniczki często wyobrażała sobie swój ślub. Korzystając z tego, że dużo podróżowała z rodziną królewską, gromadziła rzeczy, które mogły się jej przydać na tę okazję, choć na horyzoncie nie było jeszcze kandydata na męża. Podziwiałam jej inicjatywę.

Widziałam, że pozostałe służące też mają typowe młodzieńcze marzenia i problemy. Majsam, dziewczyna od herbaty, cierpiała na ostry trądzik – wielkie czerwone pryszcze szpeciły jej policzki, co wpędzało ją w kompleksy. Wszystkie jej koleżanki, jedna po drugiej przychodziły do mnie, żeby zapytać, czy jestem w stanie jej jakoś pomóc. Zdawałam sobie sprawę, że Majsam musi iść do lekarza. Takie problemy skórne mogły zwalczyć tylko antybiotyki, na przykład izotretynoina czy tetracyklina. Mimo że Saudyjczycy chodzili w Los Angeles do niezliczonych lekarzy, wizyta u dermatologa była poza zasięgiem Majsam. Zamiast tego kupiłam jej dostępne bez recepty peeling antybakteryjny oraz olejek cytrynowy i pokazałam, jak ma ich używać.

– Posłuchaj, Majsam, musisz rozcieńczać ten olejek, w przeciwnym razie poparzy ci skórę – instruowałam. – Bądź ostrożna, bo możesz zrobić sobie krzywdę. – Wlałam do kubeczka odrobinę olejku, dodałam chłodnej wody, a potem zamoczyłam w miksturze kłębek waty. – Pachnie niezbyt ładnie, ale świetnie działa. Delikatnie, w ten sposób. – Lekko przejechałam jej kilka razy watką po policzkach.

– *Szukran*, Janni – powiedziała. – Używam to wiele razy na dzień i zniknie.

– Nie, nie, Majsam. Nie wolno wiele razy! To za dużo. Zacznij od przemywania raz, rano. Po kilku tygodniach może będziesz mogła też na noc. Daj skórze się do tego zaaklimatyzować, to znaczy – przyzwyczaić.

Czasem wyrażałam się jak przedszkolak, który próbuje sklecić kilka zdań, ale musiałam uważnie dobierać słowa, żeby mnie zrozumiały. „Aklimatyzować" nie figurowało w ich słownikach.

Przez pierwszy tydzień kuracji trzymałam olejek u siebie, codziennie przynosiłam go Majsam i nadzorowałam aplikację, bojąc się, że będzie nakładała go zbyt gorliwie. Cera trochę jej się polepszyła, ale prawdziwą poprawę mogła przynieść tylko spora dawka doustnych antybiotyków. Kiedy przebywałam w towarzystwie wysoko postawionych Saudyjek, robiłam znaczące uwagi:

– Majsam to taka śliczna dziewczyna. Szkoda, że ma problemy skórne. Pewnie sama cierpi z tego powodu. Recepta od lekarza na pewno szybko by wszystkiemu zaradziła.

Miałam nadzieję, że któraś zabierze Majsam do lekarza, ale żadna nie odezwała się ani słowem, więc nie miałam pewności, że w ogóle mnie słyszały.

Zastanawiałam się, jak musi się czuć młoda dziewczyna z dala od domu i krewnych, bez matki, która zaprowadziłaby ją do dermatologa albo chociaż poradziła, co ma robić. Służące na pewno bardzo tęskniły za rodzinami. Chciałam je o to zapytać, ale nie wiedziałam, jak to zrobić, żeby nie myślały, że jest mi ich żal. A ja wcale się nad nimi nie litowałam – wzbudzały we mnie raczej podziw i szacunek, wszystkie.

Chociaż tak jak one zaliczałam się do służby, dziewczęta starały się dbać o mnie tak samo jak o księżniczki. Zauważyły, że od początku zlecenia sporo schudłam, bo bardzo dużo pracowałam. Na mój widok syczały, cmokały i szczypały mnie w policzki, dając wyraz swojej dezaprobacie. W dni, w które je woziłam, zamawiały w hotelu posiłki, po czym dostarczały mi je do samochodu. Dostawałam same pyszności – steki, szparagi, *crème brûlée*. Czasem zapraszały mnie na górę i wciskały mi jakieś smakołyki, a potem przyglądały się, jak jem. Bałam się, że nabijanie hotelowego rachunku posiłkami dla mnie może wpędzić je w tarapaty, ale one w ogóle się tym nie przejmowały. Nasunęło mi się, że księżniczka Zahira powinna ukrócić trochę wydatki w hotelu, a zaoszczędzone pieniądze można by przeznaczyć na dermatologa dla Majsam.

– Jak się ma twój mąż, Janni? – zapytała mnie pewnego dnia Majsam, podając mi średnio wysmażony stek z hotelowej restauracji.

Same służące jadły natomiast potrawkę z kurczaka, blanszowany szpinak i kuskus. Kaszę przygotowała kuchnia na dwunastym piętrze, w której nadworni kucharze regularnie gotowali dla rodziny królewskiej. Wszystkie cztery siedziałyśmy wygodnie przy stoliku na kółkach dostarczonym przez obsługę hotelową. Mebel ten jest niezwykle zmyślny – pod blatem ma podgrzewacz, a z obu stron dwie dodatkowe części, dzięki którym po wwiezieniu przez drzwi można go rozłożyć i staje się okrągły.

Nigdy nie przestało mnie dziwić, że spłukany szofer pracujący dwadzieścia cztery godziny na dobę dla grupy nastolatek, które też bez przerwy harowały (i były praktycznie jak chłopi pańszczyźniani) dla rodziny saudyjskich bogaczy, ucztowali razem, racząc się skandalicznie drogimi potrawami z restauracji pięciogwiazdkowego hotelu. Posiłki serwowano na śnieżnobiałych obrusach i delikatnej porcelanie, a kelnerowała nam obsługa hotelowa, która po skończonej uczcie sprawnie wywoziła cały bałagan. Brakowało tylko szampana Veuve Clicquot, a cała sytuacja stałaby się całkiem absurdalna.

– Nie mam męża, Majsam – odpowiedziałam zgodnie z prawdą i natychmiast tego pożałowałam. Najedzona i zadowolona, przestałam się pilnować i zapomniałam, że udaję mężatkę.

– Przykro mi, Janni. Twój mąż jest umarły?

– Nie, nie – odparłam. – Nikt nie jest umarły, to znaczy nie zmarł. Po prostu jeszcze nie wyszłam za mąż.

– *La, laaa,* Janni. Musisz mieć mąż. Mąż chroni i opiekuje. Co sądzi twoja mama i baba, Janni?

Miewałam chłopaków z różnych części globu, więc uśmiechnęłam się i powiedziałam:

– Nazywają mnie ONZ-em randkowania.

Majsam jakimś cudem zrozumiała żart i wcale jej się nie spodobał.

– *La! La! La,* Janni!

– Nic się nie dzieje, Majsam, naprawdę. Rodzicom zależy na tym, żebym była szczęśliwa.

Nie chciałam jej mówić, że już dawno przestali się martwić o moje zamążpójście. Jestem najmłodszym dzieckiem w dużej rodzinie i przypuszczam, że czuli raczej ulgę, że nie muszą ratować jeszcze jednej pociechy po kolejnym strasznym rozwodzie. Na koncie mamy już sześć, a to jeszcze nie koniec.

Majsam zaczęła się modlić.

– *Alhamdulillah**. Co z tobą będzie, Janni? Musisz mieć mąż, żeby cię bronić i chronić. Modlę się za ciebie. Modlę się do Allaha o mąż dla Janni. *Alhamdulillah. Alhamdulillah. Alhamdulillah.*

Majsam i pozostałe służące tak zmartwiły się moim panieństwem, że znów zaczęłam wspominać o mężu, którego wymyśliłam na potrzeby fryzjera. Przyjęły to bez komentarza, jakby zapomniały, że nie jestem mężatką.

Wymyślałam historie o swoim ślubnym. Nazwałam go Michael – nigdy nie umawiałam się z żadnym Michaelem, więc uznałam, że to imię będzie jak znalazł dla wyimaginowanego partnera. Był wysportowany (lubię facetów, którzy są w stanie podnieść mnie w tańcu), życzliwy i miał doskonałe poczucie humoru. Wszystkie te cechy były mile widziane u idealnego męża. Był pisarzem, więc wspieraliśmy się nawzajem w artystycznych przedsięwzięciach w ten sposób, że kiedy zaszła taka potrzeba, któreś z nas podejmowało pracę zarobkową. Udawałam nawet, że zachorował, a ja harowałam, żeby zapłacić za leczenie. Mówiłam ogólnikami – nie chciałam robić z niego inwalidy albo człowieka wymagającego długotrwałej opieki. Wolałam też, żeby służącym nie było przykro z powodu kogoś, kto nie istnieje. Wspomniałam coś o operacji kolana koniecznej z powodu starej kontuzji. Lubiłam udawać troskliwą żonę, która robi, co może, żeby związać koniec z końcem. Dziwiło mnie, jak łatwo dziewczęta i wszyscy

* *Alhamdulillah* (arab.) – chwała Allahowi (przyp. tłum.).

pozostali zapomnieli, że zaczynałam jako panna. Miało to jednak sens – to, jak żyję, jak zdecydowałam się żyć, było dla nich po prostu nie do pomyślenia.

W rzeczywistości zbliżałam się do mężczyzny, z którym potem zaczęłam się umawiać. Był muzykiem, malarzem, wspaniałym sportowcem, miał niesamowitą inteligencję i jako jedyny ze znanych mi facetów potrafił całą niedzielę oglądać ze mną mecze piłki nożnej (i cierpliwie wyjaśniać skomplikowane sytuacje na boisku albo werdykty sędziego, których nie rozumiałam – nie było tego dużo, bo jestem zagorzałym fanem), a następnie kilka filmów Felliniego z rzędu. Świetnie się czułam w jego towarzystwie – zawsze umiał mnie rozbawić i miał miłą aparycję. Był wysoki, miał niesforną czuprynę i umięśnione ciało. Mówił głębokim, przyjemnym dla ucha barytonem. Na automatycznej sekretarce mam kilka wiadomości od niego, które czasem odsłuchuję dla poprawy humoru. W jednej udaje teksańskiego tirowca, który w środku nocy szuka schronienia (mnie). W innej brzmi jak zagubiona mała dziewczynka zastanawiająca się, gdzie podziała się jej najlepsza przyjaciółka (ja). W pozostałych jest po prostu uroczo słodki.

Poznaliśmy się kilka miesięcy przed tym, jak zaczęłam zlecenie dla Saudyjczyków. Nasze uczucie rozwijało się bardzo powoli – po części dlatego, że pracowałam przez całą dobę, ale też dlatego, że on był jeszcze w dogorywającym związku, a ja nie chciałam angażować się z kimś, kto mieszka z inną kobietą. On jednak był wytrwały. Przychodził do hotelu, czekał, aż będę miała wolną chwilę, a potem robił mi niespodziankę w postaci pudełka ciasteczek albo trufli czekoladowych (którymi dzieliłam się ze służącymi, mówiąc, że to od mojego męża, Michaela) oraz liścikami miłosnymi, w których cytował perskiego poetę Rumiego. Czasem, jeśli go o to poprosiłam, przynosił też kilka batonów energetycznych, które pomagały mi przetrwać noc. Zdarzało się nawet, że woził moje ubrania do pralni, a potem je odbierał – ze względu na nieustanną pracę sama nie miałam czasu tego zrobić, więc gdyby nie on, w ogóle nie miałabym co na siebie włożyć. Bywało, że jechał za mną do domu swoim samochodem, żeby się upewnić, że po wielogodzinnej pracy dotarłam bezpiecznie na miejsce. Udało mu się całkowicie zdobyć moje serce. Nieustająca troska i poświęcenia z jego strony dodawały mi otuchy, a jego ofiarność sprawiała, że cały czas czułam się jak w serdecznych objęciach.

Z reguły spotykałam się z panem Rumim jedną przecznicę od hotelu, tak żeby nikt nas nie zobaczył. Był okazem zdrowia, więc starannie go ukrywałam. Wystarczyło, żeby ktoś z rodziny albo służby dobrze mu się przyjrzał, a cała intryga z chorym mężem ległaby w gruzach. Gorzej – mogliby pomyśleć, że zdradzam niedomagającego Michaela. Czasem spotykaliśmy się w bocznej alejce na którymś z osiedli w Beverly Hills. Podjeżdżałam luksusowym czarnym SUV-em, ubrana elegancko i z klasą, a potem wskakiwałam na tylne siedzenie jego samochodu. Migdaliliśmy się przez pięć minut, po czym wynurzałam się, rozczochrana, w pomiętym kostiumie, czerwona, spocona i z zadrapaniami od jego wąsów, dzierżąc torbę z praniem, żeby następnego ranka móc popędzić do pracy w czystej bieliźnie.

Przy dziewczętach czułam się jak dobra małżonka, która dokłada wszelkich starań, żeby pomóc mężowi w trudnym okresie. Pan Rumi sprawiał, że czułam się jak seksowna żona z przedmieścia, która ma romans z trenerem piłki nożnej swojego syna. Pewnie tak właśnie wyglądałam w oczach kogoś, kto widział mnie wychodzącą z auta, które po naszej schadzce miało zaparowane szyby.

{ ROZDZIAŁ 16 }

MODLITWA NA PLAŻY

Pewnego dnia zorganizowano dla wszystkich Saudyjczyków wycieczkę nad morze. Większość samochodów ruszyła na plażę Zuma w Malibu, gdzie w północnej części parku czekało już na nich wielkie przyjęcie. Była tam masa balonów i gier, wynajęto ciężarówkę In-N-Out, która w porze lunchu serwowała hamburgery. In-N-Out to znana na Zachodnim Wybrzeżu rodzinna sieć restauracji oferująca tylko burgery, frytki i shaki – wszystko jest zawsze świeżutkie i domowej roboty. Mają też sekretne menu, o którym wiedzą tylko nieliczni, i z którego można wybierać przedziwne kombinacje. Praktycznie nic nie jest niemożliwe – da się zamówić nawet poczwórnego cheeseburgera z dodatkowymi piklami i pomidorami czy zawinięte w liść sałaty serowe frytki ze smażoną cebulką. Nie da się ich jeść elegancko, ale są przepyszne. Na kubkach i papierowych opakowaniach firma umieszcza dyskretnie cytaty z Biblii, których wtajemniczeni zawsze szukają po konsumpcji.

Kiedyś wybrałam się do In-N-Out z koleżanką Harlow, w poszukiwaniu strawy cielesnej i duchowej. Przed restauracją stała jak zwykle długaśna kolejka. Zamówiony przez Harlow hamburger „3x3" (trzy kotlety i trzy plastry sera) miał na papierku cytat z Objawienia świętego Jana (3, 20): „Oto stoję u drzwi i kołaczę; jeśli ktoś usłyszy głos mój i otworzy drzwi, wstąpię do niego i będę z nim wieczerzał, a on ze mną". Zatem tego dnia moja koleżanka ucztowała z Jezusem, co jest pocieszające, bo „3x3" to zawał serca na tacy. Mój Double Double Protein Animal Style (dwa kawałki mięsa bez bułki ze smażoną cebulą i sosem musztardowym) przywołał na opakowaniu fragment z proroka Nahuma (1, 7): „Dobry jest Pan, ostoją jest w dniu ucisku; on zna tych, którzy mu ufają". Cieszyło mnie to. Saudyjczycy uwielbiali In-N-Out – czasem dwa razy dziennie jeździliśmy do tej restauracji w Westwood. Nie jestem jednak pewna, czy wiedzieli, że jedzą Jezusową strawę.

Podczas wycieczki nad ocean nie miałam okazji uczestniczyć z nimi w uczcie ekumenicznej, bo tego dnia woziłam Radżiję. Razem z przyjaciółkami bawiła się ona na drugim końcu plaży, oddalonym o prawie dwa kilometry od miejsca, w którym przebywała reszta grupy. Początkowo sądziłam, że nastolatki chciały się po prostu odseparować od rodziny, ale potem zdałam sobie sprawę, że to raczej krewni chcieli ochronić je przed spojrzeniami ciekawskich. Z dala od innych plażowiczów i poszukiwaczy metali w piasek wetknięto liczne parasolki, tworząc półkolistą barykadę, za którą wygodnie ulokowano około dwudziestu nastoletnich Saudyjek. Zajmowali się nimi usłużni mężczyźni – mała armia opalonych błyszczących od oliwki eunuchów z krótkimi blond włosami i rozwiniętą muskulaturą, którzy na stałe pracowali dla innej rodziny królewskiej. Najwyraźniej nastoletnie arabskie piękności w ogóle ich nie pociągały.

Po kilku chwilach stania w prażącym słońcu na brzegu plaży czułam się tak, jakby ktoś smażył mnie żywcem. Nikt nie powiedział mi, że jedziemy nad ocean, więc jak zwykle miałam na sobie bluzkę z długim rękawem i bez dekoltu, czarne spodnie i buty na wysokich obcasach. Nawet gdyby mnie poinformowano, nie wiem, co innego mogłabym na siebie włożyć – przecież nie miałam się tam opalać ani kąpać. Inni szoferzy (sami mężczyźni) paradowali w szortach, podkoszulkach i sandałach. Było trzydzieści pięć stopni i nie dało się uciec do cienia. Przed południowym słońcem mogłam schować się jedynie w samochodzie, ale panował w nim piekielny skwar. Malika i reszta służących jak zawsze miały na sobie tradycyjne muzułmańskie stroje, zakrywające je od stóp do głów. Mimo to nie wyglądały na umęczone. Sama dałabym się pokroić za bikini i pół minuty w wodzie dla ochłody, albo chociaż japonki. Czułam się dziwnie na plaży w pełnym stroju. Z reguły już kilometr od brzegu jestem w kostiumie, nasmarowana i przygotowana do przyjęcia pozycji poziomej w towarzystwie dobrej książki natychmiast po wejściu na piasek. Długie godziny w pracy, mało snu i brak odpowiednich posiłków zaczęły dawać mi się we znaki.

Po dziesięciu minutach na słońcu byłam bliska omdlenia. Wiedziałam, że winny jest nie tylko upał – nie chciałam tam być, a nie miałam dokąd uciec. Nie mogłam po prostu odjechać, poprosiwszy, żeby w razie potrzeby wezwano mnie przez telefon. Musiałam stać w pobliżu, dostępna na każde skinienie. Miałam wrażenie, że jestem w jakimś surrealistycznym więzieniu, jak bohaterowie filmów Buñuela. Nie byłam zamknięta w komórce ani przywiązana do krzesła – osaczała mnie masa piasku, ocean i gromadka rozchichotanych nastolatek w bikini pilnowanych przez odziane w długie szaty pobożne kobiety. Zaczęło mi brakować powietrza i czułam ucisk w klatce piersiowej. Był to najgorszy ze wszystkich dotychczasowych dni w tej pracy, gorszy nawet niż długie samotne godziny na parkingu przy kasynie. Wszelkie zalety tego zlecenia roztopiły się w palącym kalifornijskim słońcu.

Malika zauważyła, że zaraz dostanę ataku paniki. Kategorycznym tonem kazała mi usiąść pod jednym z parasoli przeznaczonych dla księżniczek. Zawinęła kilka kostek lodu w chusteczkę i przyłożyła mi ją do szyi.

– Usiądź tu na chwilę, Janni, i odpocznij. Musisz odpocząć – wyszeptała mi do ucha, a ja natychmiast poczułam się lepiej.

Malika była bogobojna i zawsze sumiennie odmawiała modlitwę pięć razy dziennie o ściśle wyznaczonych porach. Stanowiło to kolejny z pięciu filarów islamu, tak zwany *salah,* czyli obowiązkowe modły kierowane do Allaha w godzinach wyznaczanych względem pozycji słońca. Malika powiedziała mi, że islam jest najmłodszą z trzech wielkich religii, która, o ironio, miała zakończyć wojny o podłożu wyznaniowym na Bliskim Wschodzie, jednocząc chrześcijan i żydów. Islam zaczerpnął z judaizmu i chrześcijaństwa wiele historii, nakazów oraz ideał pobożności. Widziałam, że Malika i pozostałe służące, jako dobre muzułmanki, spełniały również wymogi narzucane wyznawcom chrześcijaństwa. Wiele razy dały temu dowód, traktując mnie i innych z niezwykłą troską i życzliwością. Dowiedziałam się od Maliki, że słowo „islam" znaczy dosłownie „poddanie się" – podporządkowanie się woli boskiej, ale też idei pokoju: bycie w pokoju z Allahem, z sobą samym i całym stworzeniem.

Niedawno pewien nowojorski taksówkarz przypomniał mi, że *salam alejkum*, zwrot używany na powitanie i pożegnanie, znaczy dosłownie „pokój z tobą". Malika, ilekroć go wypowiadała, naprawdę tego właśnie ludziom życzyła. W przeciwieństwie do mnie, nie potępiała swoich pracodawców za to, że tak jak ludzie na Zachodzie zbyt dużą wagę przywiązują do wyglądu i przedmiotów, choć Koran, którym rzekomo się kierowali, nakazuje skromność, przyzwoitość i szczodrość wobec innych. Wiedziała, że każdy ma swoją ścieżkę do Boga i podąża nią własnym tempem. Malika pobożnie stosowała się do zasad wiary, nie postępiając tych, którzy byli mniej bogobojni.

Już w drodze do Malibu poprosiła mnie o pomoc w znalezieniu spokojnego miejsca na popołudniową modlitwę, więc kiedy się trochę ochłodziłam, odszukałam małe ustronie, które moim zdaniem się do tego nadawało. O odpowiedniej porze przejechałyśmy na koniec parkingu, cofnęłam samochód pod wysoką wydmę, żeby stworzyć jej cichy kącik. Używając starego ozdobnego kompasu, który zawsze nosiła ze sobą, sprawdziła, po której stronie leży Mekka, a potem rozłożyła na piasku specjalny dywanik do modlitwy. Był utkany z delikatnego, cienkiego jedwabiu, więc nalegałam, żeby podłożyła pod niego ręcznik. Podczas gdy Malika się przygotowywała, obmywając wodą ręce i twarz, ja odgarnęłam gałązki i kawałki muszli, żeby nic jej nie gniotło. W czynnościach wykonywanych przez Malikę nie było ani cienia egzaltacji czy namaszczenia – działała sprawnie i rutynowo, to ja robiłam ceregiele.

Po oczyszczeniu ułożyła się na dywaniku, natomiast ja stałam na straży, pilnując, żeby nikt jej nie przeszkodził. Muzułmanin w czasie modlitwy musi zachowywać się tak, jakby znalazł się przed obliczem Allaha – wymagane jest więc skupienie i wyciszenie. Nie wolno się wiercić ani rozglądać. Intencje muszą być czyste, a modlić należy się tak, jakbyśmy robili to ostatni raz w życiu.

Przysłuchiwałam się cichym słowom Maliki przez mniej więcej dziesięć minut. Nie patrzyłam, wytężałam tylko słuch. Uznałam, że niegrzecznie byłoby się przyglądać, ale nie byłam w stanie nie podsłuchiwać, urzeczona dźwiękami jej modlitw. Choć jej nie widziałam, czułam, jak się porusza. Najpierw stała, potem uklękła, i tak kilka razy z rzędu. Od czasu do czasu kładła się też twarzą do ziemi. Rytualna modlitwa przypomina taniec, ściśle wyznaczoną sekwencję starannie wykonywanych figur i gestów, powtarzanych w rytm recytacji. Szaty Maliki szeleściły przy każdym ruchu, co brzmiało jak ciche nucenie.

Jako młoda aktorka w Nowym Jorku dostałam się do chóru katedry św. Patryka. Nie byłam praktykującą katoliczką ani szczególnie pobożnym człowiekiem – uznałam jednak, że będzie to dobry sposób na ćwiczenie głosu i nowe doświadczenie. Podobała mi się też perspektywa śpiewania w majestatycznej, imponującej katedrze, przed wielotysięcznym zgromadzeniem. Selekcja była niezwykle ostra – musiałam *a vista* przeczytać Haendla i Bacha, co nie jest moją mocną stroną. Coś jednak udało mi się wypiszczeć. To naprawdę był pisk. Byłam tak podekscytowana i zdenerwowana swoją pierwszą niedzielną mszą, że w poprzedzającą ją noc prawie nie zmrużyłam oka. Chór zbierał się na próbę wczesnym rankiem, żeby rozgrzać gardła przed występem na pierwszym nabożeństwie. W pięknych śliwkowych szatach przeszliśmy powoli między wiernymi przez nawę główną, a następnie po wąskich krętych schodach wdrapaliśmy się na chór z tyłu katedry. Odśpiewaliśmy kilka hymnów, a potem kardynał zaczął kazanie. Natychmiast przykuł moją uwagę – nie tylko dlatego, że był świetnym oratorem o donośnym głosie, lecz także ze względu na tematy, które poruszał. Mówił o świętości życia i o tym, że aborcja jest niemoralna. W tym czasie mieszkałam z chłopakiem, antykoncepcja stanowiła stały problem, więc słuchałam duchownego w skupieniu, siedząc na krawędzi ławki. Po kilku minutach zauważyłam, że chórzystów znacznie ubyło – niektórzy przeszli do tylnych rzędów i po chwili słyszałam wokół siebie chrapanie. Większość w czasie kazania ucinała sobie drzemkę, którą kończyli, kiedy znów trzeba było zaśpiewać. Wprawiło mnie to w osłupienie. Praktykę tę powtarzali na każdej mszy. Pół roku później odeszłam z chóru.

Myślałam o tym, kiedy Malika modliła się na plaży. Miała bardzo osobistą, głęboką relację z Bogiem, która wyraźnie ją pokrzepiała i dawała poczucie spokoju. Nie zniechęciłby jej chrapiący chór, tak samo jak nie przeszkadzały jej setki dzieci kwiczących, kiedy obmywały je fale, czy półnadzy plażowicze, którzy kąpali się w oceanie, migdalili na kocach i imprezowali pod parasolami. Modląc się do Allaha, nie zwracała uwagi na panujący wokół harmider. Zazdrościłam jej tego, ale równocześnie cieszyłam się, że ma tę umiejętność.

Po *salah* wyraźnie zadowolona, wyciszona Malika podziękowała mi wylewnie za pomoc. Powiedziała, że pomodliła się za mnie, prosząc o zdrowie dla mojego męża i szczęście dla mnie.

Kiedy opuszczaliśmy plażę, Radżija zakomunikowała, że przed powrotem do Beverly Hills – miała wracać z przyjaciółkami stłoczonymi w tym samym SUV-ie, którym przyjechały – chce oczyścić się z piasku i zmienić ubranie. Niektóre dziewczęta już wyruszyły do pobliskich hoteli, w których ojciec jednej z nich wynajął im pokoje, żeby mogły się spokojnie przebrać, choć należące do rodziny domy znajdowały się ledwie dwadzieścia minut drogi od plaży. Nie zaproponowały Radżii, żeby do nich dołączyła, a nastolatka nie chciała korzystać z kabin przy plaży. Wcale jej się nie dziwiłam – po całym dniu okupowania przez liczne rodziny były z reguły bardzo brudne. Złożyłam dach kabrioletu, a Malika na tylnym siedzeniu stworzyła prowizoryczną kabinę. Radżija zmieniała ubranie, a my pilnowałyśmy, czy nikt nie patrzy.

Jeden z nielicznych arabskich służących zatrudniony przez którąś z rodzin wybrał właśnie ten moment, żeby zacząć mnie podrywać. Próbowałam go spławić, ale był niezwykle wytrwały – zasypywał mnie pytaniami i prawił jakieś idiotyczne komplementy („Plaża nie jest taka delikatna i piękna jak ty"). Nagle zdałam sobie sprawę, że rozmawia ze mną tylko po to, żeby podejrzeć rozbierającą się na tylnym siedzeniu Radżiję. Wrzasnęłam, żeby sobie poszedł i zostawił nas w spokoju. Zaśmiał się kpiąco i przysunął się jeszcze bliżej, jakby moje słowa tylko go ośmieliły. Byłam wściekła i już przygotowywałam dla niego wiązankę inwektyw, kiedy stanęła między nami Malika. Położyła mu rękę na ramieniu i wyszeptała coś po arabsku. W sekundzie się ulotnił. Nie wiem, co mu powiedziała, ale jestem pewna, że miało to coś wspólnego z Bogiem. Podziwiałam ją za to, jak taktownie potrafiła rozwiązać ten konflikt. On odważnie starał się podejrzeć piękną nagą nastolatkę, sądząc, że tego właśnie oczekuje się od mężczyzny, natomiast ona pewnie przypomniała mu, że coś takiego jest nieprzyzwoite, więc zrezygnował. Obyło się bez ofiar. Przyglądanie się opanowaniu i swobodzie Maliki było dla mnie bardzo pouczające. Nie miała potrzeby go upokarzać, więc bez wysiłku przerwała jego zakusy, nie narażając na szwank ani jego, ani swojej godności. Ja tylko stałam i gapiłam się, nadal z pianą na ustach.

Malika obróciła się w moją stronę, uśmiechnęła się i wyciągnęła dłonie, jakby chciała powiedzieć „Widzisz, jakie to proste". Tak jak pierwszego dnia, wzięła mnie za ręce.

– W moim kraju mówi się, że zawsze trzeba zachować trochę złości na później, że nie można całej zużyć od razu.

Musiałam się uśmiechnąć. Czytała we mnie jak w otwartej księdze, choć poznałyśmy się ledwie kilka tygodni wcześniej.

– Lepiej się już czujesz? – zapytała. – Masz dość sił, żeby pracować dalej?

– Tak, dziękuję – odparłam. – Już mi lepiej. Mam siłę, żeby pracować.

{ ROZDZIAŁ 17 }

WSTYD JEST SPRAWĄ OSOBISTĄ

Z biegiem czasu stworzyłam bardziej szczegółowy portret swojego wyimaginowanego męża, Michaela. Nabrałam też wprawy w rzucaniu uwag na jego temat, jakby od niechcenia. Kontuzja była już prawie wyleczona i zapowiedziałam, że wkrótce będę mogła go przyprowadzić, żeby osobiście podziękował wszystkim za modlitwy o szybki i całkowity powrót do zdrowia. Szczególnie ciekawił służące, które chciały zobaczyć, jak wygląda – interesowało je, kto mnie przytula, kiedy wracam do domu. Od czasu do czasu zakładałam jakąś biżuterię i kiedy komuś się spodobała, mówiłam, że to prezent od Michaela na ostatnie urodziny albo Boże Narodzenie przed trzema laty. Dziewczęta cmokały z aprobatą. Niekiedy zasypywały mnie podarunkami dla niego – zazwyczaj były to różne słodycze.

Mężczyzna, z którym w tym czasie umawiałam się na *quasi*-randki, pan Rumi, też był ciekaw, dla kogo pracuję.

Usłyszał ode mnie wiele opowieści o Saudyjczykach (z reguły podczas późnych rozmów przez telefon, kiedy czekałam w samochodzie w jakimś ciemnym, ponurym miejscu) i szczególnie zależało mu na tym, żeby poznać służące – zobaczyć, jak wyglądają i jak współpracujemy. Ja natomiast chciałam, żeby ktoś inny doświadczył fantasmagorycznego świata, który mnie usidlił. Wiedziałam jednak, że nie mogę go przedstawić służącym jako Michaela, nawet gdyby udawał, że kuleje po operacji – nie chciałam aż tak daleko posuwać się w oszustwie. Pewnego dnia pan Rumi pojechał za mną i służącymi do sklepu Wszystko za 99 centów i przyglądał się nam na parkingu i w trakcie zakupów. Nie zbliżał się do nas i choć wiedziałam, że tam jest, nie dałam tego po sobie poznać. Kiedy spotkaliśmy się później, powiedział, że to, co zobaczył, wzruszyło go niemal do łez. Stwierdził, że dziewczęta były zjawiskowo piękne, z czym się zgodziłam. Dodał też, że uderzyła go serdeczność w naszych kontaktach – chichotałyśmy razem, dotykałyśmy się, trzymałyśmy się jak najbliżej, jak bawiące się w grupie dzieci.

Dzięki temu zobaczył mnie w zupełnie nowym świetle. Parkingi przed tego typu sklepami często są pełne żebrających bezdomnych. Służące zawsze dawały im resztę, która została im z zakupów. Pewnego dnia jeden z mężczyzn zbliżył się, jakby chciał złapać Zuhur za nadgarstek. Podbiegłam i odepchnęłam go, nie pozwalając mu jej dotknąć, a następnie zaprowadziłam ją do samochodu. Byłam wobec służących bardzo opiekuńcza i broniłam ich z zaciekłością, która zdziwiła zarówno pana Rumiego, jak i mnie samą. Stwierdził, że w ich towarzystwie wyglądałam jak niebiańska matrona – zresztą sama czułam się jak anioł stróż. Nie mam młodszej siostry i nowa rola sprawiała mi dużą przyjemność. Uważam ją za jedną z największych zalet tego zlecenia.

Niewiele osób wiedziało, że pracuję jako szofer – tylko niektórzy krewni i kilkoro przyjaciół. Nie chciałam mówić o tym ojcu, poinformowałam go dopiero po fakcie. Rozczarowałby się, że marnuję kosztowne wykształcenie, tankując i czyszcząc limuzynę. Sama nie wiem, czemu trzymałam ten etap mojej kariery w tajemnicy. Nie wstydziłam się przecież samej szoferki – wyznaję zasadę, że żadna praca nie hańbi, o ile wykonuje się ją solidnie i starannie. Łudziłam się jednak, że im mniej będę o tym mówić, tym mniej realne, bardziej tymczasowe stanie się to zatrudnienie.

Podczas saudyjskiego zlecenia zdarzało się, że ktoś, kto o nim nie wiedział, dzwonił, żeby zaprosić mnie do kina albo na kolację. Rozmowa z reguły wyglądała następująco:

– Przepraszam, ale jestem teraz zbyt zajęta – mówiłam.

– Okej, to spotkajmy się wtedy, kiedy masz wolne.

– Nie mam wolnego. Musimy przełożyć spotkanie na za miesiąc.

– Nie masz ani dnia wolnego? Kogo ty wozisz?

– Saudyjską rodzinę królewską.

– Żartujesz!

– Nie żartuję.

– Czemu cię zatrudnili? Myślałam, że nie pozwalają kobietom prowadzić.

– Wożę tylko kobiety i nie mają z tym problemu. Chyba im to nawet odpowiada.

– Możemy chociaż umówić się na drinka po pracy? Dawno się nie widziałyśmy. Przyjadę do ciebie.

– Przykro mi, ale nie. Pracuję do późna. Zazwyczaj wracam i zasypiam z tostem w ręce.

– Musisz świetnie zarabiać. Płacą ci za nadgodziny, co?

– Nie, stawka jest taka sama, niezależnie od liczby godzin. Ale liczę na spory napiwek na koniec. Podobno Saudyjczycy są bardzo hojni, jeśli kogoś polubią.

– Musisz mi wszystko opowiedzieć. Umówmy się na poranną kawę. Może jutro? Albo w czwartek. Na pewno masz czas na kawę.

Postronnym trudno było zrozumieć, że ta praca wymaga pełnego zaangażowania. Rzadko miałam okazję z kimkolwiek się spotkać, a jeśli w ogóle, to szczęściarz musiał przyjść pod hotel z paczką z pralni w jednej i opakowaniem migdałów w drugiej ręce. Nikt z moich znajomych nie mógł pojąć, jak to jest być na każde skinienie pracodawcy przez całą dobę – było to niewyobrażalne nawet dla tych, którzy pracują w branży filmowej i nieobce są im poświęcenia, których wymagają długie godziny na planie. Wszyscy jesteśmy przyzwyczajeni do pewnej niezależności i swobody i tego właśnie oczekujemy. Praca dla Saudyjczyków narzucała coś zupełnie odwrotnego. Jakikolwiek odpoczynek zawsze był ukradkowy, odsapnąć można było tylko, jeśli nadarzyła się ku temu okazja. Nauczyłam się bardzo sprytnie zdobywać trochę czasu dla siebie.

Często woziłam kogoś, kto jadł z księżniczką kolację w którejś z ekskluzywnych restauracji w Beverly Hills. Procedura była zawsze taka sama. Ochrona dzwoniła do lokalu i rezerwowała osobne stoliki dla dwudziestu kilku osób. Księżniczka Zahira siadała z siostrami i przyjaciółkami przy stole dla VIP-ów, bodyguardowie przy drzwiach, szoferzy niedaleko kuchni, a jeśli Saudyjczycy zabrali ze sobą służące, to one zajmowały miejsca gdzieś pośrodku. Początkowo zakładano, że będę się posilała razem ze wszystkimi. Pod tym względem Saudyjczycy są bardzo gościnni – jeśli jedna osoba je, wszyscy jedzą, czy tego chcą, czy nie. Nalegali, żeby nikogo nie pomijać, jeśli akurat było się z nimi, kiedy ucztowali. Jeżeli załatwiało się wtedy dla nich jakąś sprawę, na przykład pilny zakup dwudziestu kart do telefonu albo sześciu kartonów papierosów Carlton, to nikt się nie przejmował, czy człowiek przez ostatnie dwadzieścia cztery godziny miał cokolwiek w ustach.

Mimo perspektywy smacznego posiłku nie lubiłam chodzić do eleganckich restauracji po całym dniu za kółkiem, w zmiętym ubraniu i ze skołtunionymi włosami. Kiedy nie było służących, musiałam siedzieć z innymi szoferami, czego nie cierpiałam. Byli ordynarni, niemili i wcale nie starali się traktować mnie życzliwie. Wcześniej często chadzałam do restauracji, więc bałam się, że teraz, kiedy szczęście się ode mnie odwróciło, wpadnę na kogoś znajomego albo kogoś, kogo zawsze chciałam poznać. Upokorzenie sprawiało, że nie byłam w stanie docenić doskonałego jedzenia.

Wstyd jest podstępnym, ale nieodłącznym elementem naszego życia i u każdego przejawia się inaczej. Prawie się o nim nie mówi. Zasłona milczenia sprawia, że wstyd jeszcze zyskuje na sile. Radżii było wstyd, że nie umie się posługiwać pieniędzmi jak każda normalna nastolatka, fryzjer wstydził się, że jeździ crown vikiem, bo uważał, że to umniejsza jego pozycję, a ja, że ktoś zobaczy, że jestem poniewieranym szoferem, a nie uznaną aktorką i reżyserem. Pewnie częściowo byłam też upokorzona tym, że w ogóle znalazłam się w takiej sytuacji. Kiedy nie siedziałam ze służbą, łatwiej mi było udawać, że nie należę do tej grupy. W każdym razie nie chciałam się z nią identyfikować. Wolałam być wolna, siedzieć przy własnym stoliku z moimi przyjaciółmi i sama płacić za swój obiad. Trudno też było mi się odprężyć i delektować trzydaniowym posiłkiem, kiedy wiedziałam, że będę musiała pracować jeszcze przez kilka godzin, o ile nie całą noc. Łatwiej było wypić kilka filiżanek espresso i zjeść batona energetycznego zamiast kolacji.

W końcu powiedziałam pracodawcom, że Michael (coraz chętniej wypowiadałam jego imię) nie chce, żebym siedziała z mężczyznami, z innymi kierowcami. Saudyjczycy doskonale to rozumieli i zostałam zwolniona z tego obowiązku. Odtąd jeśli Zahira nie miała przy sobie służących, a z reguły ich nie zabierała, mogłam czekać w samochodzie. Księżniczka zawsze coś dla mnie zamawiała i przysyłała kelnerów na parking. Często dostawałam nawet dodatkową porcję dla czekającego w domu, głodnego pewnie męża. Dostawałam jedne z najdroższych potraw na świecie, ale nie lubię jeść w samochodzie, więc zanim zasiadałam do późnej kolacji w domowym zaciszu, bez butów i w koszuli nocnej, wszystko było już zimne i rozmoknięte.

Praca była tak wymagająca, że nawet kiedy czekałam bezczynnie pod kinem na księżniczkę Radżiję albo na parkingu przy kasynie do samego rana, nie byłam w stanie się zrelaksować. W przeciwieństwie do wielu szoferów, którzy z łatwością i regularnie zasypiali w autach, ja nie dałam rady zasnąć w pracy, ani na chwilę zmrużyć oka. Nawet gdybym potrafiła i tak bałabym się to zrobić.

Zresztą prawie nigdy nie miałam spokoju. Moja komórka dzwoniła nieustannie – ktoś z personelu lub świty zawsze czegoś ode mnie chciał, nawet o drugiej w nocy. Cały czas martwiłam się, co będę musiała robić następnego dnia albo kogo gdzie mam zawieźć. Oczekiwano, że będę zawsze wszystko wiedzieć – zadawano mi pytania, na które od ręki byłby w stanie odpowiedzieć tylko bardzo doświadczony kierowca albo wróżka: Którą drogą konwój dziesięciu aut najszybciej dojedzie z zachodniego Los Angeles do Long Beach w godzinach szczytu? Czy Popcornopolis w kinie Universal CityWalk ma w ofercie jabłka w karmelu? Do której w niedziele czynne jest In-N-Out w Westwood? A to w zachodnim Los Angeles? Czy filia koło lotniska nie jest czynna całą dobę? Nie jadałam ich burgerów na tyle często, żeby znać na pamięć godziny pracy wszystkich restauracji. Sama się o to prosiłam, paradując z laptopem. Wolne chwile musiałam spędzać na sprawdzaniu w internecie informacji, które mogły okazać się niezbędne. Nigdy nie wiedziałam bowiem, jakie dostanę polecenie. Przyznanie się do niewiedzy byłoby jak oświadczenie: „Jestem niekompetentna", a tego chciałam za wszelką cenę uniknąć.

Zdaję sobie sprawę, że sama wywierałam na siebie dużą presję. Szczyciłam się swoim profesjonalizmem i dopiero teraz wiem, że zawsze chciałam błyszczeć. Możliwości porażki były jednak niezliczone, często nie dało się jej uniknąć, bo w tym równaniu było po prostu za dużo zmiennych. Nie miałam do kogo zwrócić się o pomoc z wyjątkiem Charlesa i Samiego, a im nie wolno było odbierać telefonu przy pasażerach, więc byli praktycznie nieosiągalni. Poprzednie zlecenia przyzwyczaiły mnie do dużo bardziej zespołowej pracy, wymiany informacji i wzajemnego wsparcia. Trudno było mi się przestawić. Musiałam sama się o siebie troszczyć.

Od czasu do czasu beształam się w duchu i powtarzałam sobie, że wożę po prostu bandę obrzydliwie bogatych ludzi, nic ponad to. Nie walczyłam o niczyje życie, nie była to działalność humanitarna, a to, czy w Anaheim jest Jamba Juice, naprawdę nie jest aż takie ważne. Praca dla saudyjskiej rodziny królewskiej i jej świty nie przyniesie mi Nagrody Nobla. Sztokholm miał to w nosie.

Czasami, w chwilach skrajnego zmęczenia, zastanawiałam się, co bym robiła, gdybym miała dość pieniędzy, żeby żyć, jak chcę. Jako mała dziewczynka, siedmio- czy ośmiolatka, często wyobrażałam sobie, jak umeblowałabym swój wymarzony dom. Przyznawałam sobie określoną sumę, powiedzmy pięć tysięcy dolarów, a potem przeglądałam wszystkie katalogi sklepów meblowych i ogłoszenia o wyprzedażach w niedzielnych gazetach. Wybierałam piękny orientalny dywan w jednym miejscu, miękki wypoczynek z kanapą w innym, a potem dobierałam do nich niską ławę, małe stoliczki, lampy, a jeśli zostało mi pieniędzy, to jeszcze meble do jadalni. Chyba nigdy nie udało mi się wyjść poza te dwa pokoje. Wycinałam zdjęcia i układałam wymarzone zestawy w cieszące oko aranżacje, tworząc kolażowe domki dla lalek. Nie wiem, gdzie się tego nauczyłam, i jestem prawie pewna, że trzymałam wszystko w tajemnicy. Wcale nie chciałam zostać projektantką wnętrz. Nie interesowała mnie estetyka – po prostu chciałam mieć własny dom z wybranym przeze mnie wyposażeniem.

Pierwszy raz od ponad trzydziestu lat znów zaczęłam w ten sposób fantazjować, kiedy tylko miałam chwilę wytchnienia, czekając na Saudyjczyków na restauracyjnym parkingu w towarzystwie doskonałych stygnących żeberek, tłuczonych ziemniaków i zielonej fasolki w plastikowym pojemniku na siedzeniu obok. Ulepszyłam rozrywkę z dzieciństwa, rozszerzając ją na ubrania, wizyty w spa i aspiracje zawodowe. Wyobrażałam sobie, że właśnie wygrałam dwadzieścia milionów dolarów na loterii i odrzuciłam coroczne raty na rzecz podjęcia od razu całej sumy. Obliczyłam, że po zapłaceniu podatków zostanie mi około ośmiu milionów. Miałam już starannie przemyślaną listę osób, które chciałam obdarować gotówką – była na niej większość mojej rodziny (ale nie cała) i kilka uznanych organizacji charytatywnych. Resztę, mniej więcej cztery miliony, postanowiłam przepuścić. Powinno starczyć na długo.

Marzyłam o comiesięcznych zabiegach oczyszczających i nawilżających oraz redukujących zmarszczki peelingach. Na bardziej inwazyjne interwencje zdecydowałam poczekać do sześćdziesiątki, kiedy medycyna estetyczna będzie pewnie lepiej rozwinięta. Poświęciłabym rok na naukę gry na fortepianie, całkowicie oddając się ćwiczeniom i doskonaleniu techniki. Regularnie dawałabym zaskoczonym barmanom i pracownikom stacji benzynowych studolarowe napiwki i uśmiechałabym się życzliwie, patrząc, jak bełkotliwie mi dziękują. Wyrzuciłabym wszystkie swoje buty z wyjątkiem tych ulubionych i kupiłabym armię nowych supereleganckich szpilek. Nabyłabym również kilka zestawów żakardowej pościeli Pratesi z egipskiej bawełny i nowe wielkie łóżko. Napisałabym scenariusz do filmu krótkometrażowego, a potem zostałabym jego producentem. Oscar, którego bym za niego dostała, byłby początkiem wspaniałej kariery producenckiej. Grałabym epizodyczne, ale bardzo wymagające i ekspresyjne role we wszystkich swoich filmach. Zainwestowałabym w nieruchomości, kupując trzypiętowy apartamentowiec przy plaży wyposażony w ogrzewany basen z jonizowaną wodą oraz balkony, na których można sączyć dżin z tonikiem. Co wieczór pływałabym nago w basenie, czasem w towarzystwie przystojnego mężczyzny. Powierzyłabym około pół miliona dolarów swojemu bratu o talencie króla Midasa z prośbą, żeby zainwestował je w coś bezpiecznego, tak żebym mogła żyć z odsetek. Dostałby za to pięć procent zysków, no może dziesięć, jeśli naprawdę by się postarał. W ramach wspierania pomysłów brata finansisty, który twierdzi, że dobry biznes tworzy lepszy świat, dałabym mu kolejne pół miliona na założenie jakiegoś społecznie odpowiedzialnego start-upa, na którym wszyscy by skorzystali. Co rok jeździłabym do Prowansji, czasem zabierając ze sobą mamę i siostry. Zaopatrywałabym się tam w torebki z lawendą do szaf i szuflad. Spłaciłabym wszystkie długi (z wyjątkiem dwudziestu tysięcy dolarów, których jeden z moich eks domaga się, twierdząc, że tyle na mnie wydał – moim zdaniem za czas spędzony z nim należy mi się co najmniej dwa razy więcej i jestem gotowa anulować wszelkie zobowiązania). Wybrałabym się na Antarktydę. Czemu? Sama nie wiem. Pociąga mnie po prostu perspektywa samotnej podróży przez białe pustkowie, z gwiżdżącym w uszach wiatrem, za to bez fryzjera, który wrzeszczy: „GDZIEŚ TY JEST? CZEMU MUSZĘ CHODZIĆ? CZEMU MUSZĘ SAM CHODZIĆ?".

Właściwie to wcale nie potrzebowałam aż czterech milionów. Suma, którą jedna księżniczka przepuszczała przez dwa dni w sklepach w Los Angeles, mogłaby pod wieloma względami zmienić moje życie na lepsze.

{ ROZDZIAŁ 18 }

„TAK, JANNI. ROZUMIEMY, JANNI"

Pewnego wieczoru czułam się jeszcze bardziej zmęczona niż zwykle – nie wyspałam się i byłam skrajnie wyczerpana. Pięć tygodni, trzydzieści pięć dni nieustannej pracy i na dodatek dziesięć godzin spędzone w samochodzie z małą księżniczką dawały mi się we znaki. Podobnie jak Zahira i Amina, Radżija też lubiła spacerować z przyjaciółkami tam i z powrotem po Rodeo Drive, ale za nią musiałam jechać z radiem włączonym na cały regulator, żeby dziewczyny mogły tańczyć i śpiewać przy akompaniamencie ich ulubionego Kiss FM.

– Pogłośnij, Janni – wołała Radżija z chodnika. – „*It's like I've waited my whole life (...) Double your pleasure, double your fun*". – Janni, proszę, zrób głośniej! Uwielbiam tę piosenkę! „*It's like I've waited my whole life*".

Widok był bardzo osobliwy – dziesięć saudyjskich nastolatek ubranych w warte grube tysiące dolarów skąpe ciuszki od Free City, Marca Jacobsa i Gucciego poruszało się skocznie po Rodeo Drive, a kilka kroków za nimi, ale nigdy nie za daleko, sunęły zakutane w hidżaby nianie w towarzystwie kilku uzbrojonych kobiet z ochrony z krótkofalówkami i komórkami w gotowości. Za tym pochodem jechał czarny kabriolet z opuszczonymi szybami i dachem, z którego ryczały popowe kawałki. Dodatkowe dziewięć czarnych SUV-ów i sedanów okrążało powoli okolicę niczym groźne ciemne chmury.

Od czasu do czasu Radżija albo któraś z jej koleżanek podbiegały tanecznym krokiem do jezdni, żeby mnie przepytać.

– Janni, znasz Paris Hilton? Wiesz, gdzie mieszka? Możemy jechać do niej do domu? Znasz Davida Beckhama? Pharrella? Kanye Westa? Znasz jakichś sławnych ludzi, Janni?

Niezadowolone z moich odpowiedzi krzywiły się i odchodziły. Wiedziałam, gdzie mieszka Paris, ale nie miałam zamiaru im o tym mówić.

W drodze powrotnej do hotelu Radżija bombardowała mnie pytaniami i śpiewała nieustannie te same piosenki, wtórując włączonemu na cały regulator radiu. Miałam wrażenie, że kilometrowa trasa nigdy się nie skończy.

– „*Cuz we only got one night. Double your pleasure, double your fun* (...)”. Janni, czy Juicy Couture w Century City jest lepsze niż to na Rodeo Drive? Czemu nazywa się Juicy Couture? Byłaś w Paryżu? Nasz dom w Paryżu jest obok Ogrodów Tuileries. Kiedy jesteśmy w Paryżu, codziennie chodzimy tam na spacery. Są piękne. Byłaś w Tuileries? Jeździsz do Aspen? Mamy dużo domów w Aspen, jeździmy tam całą rodziną. Na narty jeździmy też do Szwajcarii. Jeździsz na nartach? W Rijadzie mam trzy auta i własnego szofera, a mój brat Momo ma dwadzieścia pięć aut, i lamborghini, i ferrari, i maserati. Podoba mi się maserati. A tobie podoba się maserati? Brat mówi, że kiedyś wszystkie auta będą elektryczne. Myślisz, że to prawda? Obiecałaś, że zabierzesz nas do salonu Tesli, jak będzie otwarte. Chcę zobaczyć te wszystkie sportowe samochody, o których mówiłaś. Poproszę ojca, żeby mi taki kupił, i będę jedyną osobą w Rijadzie z autem Tesla. *„It's like I've waited my whole life, for this one night. It's gonna be me, you and the dance floor* (...)”.

Dziesięć godzin to naprawdę bardzo długo, jeśli spędza się czas z księżniczką Radżiją. Nie mogłam się powstrzymać od myśli, że jeśli w przyszłości wszystkie auta rzeczywiście będą elektryczne, to jej rodzina znajdzie się w głębokim szambie. Skręcając w prywatny wjazd na tyłach hotelu, jechałam za szybko – o wiele za szybko – i o mało nie uderzyłam w mercedesa księżniczki Zahiry, który właśnie opuszczał parking. O mały włos nie doszło do czołowego zderzenia. Jej szofer zmierzył mnie groźnym wzrokiem, z jego ust wyczytałam wściekłe: „Co ty, do cholery, wyprawiasz?”. Miał wielki łeb, którym potrząsał w moim kierunku – wydawało mi się, że zaraz rozbije przednią szybę. Widziałam, że zbielałymi palcami ściska kurczowo kierownicę. Podniosłam ręce do góry, jakbym chciała powiedzieć: „Przepraszam, nie zauważyłam cię”. Siedzący obok niego ochroniarz gapił się na mnie z przerażeniem w oczach. Odjechali. Samochód z obstawą podążył za nimi, migając światłami, jakby uciekał przed niebezpieczeństwem. Koniec ze mną – myślałam. – Na pewno mnie wyleją.

Wysadziłam Radżiję i Malikę przed wejściem do hotelu, a potem zaczęłam tak się trząść, że miałam trudności z zaparkowaniem. Pobiegłam do łazienki w holu i próbowałam się uspokoić. Czułam się tak, jakby ktoś zadał mi cios w żołądek i nie mogłam złapać oddechu. Posterunek ochrony szybko dowiedział się o całym zajściu. Odebrałam komórkę i ktoś zaczął wrzeszczeć: „OBUDŹ SIĘ, PSIAKREW!". Jak mam się obudzić, skoro ledwo trzymam się na nogach? – myślałam. Nikt nie wspomniał, że wylatuję. Okej, nie wywalili mnie. Nie wywalili mnie – powtarzałam w duchu.

Schowałam się w kącie i wybuchnęłam płaczem. Czułam się jak wyczerpana pięciolatka, która od wieków nie spała. Za każdym razem, kiedy myślałam, że już udało mi się uspokoić, łzy zaczynały płynąć ze zdwojoną siłą. Przynajmniej pięciokrotnie wychodziłam z łazienki i znów do niej wracałam. Ciągle wydmuchiwany nos zrobił mi się czerwony i obolały. Nie mogłam jechać do domu, a nie chciałam, żeby ktokolwiek zobaczył mnie w takim stanie. Już raz zostałam przyłapana na płakaniu – było to na początku zlecenia, kiedy Fausto mi nawymyślał i straciłam funkcję koordynatora. Teraz wsiadłam do znajdującej się na tyłach holu windy i pojechałam do pokoju służących. Wiedziały, że jestem jedyną kobietą wśród kierowców, więc zawsze przyjmowały mnie bardzo serdecznie. Nigdy nie zamykały drzwi na klucz – z reguły zostawiały je uchylone, bo musiały nieustannie biegać po kilku zajmowanych przez rodzinę piętrach. Poza tym nie było takiej potrzeby – wszędzie kręcili się ochroniarze, a w korytarzach były kamery. Pchnęłam lekko drzwi. Zasłony w pokoju były zasunięte i panowały w nim zupełne ciemności. Było ciepło i duszno. Usłyszałam ciche pochrapywanie.

Kiedy po kilku minutach moje oczy przywykły do braku światła, zauważyłam, że trzy służące śpią na jedynym wielkim łóżku, a cztery kolejne na małych materacach pod ścianami. Wcześniej nigdy nie widziałam tych leżanek – pewnie przez większość czasu trzymały je w szafie. Sądziłam, że dziewczyny mieszkają po dwie w pokoju, ale teraz zdałam sobie sprawę, że cała siódemka gniecie się w jednym.

Wiedziałam, że rodzina królewska opłaca osobny pokój dla serwisu herbacianego, a tymczasem służące gniotły się jak śledzie w beczce. Nawet jeśli za sobą przepadały, to i tak musiało im być trudno.

Korzystając z tego, że księżniczka wyszła na zakupy, ucięły sobie drzemkę, a ja je obudziłam. Majsam poderwała się, żeby się mną zająć.

– Nie płacz, nie płacz, nie płacz. Okej, Janni?

– Majsam, jestem taka zmęczona – wyszlochałam. Łkałam tak rzewnie, że słowa z trudem przechodziły mi przez gardło.

Nigdy nie zapomnę twarzy Majsam, kiedy osuszała mi łzy chusteczką, jakbym była jej dzieckiem. Malowało się na niej rozczarowanie, ale i troska. Objęła mnie i położyła mi głowę na ramieniu.

– Tak, Janni. Rozumiemy, Janni. Rozumiemy.

Natychmiast przestałam płakać. Rzeczywiście rozumiały. Wszystkie służące już się obudziły i owinięte pościelą przyglądały się nam zdezorientowanym, zaspanym wzrokiem. Popatrzyłam na obserwujące mnie młode dziewczyny i zdałam sobie sprawę, że one naprawdę wiedzą, co czuję – zmęczenie, samotność i poniewierka nie były im obce. Nagle oślepiło mnie bezlitosne światło, które szybko i brutalnie wyrwało mnie z otępienia. Ogarnął mnie wstyd. One nigdy nie były paniami swojego czasu, a i tak zawsze próbowały cieszyć się życiem. Mało tego – jeszcze mnie podnosiły na duchu, choć kilka błahych problemów, którym musiałam sprostać, to było nic w porównaniu z latami niekończącej się harówki, które przypadły im w udziale. One żyły w ten sposób codziennie – tak wyglądały ich tygodnie, miesiące, lata, może nawet całe życie.

Kiedy księżniczka wychodzi, żeby kupić bieliznę La Perla za pięć tysięcy dolarów, jej małe służące ucinają sobie krótką drzemkę.

{ ROZDZIAŁ 19 }

SUPERSZOFER RATUJE NOSEK

Mała księżniczka Radżija znów imprezowała z przyjaciółkami. Było wpół do trzeciej nad ranem, a one nadal woziły się po Hollywood, próbując zwrócić na siebie uwagę. Pinkberry przy Hollywood Boulevard w końcu zostało zamknięte, ale nie było mowy, żeby nastolatki zgodziły się wracać do hotelu. Były za młode na prawdziwe kluby nocne, a rodzice kategorycznie zabraniali im clubbingu, więc jeździły tylko tam i z powrotem wzdłuż Sunset Strip. Ekscytowało je to.

Tak samo spędzały codziennie popołudnia w centrach handlowych – spacerowały wte i wewte, czasem cztery czy pięć godzin. Najbardziej lubiły Grove przy Fairfax Avenue i Century City, ponieważ obie galerie miały sklepy przy zewnętrznych dziedzińcach i bardzo ekskluzywne butiki. Oczywiście Saudyjki robiły olbrzymie zakupy, ale przez większość czasu krążyły tylko po centrach handlowych, w kółko i nieustannie, żeby wmieszać się w tłum i uczestniczyć w zbiorowym doświadczeniu. Dzięki temu miały okazję obserwować i być obserwowane. Malika przypomniała mi, że w Królestwie Radżija nie może cieszyć się taką swobodą, więc po powrocie do domu „to wszystko będzie dla niej tylko pięknym wspomnieniem, więc musimy pozwolić jej używać życia, dać jej trochę wolności w prezencie".

Amerykańskie nastolatki zachowują się tak samo, kiedy nie mają jeszcze prawa jazdy, a nie chcą siedzieć z rodzicami w domu. Sama jako dziecko spędzałam czas, włócząc się z kolegami. Często łaziliśmy nieustannie powiększającym się stadem po okolicznych podwórkach. To było normalne. Nikt nie bał się, że narazimy na szwank swoją reputację – wszyscy wiedzieli, że byliśmy tylko paczką przyjaciół. Od czasu do czasu zdarzały się romanse i zauroczenia, ale wszystko było raczej niewinne, przynajmniej w okresie przedlicealnym.

W Arabii Saudyjskiej po ukończeniu szóstego czy siódmego roku życia dziewczynki i chłopcy nie przebywają razem, chyba że są bliskimi krewnymi – wszelkie inne kontakty są zabronione. Radżija i jej towarzyszki nie odzywały się do nikogo nawet tutaj – rozmawiały wyłącznie między sobą i z pilnującymi ich nianiami, od których zawsze dzieliły je nie więcej niż dwa metry. Pogawędka z chłopcami w ogóle nie wchodziła w rachubę – opiekunki i ochroniarze natychmiast interweniowali, jeśli jakiś przedstawiciel płci męskiej próbował się do nich zbliżyć. Młodym Saudyjkom wolno było chodzić do kina, ale tylko na niektóre filmy (najczęściej takie dla wszystkich grup wiekowych, sporadycznie też na te ze znaczkiem „powyżej 13 lat pod opieką rodziców"). Wybór był ograniczony, więc czasem oglądały to samo cztery czy pięć razy. Siedzenie na kilku seansach *Cziłały z Beverly Hills* uważam za piekielną mordęgę, ale nastolatki nie miały nic przeciwko temu. Dla nich samo doświadczenie przebywania w kinie, zwłaszcza w takim, do którego wpuszczano też chłopców, było niezwykle ekscytujące.

Czasem jednak wszystkie wychodziły w trakcie filmu, jeśli pokazano coś choćby lekko nieprzyzwoitego. Z reguły to same księżniczki, nie ich nianie, podejmowały decyzję o opuszczeniu sali. Mimo że miały wokół siebie wianuszek ochroniarzy i służących, cieszyły się pewną autonomią. Raz zapytałam Radżiję, dlaczego wyszły z seansu.

– A, nie podobało nam się. Było nudno.

Często odpowiadały w ten sposób, kiedy coś je zawstydzało. Potem dowiedziałam się, że w filmie była scena pocałunku, którą dziewczyny uznały za żenującą, więc opuściły salę.

Kiedyś, około północy, zażyczyły sobie, żeby je zawieźć do nowej modnej knajpy przy Hollywood Boulevard, której właścicielami było kilku celebrytów. Chociaż była to restauracja, po dwudziestej drugiej wypełniali ją ludzie, którzy zjedli coś wcześniej w tańszych lokalach. Jak tylko przywieźliśmy tam Saudyjki, wiedzieliśmy, że będą kłopoty. W kolejce przed wejściem między jedwabnymi taśmami stał tłum flirtujących młodych macho i aspirujących gwiazdek. Wszyscy byli modni – pępki na wierzchu, masywna muskulatura i seksowne tatuaże. Ich hałaśliwe zachowanie wskazywało na to, że po drodze zaliczyli kilka barów. Ochrona zrobiła dla nastolatek rezerwację na kolację, więc natychmiast zabrano je na początek kolejki i wprowadzono do środka. W ślad za nimi podążyły nianie, większość w tradycyjnych szatach, z hidżabem i długim szalem. Pięć minut później młode Saudyjki były już z powrotem, wyraźnie zdenerwowane. Radżija powiedziała, że jedzenie było „nudne", ale ja wiedziałam, że po prostu czuły się nie na miejscu wśród hollywoodzkich imprezowiczów i nie chciały być tak blisko przyglądających im się z zainteresowaniem mężczyzn.

Nastolatki nie paliły po kryjomu, nie flirtowały z przystojnym sprzedawcą w butiku Abercrombie & Fitch ani nie próbowały wchodzić na filmy dla dorosłych. Mimo to chciały zrobić coś, cokolwiek, co uczyniłoby ich życie bardziej podniecającym. Zawsze jednak w ostatniej chwili rezygnowały. Zauważyłam, że frustracje wyładowują na służących i nianiach – wydawało się, że za wszelką cenę chcą zwrócić na siebie uwagę. Opryskliwe zachowanie, nawet wobec osób, które w niczym nie zawiniły, stanowiło jedyne ujście dla ich negatywnych emocji. Wiedziałam, że nie czują się z tym dobrze, bo były naprawdę blisko związane z opiekunkami, które często zajmowały się nimi od urodzenia.

Tej nocy, tak jak podczas wszystkich wieczornych wypadów z nastolatkami, nie miałam w samochodzie ochroniarza. Jak zwykle jechałam kabrioletem na samym końcu, wioząc tylko Malikę. Radżija z koleżankami zapakowały się do jednego SUV-a, za którym jechało jeszcze pięć innych z kobietami z ochrony i opiekunkami. Z reguły zamykałam peleton, bo silnik mojego samochodu miał tylko cztery cylindry. Kabriolet miał niezły zryw, ale nie za dużo mocy, więc musiałam się przyzwyczaić do jazdy na tyłach potężnych ośmiocylindrowców.

Radżii nigdy nie przydzielano specjalnego ochroniarza, być może dlatego, że jej rodzice mieli bardziej zachodnie zwyczaje i nie lubili niepotrzebnie zwracać na siebie uwagi. Najlepsze hollywoodzkie hotele i restauracje pękają od gwiazd i ich bodyguardów, ale wielu najsłynniejszych aktorów nie otacza się ochroną, bo ona tylko przyciąga ciekawskich. Ojciec i matka Radżii pewnie zdawali sobie sprawę, że nikt nie jest w stanie ustrzec ich córki lepiej niż Malika, która była odważna i czujna.

Tylko dwie z pozostałych dziewcząt miały własną obstawę, ale dla grupy energicznych młodych Saudyjek wystarczały dwie pracujące tej nocy kobiety. Jedna z nich była wcześniej szeryfem hrabstwa Los Angeles i na pewno wyważyła w życiu niejedne drzwi. Mimo to była zaskakująco kobieca i bardzo zadbana – miała francuski manikiur i idealnie proste miedziane włosy upięte w misterny kok. W kieszeni kurtki nosiła kolta, drugi pistolet przyczepiała przy kostce i zawsze miała ze sobą trzy telefony. Zdawało się, że zna w tym mieście wszystkich – każdego portiera, kierownika sali restauracyjnej czy policjanta. Jeśli nawet sama kogoś nie znała, to znała kogoś, kto go znał. Druga kobieta miała za sobą karierę w piechocie morskiej i wyglądała jak czempion mieszanych sztuk walki. Nosiła obcisłe podkoszulki, które uwydatniały jej muskularną sylwetkę – a pod względem bicepsów nie mógł jej dorównać żaden napompowany sterydami osiłek z zachodniego Hollywood. Nie wiem, kiedy znajdowała czas na ćwiczenia, skoro ochrona pracowała tyle samo co szoferzy, z reguły szesnaście czy osiemnaście godzin na dobę. W każdym razie była w świetnej formie i przypuszczałam, że mogłaby bez najmniejszego wysiłku rozbić cegłę gołymi rękami. Obie kobiety były atrakcyjne i seksowne mimo – a może właśnie z powodu cechującej je męskiej krzepy. Pracowałam z nimi po raz pierwszy i spędzałyśmy razem dużo czasu, bo oprócz nich Saudyjczycy nie zatrudnili żadnych innych Amerykanek.

Jadące przede mną SUV-y niespodziewanie skręciły na parking za Chin Chin przy Sunset Strip. Saudyjki wysiadły szybko i ruszyły w stronę kabrioletu, który zaparkowałam za SUV-ami. Malika wyszła z auta, żeby zobaczyć, co się stało. Jak tylko znalazła się na zewnątrz, kilka nastolatek wskoczyło na tylne siedzenie, natomiast Radżija razem z przyjaciółką usiadły z przodu.

– Ruszaj – poleciła mi jedna z koleżanek Radżii, też księżniczka, ale trochę starsza i najbardziej władcza ze wszystkich. Udawałam, że jej nie słyszę.

– Ruszaj! – powtórzyła i potrząsnęła w moją stronę włosami.

Miała długą, starannie ufryzowaną czuprynę, której używała przy wydawaniu komend. Uroda księżniczki była niesamowita – dziewczyna zdawała sobie z tego sprawę i umiała to wykorzystywać do własnych celów. Piękno czyniło ją potężną. Ubierała się bardzo odważnie – paradowała w krótkich spódniczkach, bluzkach bez pleców i sandałkach na wysokim obcasie, jakby właśnie wybierała się na imprezę w Playboy Mansion. Pozostałe nastolatki, w tym Radżija, też nosiły się po hollywoodzku – najczęściej miały na sobie T-shirty za dwieście dolarów z Free City i obcisłe dżinsy True Religion, ale i tak wyglądały dużo skromniej niż rozneglizowana, apodyktyczna księżniczka. Dziwiło mnie, że dziewczętom, którym narzucano tyle ograniczeń, pozwalano ubierać się jak dwudziestokilkuletnim imprezowiczkom szukającym przygody na jedną noc.

– Słucham? – odezwałam się w końcu. – Chcesz, żebym jechała z wami wszystkimi?

– Natychmiast! – rzuciła nastoletnia miss i lekceważąco machnęła ręką, pokazując mi, że mam ruszać.

Co za wredny dzieciak – pomyślałam i postanowiłam ją zignorować.

– Radżijo – powiedziałam – przykro mi, ale nie mogę zabrać wszystkich. W aucie nie ma tyle pasów.

– Ale my chcemy jechać kabrioletem. Często tak robimy – wtrąciła którać z Saudyjek.

– Tak, bardzo często – zawtórowała jej kolejna.

– Chcemy jechać natychmiast! – dorzuciła jeszcze inna.

Na pewno gdybym lepiej je poznała i spędziła z każdą trochę czasu na osobności, okazałoby się, że są wyjątkowe, ciekawe i mają bogate osobowości – tak było w przypadku Radżii. W dużej grupie zlały się jednak w jedną masę – masę rozpuszczonych bachorów.

– Nie wiem, co na to wasze mamy – powiedziałam – ale mama Radżii na pewno by na to nie pozwoliła.

To je na chwilę uciszyło.

Matka Radżii, księżniczka Amina, wywarła na mnie silne wrażenie. W dniu, w którym pierwszy raz miałam wozić jej córkę, wyszła z restauracji w trakcie rodzinnego lunchu, żeby spotkać kobietę, która będzie szoferem jej pociechy.

– A – zaczęła. Tak jak Malika wzięła w ręce moje dłonie i długo mi się przypatrywała. – Tak się cieszę, że mogę cię poznać. Dziękuję ci, że będziesz wozić moją małą Radżiję. Widzę po twoich oczach, że świetnie się nią zaopiekujesz. Błagam cię, pilnuj jej dobrze. Będę ci bardzo wdzięczna. To moja jedyna córka i bardzo ją kocham.

– Tak, oczywiście, proszę pani, tak zrobię – wydukałam, niczym średniowieczny rycerz składający przysięgę wysoko postawionemu seniorowi.

Ujęło mnie to, że sprawdziła, kto będzie kierowcą jej córki i czy można mu zaufać. Takie podejście nie było powszechne wśród rodziców, z którymi wcześniej się zetknęłam. Przez pierwszych kilka miesięcy jako szofer często woziłam dzieci z bogatych kalifornijskich rodzin. Często korzystały one z usługi transport i opieka, co w praktyce oznaczało, że kursowałam z dzieciakami rozwodników między willą mamusi w dzielnicy Pacific Palisades a rezydencją tatusia w Hollywood Hills. Żadne z rodziców nie wychodziło przed dom, żeby mnie poznać albo pożegnać się z pociechami. Nie fatygowali się nawet na próg, żeby im pomachać – moja mama nadal robi to za każdym razem, kiedy od niej wyjeżdżam. W samochodzie dzieci z reguły zachowywały się bardzo cicho, nie rozmawiały nawet między sobą. Robiło mi się wtedy bardzo smutno.

Powabna księżniczka wyskoczyła z kabrioletu.

– Musimy jechać wszystkie. Natychmiast! Chcemy jechać razem – oznajmiła, po czym pobiegła do jednej z ochroniarek.

Pozostałe Saudyjki zaczęły trajkotać po arabsku. Nie miałam pojęcia, o czym mówią. Słyszałam za to, jak ich prowodyrka skarży się na mnie Rudzielcowi i Siłaczce. Zorientowałam się, że ruda bodyguard pracuje dla rodziny nieposłusznej księżniczki, bo nastolatka odgrażała się jej, że zadzwoni do ojca. Próbowała wbrew zasadom postawić na swoim, a język ciała pozostałych małolat wskazywał, że są po jej stronie. Duetowi szykownych ochroniarek wyraźnie nie w smak były te nagabywania, a przeraźliwy hałas, który robiły nastolatki, sprawił, że wszystkie się krzywiłyśmy.

Spojrzałam na Malikę, która uważnie przyglądała się scysji, i widziałam, że nie może zrobić nic, żeby odeprzeć atak. Zazwyczaj interweniowała w podobnych sytuacjach. Jej bezsilność nie wróżyła niczego dobrego – buńczuczna księżniczka musiała pochodzić z bardzo ważnej rodziny. Widziałam należącą do nich posiadłość w Beverly Park, którą odwiedzali kilka razy w roku. Miała co najmniej dwadzieścia arów, dwa baseny i domek dla gości przypominający średni pensjonat. Rezydencja była w stylu pseudorenesansowym i wyglądała koszmarnie.

Pozostali kierowcy opierali się o auta i śledzili akcję – mieli spuszczone głowy i szeroko otwarte oczy. Widziałam, że są zdumieni całym zajściem. Zaczęli się wiercić i szeptać coś między sobą. Następnie odeszli kilka kroków, żeby uniknąć ewentualnej fali uderzeniowej. Nie znałam nikogo spośród nich – pracowali na stałe dla Saudyjczyków, którzy mieli w Los Angeles domy albo wynajmowali wille w Bel Air czy Beverly Park. Większość z nich przywiązywała dużą wagę do wyglądu i nosiła modne ubrania z Melrose Avenue. Dwaj czy trzej szoferzy, mimo aroganckiego zachowania, byli bardzo atrakcyjni – mieli w sobie jakiś posępny urok. Wielu pochodziło z Rumunii albo Europy Wschodniej i dawało mi do zrozumienia, że jestem dla nich tylko obiektem seksualnym – i to nieszczególnie podniecającym. Chociaż przez wiele tygodni jeździliśmy jeden za drugim jak w karawanie, nigdy się z żadnym nie zaprzyjaźniłam. Prawdę mówiąc, w ciągu wielogodzinnej wspólnej pracy rzadko się do mnie odzywali, a jeśli już, to zawsze ordynarnie. Może postrzegali mnie jako zagrożenie, bo wykonywałam typowo męskie zajęcie? Kusiło mnie, żeby im powiedzieć:

– Hej, dupku, wcale nie chcę twojej pieprzonej roboty. Nie mogę się doczekać, kiedy to cholerne zlecenie się skończy, więc nie musisz być taki wredny.

Wszystkie nastolatki z wyjątkiem Radżii wysiadły już z samochodu i atakowały Rudzielca i Siłaczkę. Otoczyły je i gorliwie gardłowały w swojej sprawie. Od czasu do czasu któraś z nich fukała coś w moim kierunku. Obróciłam się w stronę Radżii i powiedziałam:

– Przykro mi, ale po prostu nie mogę zabrać was wszystkich do auta. To niezgodne z prawem i bardzo niebezpieczne. Mamy za mało pasów.

– Ale ja im powiedziałam, że mogą z nami jechać – wyszeptała Radżija, wbijając wzrok w dłonie, które trzymała na podołku. Ściskała je tak mocno, że aż zbielały jej knykcie. – Już im powiedziałam, że mogą jechać z nami kabrioletem.

Więc o to chodziło – miała modny samochód i chciała się popisać. Radżija nieustannie zerkała w stronę gnębiących ochroniarki koleżanek. Była czerwona na twarzy i widziałam, że z trudem tłumi płacz. Zrozumiałam, że chce po prostu zaimponować przyjaciółkom i zdobyć wśród nich pewną pozycję.

– Już im powiedziałam, że mogą – powtórzyła szeptem.

– Dobrze, Radżijo. Zabiorę trzy, a potem wrócę po resztę, okej? Ty możesz jechać dwa razy, bo to twój samochód.

Spojrzała na mnie ponuro.

– Ale my musimy jechać wszystkie razem. Chcemy być razem. Powiedziałam im, że możemy. – Wyglądała na bardzo smutną. Tym razem nie rozkazywała, tylko prosiła.

Po długiej i hałaśliwej pyskówce i kilku uronionych łzach Rudzielec podszedł do mnie i powiedział cicho:

– Przejedź kilka razy po Sunset Strip. Jedź powoli. Nie martw się, nie będziesz miała z tego powodu żadnych nieprzyjemności.

Nie odpowiedziałam. Wszystkie nastolatki wskoczyły z powrotem do kabrioletu. Siłaczka zbliżyła się i dodała:

– Tylko żeby się zamknęły. Wracaj szybko i nie będzie problemu.

Obie kobiety odeszły kilka metrów dalej i stanęły obok siebie z rękami na biodrach. Kiwały głowami, jakby wszystko było w najlepszym porządku.

Kiedy miałam naście lat, mama przestrzegała mnie przed jazdą na motorze z chłopakiem. Mówiła:

– Zabić się to jedno, kochanie, ale pomyśl, co będzie, jak stracisz rękę... albo swój śliczny nosek... albo zostaniesz strasznie oszpecona. To by dopiero była tragedia.

Po tej rozmowie już nigdy nie wsiadłam na motor.

Wyszłam z samochodu, podeszłam do Rudzielca i Siłaczki i powiedziałam:

– Serio? Właśnie zamknęli bary i kluby. Macie pewność, że jakiś pijany idiota w nas nie uderzy, a wszystkie lalunie, bez pasów, nie wylecą z kabrioletu? Któraś pewnie straci głowę albo nos czy rękę. Wtedy będzie fajnie. Ich tatusiom na pewno się to spodoba. Skąd wiecie, że do tego nie dojdzie?

Obie westchnęły głośno, jakbym robiła z igły widły i celowo utrudniała im życie. Wiedziałam, że to teatrzyk dla Saudyjek. One grały dobrych gliniarzy, ja – złego, ale to one miały broń. Księżniczka prowodyrka znów się wtrąciła:

– Nie każ nam dłużej czekać!

Coś we mnie pękło. O mało nie wymierzyłam jej policzka, a nie pamiętam, żebym kiedykolwiek chciała kogoś uderzyć. Nigdy. No może z wyjątkiem kolegi mojego brata, który przycisnął mnie do ściany w windzie hotelu Plaza, w której byliśmy sami, i próbował mnie pocałować. Trzasnęłam go mocno, ale nie wycelowałam dobrze i trafiłam w nos, a nie w policzek. Cios uaktywnił jego kanaliki łzowe. Kiedy winda się otwarła, mój brat zobaczył czerwoną i zdyszaną siostrę i płaczącego kumpla.

– Co wam się do cholery stało? – zapytał.

Przyglądałam się nastolatkom w milczeniu. Nie zamierzałam pozwolić rozpieszczonemu bachorowi mówić mi, co mam robić. Miałam już dość. Tygodnie przyglądania się, jak te głupie gąski przepuszczają setki tysięcy dolarów na buty i swetry, zaczynały dawać mi się we znaki. Wiedziałam, co należy zrobić. Czas na odrobinę filotimii. Otwarłam drzwi od strony pasażera i powiedziałam:

– Wysiadać, wszystkie.

Żadna się nie ruszyła.

– Musisz nas zawieźć! – wrzasnęła rozwydrzona księżniczka.

– Musisz. Musisz. My zawsze tak jeździmy! – zawtórowały jej pozostałe.

Nadal żadna ani drgnęła. Puściłam drzwi i schowałam kluczyki do kieszeni.

– Wynocha – powiedziałam spokojnie. – I módlcie się, żebym nie powiedziała waszym rodzicom, do czego tu dziś nieomal doszło.

Głos obniżył mi się o całą oktawę. Tylko w ten sposób mogłam w ogóle coś z siebie wydusić w takim stresie. Ogarnęła mnie panika, ale uratował mnie trening aktorski. Dzięki niskiej skali byłam w stanie zrobić wydech i mówić z przepony. Sama byłam zdziwiona swoim barytonem – można było mnie pomylić z mężczyzną.

Prawdę mówiąc, nie miałam pojęcia, jak zareagowaliby ich rodzice. Nie znałam ich nawet z widzenia. Poznałam tylko mamę Radżii, a i jej nie widziałam od bardzo dawna. Po prostu powiedziałam coś, co trafiłoby do amerykańskiego dziecka, choć zdawałam sobie sprawę, że tym nastolatkom nikt nie odmawia. A już na pewno nie szofer! TO KSIĘŻNICZKI! Atmosfera była napięta. Pozostali kierowcy oglądali swoje stopy, nucili coś pod nosem albo kopali przylepione do betonu gumy.

Jeden zaczął chichotać. Pracowałam od szesnastu godzin. Kręciło mi się w głowie. Byłam pewna, że mnie wyleją, a wtedy mogę się pożegnać z dwudziestoma tysiącami napiwku, choć najprawdopodobniej ocaliłam te Saudyjki i ich nosy. Miałam jednak przewagę moralną i to mi wystarczyło.

W końcu księżniczka prowodyrka oświadczyła:

– Chcę jechać do domu. Nudzi mi się.

Ruszyła w stronę swojego SUV-a, a jej kierowca rzucił się otwierać przed nią drzwi. Inne małe zołzy też rozeszły się do aut, jakby nic się nie stało.

Na odchodnym Rudzielec odwrócił się do mnie i powiedział:

– Nazywam się Cheyenne, a to moja partnerka Cassie. Miło cię poznać. Nieźle sobie poradziłaś. Przepraszam, że musiałaś przez to przechodzić. Mam nadzieję, że się jeszcze zobaczymy. – Wyciągnęła do mnie rękę, a ja ją uścisnęłam. Cassie, Siłaczka, wyszczerzyła zęby i też podbiegła, żeby poklepać mnie po plecach i podać mi dłoń.

– No, byłaś super. Gratulacje.

Malika wsiadła do kabrioletu i uśmiechnęła się do mnie, mówiąc:

– Tak się cieszę, że się o nas troszczysz. Bardzo się cieszę, że cię mamy.

Radżija w drodze powrotnej milczała, ale to, jak na mnie patrzyła, uświadomiło mi, że zaszła w niej jakaś zmiana – zdałam test, o którym ani ona, ani ja wcześniej nie wiedziałyśmy. Nie odpuściłam i twardo obstawałam przy swoim, podczas gdy ona, ze względu na wiek i presję ze strony rówieśniczek, nie mogła tak postąpić. Przez chwilę popatrzyłam na siebie jej oczami. Miała supersamochód, a ja właśnie pokazałam wszystkim, że miała też superszofera.

{ ROZDZIAŁ 20 }

SEJF

W miarę jak coraz lepiej poznawałam funkcjonowanie rodziny królewskiej i specyfikę swojej pracy, często dowiadywałam się o sprawach, które mnie dziwiły albo smuciły i w obliczu których czułam się bezsilna. Pewnego popołudnia siedziałam z Maliką i Zeinab w kawiarni w centrum handlowym Grove, podczas gdy Radżija i inne księżniczki jadły lunch kilka stolików dalej.

Zeinab była wesołą egipską nianią jednej z koleżanek Radżii. Miała dwadzieścia lat i była śliczna jak aniołek. Nosiła ładne, kolorowe hidżaby i tuniki oraz długie szale, które powiewały, kiedy szła. Zawsze miała w kieszeniach lizaki i cukierki, którymi wszystkich częstowała. Wiedziałam, że Malika rozgląda się za jakimś miłym Amerykaninem arabskiego pochodzenia, muzułmaninem, którego Zeinab mogłaby poślubić i zostać w Stanach, o czym w głębi duszy marzyła. Malika pochwaliła mi się, że w przeszłości zdołała wyswatać kilka par i była pewna, że i tym razem znajdzie odpowiedniego konkurenta. Poświęcała czas na rozmowy ze wszystkimi mężczyznami zatrudnianymi przez rodzinę w czasie amerykańskich podróży i oceniała szereg potencjalnych małżonków.

– Musi być dobry i łagodny – mówiła. – Najlepszy byłyby dla niej ktoś spokojny, bo sama ma energię dwóch albo nawet trzech ludzi.

Zeinab była zazwyczaj radosna i pełna życia – nawet chodząc za swoją podopieczną po galerii handlowej, często śpiewała i tańczyła. Tego dnia miała jednak smutny wyraz twarzy i widziałam, że coś ją gryzie.

– Źle się czujesz, Zeinab? – zapytałam.

Spojrzała na mnie i na Malikę ze łzami w oczach.

– Pójdziesz ze mną na spacer, Janni? – zapytała.

– Mhm, jasne, jeśli chcesz – zgodziłam się, choć jej prośba mnie zaskoczyła.

Wstałyśmy od stolika i ruszyłyśmy w stronę tłocznych sklepów spożywczych i restauracji. Obejrzałam się i zobaczyłam, że Malika wpatruje się w przestrzeń wyraźnie czymś zmartwiona. Po wielu tygodniach w towarzystwie Maliki i pozostałych niań umiałam rozpoznać nadciągające kłopoty.

– Janni, muszę ci coś powiedzieć – zaczęła Zeinab, ściskając mnie za ramię. – Muszę. W ambasadzie amerykańskiej musiałam kłamać, żeby dostać wizę. Nie chcę kłamać. Nie jestem kłamcą.

Spacerując sklepową alejką, ani na chwilę nie spuszczała z oczu swojej podopiecznej. Kiedy oddalałyśmy się od niej na więcej niż pięć metrów, Zeinab zawracała i prowadziła mnie w stronę stolików, przy których młode Saudyjki jadły lunch.

– Tak, Zeinab, wiem, że dla ciebie kłamstwo jest *haram*.

– *Nam, nam*. W ambasadzie pracuje pewien mężczyzna. Matka mojej małej księżniczki, księżniczka Nihad, go zna i kazała mi z nim porozmawiać. Powiedział mi, jak mam następnego dnia odpowiadać na pytania konsula. Kazał mi powiedzieć, że pracuję tylko osiem godzin dziennie, że jestem bardzo szczęśliwa z rodziną i inne takie rzeczy, żeby pokazać, że nie ma... ryzyka ucieczki? *Nam*? Powiedział, że inaczej nie dostanę wizy i nie będę mogła jechać do Ameryki z rodziną, a ja musiałam jechać! Księżniczka Nihad by się wściekła. Muszę opiekować się małą księżniczką. A ja chcę być tutaj! Chcę zostać! Ale Janni, czy ty widzisz, jak ja pracuję? Jak wszystkie pracujemy? Szesnaście, siedemnaście godzin na dzień, codziennie. A potem po wielu latach rodzina może jednego dnia powiedzieć „Won!" i będę musiała wracać do Egiptu. Nikogo tam już nie mam. *Nam. Nam*. Co się wtedy ze mną stanie, Janni? Wiesz, że to rodzina królewska trzyma mój paszport. Widziałaś sejf u ochroniarzy? Tam są dokumenty moje i Maliki, i Majsam, i Zuhur – wszystkich. Tak samo jest w Królestwie – nie możemy wyjeżdżać, kiedy się nam podoba. To niemożliwe. Nie mamy paszportu.

Tak, widziałam sejf w pierwszym tygodniu zlecenia. Po skończonej pracy, kiedy klient w końcu nas zwolnił, każdy szofer musiał odmeldować się na Posterunku Dowodzenia Alfa Jeden na dwunastym piętrze, żeby dostać pozwolenie na powrót do domu. W windzie celowo wbijałam wzrok w marmurową rozetę na podłodze, żeby nie widzieć swojego odbicia w lustrzanych ścianach. Był to dopiero piąty dzień, ale wiedziałam, że już jestem wymizerowana, i nie chciałam się przestraszyć.

Na Posterunku dyżurował akurat Bill, posępny, blady dwudziestopięciolatek. Zawsze nosił białe koszule z domieszką poliestru i spodnie khaki, czyli typowy mundurek ochroniarza. Włosy miał ogolone w wojskowym stylu i nigdy nie zmieniał fryzury. Kiedy weszłam, stał właśnie na środku pokoju z dwoma pilotami w rękach i wpatrywał się w ekrany telewizji przemysłowej ustawione na długim stole pod ścianą.

Zapukałam, choć drzwi były otwarte, a on na jednym z monitorów widział już, jak idę korytarzem.

– Cześć, Bill, odmeldowuję się na dziś, okej? – zapytałam.

– Tak. Znów jesteś ostatnia. To już trzeci raz z rzędu. Lepiej zacznij się przyzwyczajać do późnych godzin. Wygląda na to, że takie już twoje szczęście. Witaj w Rijadzie – powiedział, przełączając kanały jednym z pilotów.

Widziałam obraz z kilku pięter hotelu, wielu wind, różne ujęcia wejść hotelu i podziemnego parkingu.

Rozejrzałam się po pokoju.

– Jesteś tu sam?

Z reguły co najmniej kilku ochroniarzy pracowało przy komputerach albo wisiało na telefonie.

– Tak, tylko jeden człowiek na nocnej zmianie. To wystarczy, kiedy klienci są w trybie uśpienia. Mam nadzieję, że będzie spokojnie, tak jak lubię – powiedział.

Leżały przed nim stosy papierów, które zaczął przeglądać, bo musiał sporządzić raport dzienny. Miał podpuchnięte oczy. Charczał przy nabieraniu powietrza, a potem wydychał powoli, jakby przygotowywał się na czekającą go długą noc.

– Chciałam cię prosić o przysługę. Mam trudności z zapamiętywaniem imion, zwłaszcza służących i kuzynek. Wożę tyle różnych osób i czuję się niezręcznie, bo nigdy nie wiem, jak się do nich zwracać. Masz może listę osób w pokojach albo coś takiego, żebym mogła sobie posprawdzać?

Bill otwarł znajdujący się w rogu mały sejf i wyjął z niego średniej wielkości walizkę. Przez chwilę coś przy niej majstrował, a następnie podniósł wieko. Była pełna paszportów. Zaczął w nich grzebać, mówiąc:

– Tak, tu jest wszystko. Nie przejmuj się pisownią, bo to tylko angielska transkrypcja, więc wszystko jest inaczej. Angole zawsze wszystko piszą po swojemu. Tu jest Majsam, którą wozisz, prawda? M-A-Y-S-A-M. Majsam. Tu jest następna, F-A-H-I-M-A. Fahima. I Zuhur. Z-U-H-U-R. Okej, to już wszystkie? Mam dużo roboty.

Otarł rękami czoło, zamknął walizkę i włożył ją z powrotem do sejfu. Stałam tam jeszcze przez chwilę. Kiedy Bill zobaczył, że się nie ruszam, dodał:

– Możesz się odmeldować. Dobranoc. Trochę snu dobrze ci zrobi.

– A, tak, dzięki – odpowiedziałam i wyszłam.

Czytałam gdzieś, że w Arabii Saudyjskiej pracodawcy często konfiskują paszporty pracowników, ale byłam zszokowana, że coś takiego dzieje się też w Stanach. Na dodatek dokumentów nie trzymali Saudyjczycy, tylko faceci z dwunastego piętra – wynajęci ochroniarze, w większości emerytowani policjanci, byli marines i żołnierze innych formacji, którzy wcześniej strzegli tego, co ojcowie założyciele nazwali niezbywalnymi prawami (biorącymi górę nawet nad „boskimi prawami królów"). Tacy ludzie podporządkowali się feudalnym zwyczajom Saudyjczyków, którzy płacili im za przetrzymywanie paszportów służących – tak jakby wszyscy byli własnością rodziny królewskiej, jej ruchomym majątkiem.

Monarchia ma takie znaczenie, jakie nadadzą jej ludzie – mamy więc angielską rodzinę królewską, waszyngtońską elitę, królów Wall Street, absolutyzm Saudów czy arystokrację Hollywoodu. Zawsze koniec końców chodzi jednak o pieniądze i władzę oraz naszą gotowość do chylenia czoła, żeby dorwać się do żłobu. „Boskie prawa królów" to wymysł ambitnych jednostek, które chciały usprawiedliwić opresje, ucisk i system klasowy.

Przeżyłam szok na widok sejfu, ale byłam tak zmęczona, że nie wiedziałam, czy to wszystko tylko mi się nie przyśniło – wmówiłam sobie, że to wcale nie musi być to, co myślę. Może po prostu ochrona trzyma wszystkie paszporty dla wygody podczas podróży? Zdawałam sobie jednak sprawę, że przy meldowaniu się w amerykańskim hotelu nie trzeba pokazywać paszportu, zwłaszcza kiedy kto inny za nas płaci. Nikomu nie powiedziałam o tym sejfie, samej udało mi się o nim zapomnieć. Łatwiej było się nad tym nie zastanawiać.

Kiedy pierwszy raz zobaczyłam te dokumenty, byłam postronnym obserwatorem – ciekawskim, nieco poruszonym, ale niezaangażowanym. Teraz, kiedy poznałam Zeinab, Malikę, Majsam i inne służące, i zaczęło mi na nich zależeć, sytuacja uległa zmianie. Przerażała mnie myśl, że być może pracują wbrew swojej woli albo okoliczności zmuszają je do zajęć, które nie dają im żadnej szansy na realizację marzeń.

Popatrzyłam na stojącą przede mną Zeinab – była roztrzęsiona i z trudem przychodziło jej mówienie o tym, co ją trapi. Widziałam, że mi ufa i pokłada we mnie nadzieję. Byłam jej przyjaciółką. Wstydziła się, że okłamała konsula. Słuchając jej, sama miałam wyrzuty sumienia – gorzka prawda była taka, że wiedziałam o sejfie i nie zareagowałam. Pozwoliłam, żeby na moich oczach działa się straszna niesprawiedliwość. Borykam się z tym po dziś dzień i wstydzę się, że nie zainterweniowałam ani wtedy, ani później. Nie jestem pewna, co konkretnie mogłabym zrobić, ale wiem, że trzymałam język za zębami, myśląc o pieniądzach, które zarabiam, i napiwku, który na mnie czeka. Po prostu bałam się, że to stracę.

Nie poszłam do kalifornijskiego sądu pracy ani do Urzędu Imigracyjnego czy Izby Skarbowej i nie zgłosiłam, że rodzina królewska łamie prawo, zmuszając ludzi do pracy dzień i noc, że niektórzy kierowcy są w Stanach nielegalnie, a pensje dostajemy w gotówce bez żadnego pokwitowania.

Nie pisnęłam ani słówka – dla pieniędzy byłam gotowa pracować na takich warunkach, ochroniarze tak samo. Wszyscy byliśmy najemnikami.

Podjęłam się tego zlecenia, wiedząc, że będzie ciężko, ale że mogę sporo zarobić. Motywowały mnie pieniądze. Uznałam je za środek do celu i to była moja decyzja. Służące rodziny królewskiej prawdopodobnie nie miały wyboru, nie mogły po prostu odejść, kiedy im się podoba. Większość z nich pewnie nie była w stanie zmienić pracy ani wrócić do ojczyzny bez pozwolenia Saudyjczyków.

Gros kierowców stanowili nielegalni imigranci, harujący w Los Angeles bez papierów. Wyrabiali czternastogodzinne dniówki, choć nikt nie płacił im za nadgodziny, bo po prostu nie mieli wyboru. W domu czekały na nich głodne dzieci, a nie było nikogo, komu mogliby się poskarżyć. Człowiek, który jest tu na czarno i cały czas obawia się deportacji, nie może domagać się sprawiedliwości. Nikt się za nim nie wstawi.

Nadal słyszę słowa Charlesa, który powtarzał: „Po prostu bierz kasę i zwiewaj, musisz nauczyć się brać kasę i zwiewać". Właśnie tak zrobiłam. Dałam się przekonać i dałam się kupić.

Zaczynając siedmiotygodniowe zlecenie, byłam pod wrażeniem ogromnego bogactwa, potęgi i wpływów Saudyjczyków. Imponowały mi też ich książęce tytuły. Teraz wiem, że są to tylko puste nazwy, odziedziczone po dalekim przodku, który podbił albo wybił sąsiednie plemiona, zagarnął ich kobiety i ziemie, a następnie ogłosił się królem, jak czyniło wielu na przestrzeni wieków.

Tym bardziej doceniam wolności przysługujące Amerykanom – prawa, które tak wielu z nas bierze za pewnik. Martwi mnie tylko, że pracując dla Saudyjczyków, przyłożyłam rękę do ich ograniczenia.

{ ROZDZIAŁ 21 }

LUDZIE NIGDY NIE PRZESTAJĄ NAS ZASKAKIWAĆ

Pewnego popołudnia siedziałam w pokoju służących, czekając, aż Majsam i pozostałe dziewczęta przygotują się do wyjścia. Przebywanie w ich towarzystwie sprawiało mi ogromną przyjemność – zawsze dbały o to, żeby było mi wygodnie i niczego mi nie brakowało. Chociaż to ja dla nich pracowałam, miałam wrażenie, że troszczy się o mnie gromadka młodszych sióstr. Parzyły dla mnie herbatę, częstowały mnie saudyjską czekoladą i angielskimi ciasteczkami, obkładały mnie poduszkami, tak że w fotelu czułam się jak na obitym kwiecistym perkalem miękkim tronie.

Od kilku dni siedziały w hotelu, więc były wyjątkowo podekscytowane, że w końcu czeka je wspólna wyprawa. Przed każdym wyjściem robiły się na bóstwo, choć zabierałam je tylko na dziesięciominutową przejażdżkę do sklepu Wszystko za 99 centów i z powrotem. Pokój zagracało kilka desek do prasowania, a dziewczyny krzątały się, likwidując najdrobniejsze zagniecenia na dobranych pod kolor spodniach i tunikach czy wybierając, który hidżab włożyć. Rozkładały na łóżkach różne zestawy, po czym je porównywały, rozprawiając przy tym po arabsku i zamieniając poszczególne elementy, żeby uzyskać najbardziej atrakcyjne kombinacje. Przypominało mi się wtedy, jak sama byłam nastolatką – zbierałyśmy się z koleżankami w pokoju którejś z nas i godzinami przygotowywałyśmy się do weekendowej imprezy. Wymieniałyśmy się ciuchami i kompletowałyśmy nowe zestawy ze wspólnej puli ubrań, tak że efekt był zawsze lepszy niż strój, który przyniosłyśmy.

Nawet w hotelowym pokoju służące zawsze nosiły hidżab. Nigdy nie widziałam żadnej z gołą głową. Na co dzień wkładały jednak gładkie, raczej niepozorne jasnoniebieskie, białe lub beżowe chusty. Południowe wypady do miasta były okazją do wystrojenia się w niesamowicie kolorowe składające się z wielu warstw jedwabne hidżaby zdobione haftem, koronkami i misternymi wzorami z koralików.

Podczas przygotowań cały czas miały włączony telewizor. Często przystawały, przez chwilę wbijały wzrok w ekran, po czym wybuchały śmiechem, rozbawione tym, co zobaczyły – biegały po pokoju, trzymając się za brzuchy, śmiejąc do łez. Tym razem oglądały program, w którym pokazywano amatorskie nagrania śmiesznych wypadków – snowboardzista wjechał w wyciąg i cały rząd narciarzy runął jak domino; śmiejący się bobas splunął jedzeniem przez cały pokój i zapaćkał kamerzystę i obiektyw groszkowym purée; pies puścił przez sen bąka, obudził się i zaczął głośno ujadać, jakby właśnie usłyszał intruza. Służące cmokały rozczarowane, kiedy program się skończył. Uwielbiały też hiszpańskie telenowele – wyciszały dźwięk i oglądały je w skupieniu, kiwając współczująco głowami. Gesty i miny aktorów pozwalały im śledzić akcję.

Hotelowa kablówka miała zagraniczne kanały, których nigdy wcześniej nie widziałam. Wiele z nich było po arabsku, na przykład Al-Dżazira, Al-Arabija czy MTV Arabic. Zaczęłam skakać po programach informacyjnych – wszystkie pokazywały relacje z ostatnich wydarzeń w Izraelu i budowy osiedli na Zachodnim Brzegu Jordanu. Filmowy reportaż pokazywał wzrastające po obu stronach napięcie i zaognianie się konfliktu. Byłam ciekawa, co o sytuacji na Bliskim Wschodzie sądzą służące. Znałam je już na tyle dobrze, że nie bałam się zapytać, choć porozumiewanie się nadal sprawiało nam pewne problemy.

– Allah jest wielki, Janni – powiedziała Majsam. – Chwała Allahowi. Allah jest wszechwiedzący.

– Tak, Majsam – odparłam. – Ale co sądzisz o tym, co się tam dzieje?

W pokoju zapadła cisza. Majsam milczała. Pozostałe służące też się nie odzywały. Dziwiło mnie to, bo z reguły miały dużo do powiedzenia na prawie każdy temat. Co prawda nie zawsze rozumiałam wszystko, co mówią, więc zdarzało się, że wałkowałyśmy to samo kilka razy, bo chciałam poznać ich punkt widzenia i ciekawe opinie. Często rozmawiałyśmy o czymś, a ja potem zastanawiałam się, co chciały wyrazić albo prosiłam o wyjaśnienie. Bywało więc, że ten sam wątek ciągnął się przez kilka dni, aż wszystkie miałyśmy pewność, że dobrze się rozumiemy. Takie cykliczne dyskusje stały się naszym zwyczajem i zawsze były bardzo owocne.

– Allah jest wielki, a wszyscy Żydzi są źli i trzeba ich zabić – powiedziała Majsam, nie przerywając prasowania stroju na popołudniowe wyjście.

Jej błękitne popelinowe spodnie właśnie wróciły z pralni, ale i tak lubiła przed założeniem przejechać je żelazkiem i pozbyć się wszelkich zagięć. Na górę zamierzała włożyć kremową tunikę z biało-niebieską kwiatową aplikacją na rękawach, przy rąbku i na karczku, która idealnie komponowała się ze spodniami. Zestaw uzupełniał granatowo-beżowy hidżab w maleńkie czerwone kwiaty. Uśmiechnęła się do mnie i prasowała dalej, jak zwykle cicho przy tym podśpiewując.

– Słucham? – wykrztusiłam. Oby się okazało, że się przesłyszałam – błagałam w duchu.

– Tak, Janni. To problem dla Arabów. Żydzi muszą się stamtąd wynieść. Zabrali nam ziemię. Nie mogą jej zatrzymać. Nie mogą. Ta ziemia nie jest ich. Nie powinni jej zabierać. Teraz wielu ludzi cierpi z tego powodu.

– Nie sądzisz, że Żydzi i Palestyńczycy mogą dojść do porozumienia i żyć razem w pokoju? – zapytałam.

– Wszyscy Żydzi są źli i trzeba ich zabić – powtórzyła. – Wtedy będzie pokój.

Szumiało mi w uszach, a w gardle czułam rosnącą gulę. Zdałam sobie sprawę, że ludzie zawsze mogą nas zaskoczyć. Łudzimy się, że ich znamy, a oni ni stąd, ni zowąd pokazują zupełnie inne oblicze.

– Nie rozumiem. Twierdzisz, że, hm, wszyscy Żydzi powinni zginąć? O to ci chodzi? Wydaje mi się, że nie do końca wiesz, co mówisz.

– Wtedy będzie pokój – odparła Majsam. Jakby na potwierdzenie swoich słów kilka razy pokiwała głową.

– Moim zdaniem nie masz racji, Majsam. Zupełnie się z tobą nie zgadzam – powiedziałam, trochę za bardzo podniesionym głosem.

Rozejrzałam się, szukając wsparcia u pozostałych służących, ale wszystkie wróciły do swoich zajęć i nie interesowały się naszą rozmową. Poza tym odniosłam wrażenie, że Majsam wypowiada się w imieniu ogółu. Zuhur wybrała na to wyjście beżowo-złoty zestaw z adamaszku i kremowy hidżab w kropki, który idealnie komponował się z jej karnacją. Mounę absorbowało prasowanie dwóch różnych zestawów i zastanawianie się, w którym wystąpić. Reszta dziewcząt co rusz wybiegała z pokoju – chciały się upewnić, że wypełniły wszystkie swoje obowiązki, zanim wezmą kilka godzin wolnego.

– Tak musi być, Janni. Żydzi są źli – stwierdziła ponownie Majsam.

Skończyła prasować i starannie rozwiesiła ubrania na wieszakach. Lubiła wkładać je przed samym wyjściem, żeby do tego czasu się nie pogniotły i wyglądały idealnie.

– Nie, Majsam, nie wszyscy Żydzi są źli. Poza tym... rozejrzyj się tu, w Berverly Hills. Mieszka tu wielu Żydów, chrześcijan i muzułmanów. Żyjemy wszyscy razem i jesteśmy zadowoleni. Nie toczą się tu wojny religijne. Sklep z telefonami, gdzie kupujemy impulsy do waszych komórek, prowadzi perski Żyd. To bardzo miły człowiek, prawda? Lubisz go, sama tak mówiłaś. A pamiętasz, jak pojechałyśmy do Westwood po lody pistacjowe i ciasto *knafeh*, które tak wam smakują? Wiele z tych cukierni prowadzą Żydzi. Lubią te same słodycze co wy. Jecie to samo. Tutaj nikogo nie obchodzi, czy jesteś Żydem czy muzułmaninem. Razem robimy zakupy, chodzimy do tych samych restauracji i żyjemy obok siebie.

Nie wiedziałam nawet, jakich argumentów mam używać. Byłam zupełnie zdezorientowana. Cały czas nawijałam o zamiłowaniu do tych samych deserów, jakby to miało zmienić jej myślenie.

– Przykro mi, Janni, ale Allah jest wielki. Allah wie. Kiedy zginą wszyscy Żydzi, na Bliskim Wschodzie będzie pokój. Taka jest wola Allaha. *Insza'Allah.*

W Koranie jest wyraźnie powiedziane, że wszyscy ludzie są równi. Rasizm, seksizm i wszelkie inne uprzedzenia są niezgodne z jego nauką, natomiast życie każdego człowieka, niezależnie od jego wyznania, jest świętością: „Ten, kto zabił człowieka (...) czyni tak, jakby zabił wszystkich ludzi"* (Koran, 5, 32).

Majsam miała szesnaście lat. Mówiła prosto, spokojnie i dobitnie, ale jej słowa brzmiały jak wyuczona formułka.

Kilka lat temu zostałam zaproszona na ślub na południowym zachodzie Stanów. W hotelu podsłuchałam rozmowę młodego taty z dziesięcioletnim synem. Kiedy mijali mnie w holu, ojciec nachylił się i troskliwie obejmując chłopca, powiedział uspokajająco:

– Zapomnij o tym cholernym pedale. Słyszysz? Ten dzieciak to pedał i musisz o nim zapomnieć. On nie jest twoim przyjacielem. Takich jak on powinno się zabijać.

Chłopiec podniósł oczy na rodzica i przytaknął:

– Tak, to pedał. Powinno się ich zabijać. – Mówił tak samo, jak Majsam – beznamiętnym, zrezygnowanym tonem, bezmyślnie powtarzając to, co usłyszał.

Jeszcze kilka razy poruszałam z Majsam temat Bliskiego Wschodu. Miałam nadzieję, że jeśli odpowiednio ubiorę to w słowa, uda mi się ją przekonać, że zgładzenie całego

---

* *Koran*, tłum. J. Bielawski„ Warszawa 1986 (przyp. tłum.).

narodu żydowskiego nie jest jedynym sposobem na zaprowadzenie pokoju w tym niespokojnym regionie. Moje argumenty nigdy jednak do niej nie trafiały, a mnie przygnębiał zupełny brak postępów. Padające z jej ust straszne stwierdzenia nadal nie dają mi spokoju. Przypomina mi to historię, którą usłyszałam od kolegi. Po studiach wyjechał do Francji i zakochał się w pięknej paryżance. Kilka tygodni później, kiedy podciągnął się trochę we francuskim i był w stanie zrozumieć coś więcej niż tylko czarujące deklaracje miłosne, zdał sobie sprawę, że ponętna kobieta w jego ramionach jest wojującą zwolenniczką białej supremacji. Był w niej tak zakochany, że starał się z całych sił ignorować ten ważny szczegół tak długo, jak tylko zdołał. A raczej do czasu, gdy skończyła mu się wiza. Potem wrócił do Stanów ze złamanym sercem i mocnym postanowieniem, że zapomni o paryżance.

Pierwszym filarem islamu jest wyznanie wiary, *szahada*. Zgodnie z Koranem i naukami Mahometa Majsam musiała wierzyć, że jeśli nie będzie muzułmanką, to czekają na nią piekielne czeluści. Jednak moim zdaniem to życie zamienia się w piekło, jeśli ludzie noszą w sercu taką bigoterię i rasizm. Nie chciałam żyć w takim świecie i nie chciałam, żeby moja młoda przyjaciółka myślała w ten sposób, tak samo jak ona nie życzyła mi wiecznego potępienia. Wszystkie nasze rozmowy Majsam kończyła słowami:

– Pomodlę się za ciebie, Janni, i za zdrowie dla twojego męża, który bardzo cię kocha. *Alhamdulillah. Alhamdulillah.*

ROZDZIAŁ 22

BIEGNIJ, NIANIU, BIEGNIJ! UCIEKAJ ILE SIŁ W NOGACH!

Pod wieloma względami praca dla Saudyjczyków była wzbogacającym doświadczeniem – byłam świadkiem praktyk, które stanowiły dla mnie absolutną nowość i które dopiero teraz zaczynam w pełni rozumieć. Sporo podróżuję i zauważyłam, że kiedy jestem z dala od domu, zanurzona w obcej kulturze, często inaczej, bardziej niekonwencjonalnie postrzegam i interpretuję rzeczywistość, być może dlatego, że szukam nowych przeżyć i się przed nimi nie zamykam. Praca szofera pozwoliła mi doświadczać czegoś podobnego codziennie we własnym kraju. Wystarczyło mieć szeroko otwarte oczy i w miarę wyostrzony słuch.

Regularnie dostarczałam różne rzeczy księżniczce Zahirze. Drzwi do jej apartamentu prezydenckiego zawsze otwierały jej dwie osobiste służące, które rzadko stamtąd wychodziły. Ponieważ znałam ledwie garstkę arabskich słów, a one z podobną swobodą posługiwały się angielskim, nasze rozmowy ograniczały się zwykle do zdawkowego powitania. Mimo to po wielu tygodniach dostarczania i odbierania różnych pakunków miałyśmy wrażenie, że bardzo dobrze się znamy. Współczułyśmy sobie nawzajem, więc na dzień dobry wymieniałyśmy ciepłe, zmęczone uśmiechy. Obie kobiety były filigranowe i delikatne niczym małe gołąbki. Dowiedziałam się, że pochodzą z Erytrei. Rzadko wychodziły gdziekolwiek z resztą afrykańskich służących. Początkowo sądziłam, że to przez nadmiar pracy, ale pewnego dnia, kiedy stałam w korytarzu obok apartamentu księżniczki, zapytały mnie nieśmiało, czy nie zawiozłabym ich do centrum na targ. Wcześniej zabrałam już kilka służących do tak zwanego Fashion District, gdzie ubrania i materiały są sprzedawane hurtowo, więc wiedziałam, że to właśnie określają mianem targu. Pojechałyśmy tam pewnego popołudnia, kiedy dostały kilka godzin wolnego.

Starałam się zabawiać je rozmową, ale nie było łatwo. Cieszyło je już samo to, że jadą samochodem, i z dużym zainteresowaniem rozglądały się dookoła. Zapytały mnie o mojego schorowanego nieistniejącego męża, a ja odparłam, że ma się już dużo lepiej. Na szczęście nikt nigdy nie chciał zobaczyć jego zdjęcia, bo nie pomyślałam, żeby jakieś ze sobą nosić. Poza tym czyją fotografię mogłabym wykorzystać? Jednego z braci? Czułabym się dziwnie. Któregoś z moich byłych? Wolałabym nie. I tak zachowałam zdjęcia tylko kilku i żadnego z tych facetów nie chciałabym mieć przy sobie ani dosłownie, ani nawet symbolicznie. Raz popełniłam błąd i umawiałam się z aktorem, czego prawie nigdy nie robię. Kiedy próbowałam z nim zerwać, robił akurat kampanię promocyjną. Jeszcze przez wiele miesięcy w całym Los Angeles byłam prześladowana przez olbrzymie bilbordy, z których wpatrywał się we mnie świdrującym wzrokiem. Ciarki przechodziły mnie na ich widok.

Postanowiłam więc jechać na wschód miejskimi ulicami, trzymając się z dala od autostrady, na wypadek gdyby ostały się tam jakieś jego wizerunki. Sunęłyśmy po Pico Boulevard przez dzielnicę znaną lokalnie jako „Mała Etiopia". Mijałyśmy właśnie stary kościół w stylu hiszpańskiego neorenesansu, kiedy dziewczęta zaczęły niespodziewanie krzyczeć i wiwatować. Szybko zjechałam na pobocze, przekonana, że coś jest nie tak. One, pokazując na budynek, zawołały coś w stylu: „To kościół, to kościół!". Nie posiadały się z radości. Spojrzałam na świątynię i zobaczyłam kolorową mozaikę na jednej ścianie, a z frontu napis po amharsku, pod którym widniała nazwa „Kościół Ewangelicki Obrządku Etiopskiego". Bezmyślnie założyłam, że wszystkie afrykańskie służące wyznają islam, ale najwidoczniej się pomyliłam. Chociaż moje dwie pasażerki miały przykryte głowy, były chrześcijankami. Wjechałam na parking, żeby sprawdzić, czy kościół jest otwarty.

Był dzień powszedni, popołudnie, i wokół nie było żywej duszy. Podeszłam jednak do bocznych drzwi i zadzwoniłam kilka razy, a dziewczęta obserwowały mnie uważnie z samochodu. Czekając, aż ktoś mi otworzy, zerknęłam na nie – były tak maleńkie, że ledwie widziałam czubki podskakujących na tylnym siedzeniu głów. Poddałam się i ruszyłam w stronę auta, gdy z jednego z budynków wyszedł pastor. Podszedł do nas, a ja wyjaśniłam, kim jesteśmy, i przedstawiłam służące. Siedziały teraz nieruchomo i przyglądały się duchownemu z uwagą. Pastor nachylił się do okna i uśmiechnął się do nich krzepiąco. Nie znał arabskiego, ale mówił po amharsku i trochę w języku tigrina, a służące chyba go zrozumiały.

Poinformował je o porządku mszy, zaprosił na kolejną wizytę i powiedział kilka ciepłych słów. Zachowywały się jak pięciolatki, którym ktoś czyta bajkę – były podekscytowane, ale rozluźnione. Przyjemnie było patrzeć na tę interakcję, choć prawie w ogóle nie rozumiałam, o czym mowa.

Kiedy odjeżdżałyśmy, obiecałam, że przywiozę je tu w niedzielę rano, na co one się rozpromieniły. Wiedziałam, że pierwsza msza jest wcześnie, więc nie będzie to kolidować z moimi obowiązkami. A nawet jeśli, to zawsze mogłam poprosić znajomą, żeby je zabrała.

W najbliższy weekend przypomniałam im o swojej propozycji. Podziękowały mi, mówiąc coś niezobowiązująco, a potem ilekroć je widziałam, unikały tego tematu. Uznałam, że pewnie nie mogą wziąć wolnego, więc nie naciskałam. Cały czas miałam jednak w pamięci ich wybuch radości na widok kościoła. Były podekscytowane jak małe dzieci w bożonarodzeniowy poranek.

Wiedziałam, że prawo w Arabii Saudyjskiej zabrania im praktykować swoją religię, a za nieposłuszeństwo grozi surowa kara. Pewnie od lat nie odwiedzały Etiopii, więc przez chwilę zachłysnęły się myślą o chwilowym powrocie na łono wspólnoty, za którą tak bardzo tęskniły – nie była to co prawda ich własna rodzina, ale zawsze coś. Na tej samej zasadzie ja mogłabym iść do angielskiego pubu w Chinach, żeby pobyć z ludźmi, którzy są choć trochę do mnie podobni, żeby dodać sobie otuchy daleko od domu. Służące nie mogły jednak podnieść się na duchu, bo nie dostały w niedzielę rano wychodnego.

Wkrótce potem zawiozłam gdzieś Radżiję i Malikę. W drodze powrotnej odebrałyśmy od lekarza księżniczkę Aminę, która miała wizytę kontrolną w przychodni. Kilka dni wcześniej przeszła parę zabiegów, więc teraz była zawinięta w śnieżnobiałe bandaże, które trzymały wszystko do kupy. Była całkowicie zakryta – miała długą suknię z prześwitującego białego materiału, szalik Hermèsa wokół twarzy i szyi, tak że wyglądała jak staroświecki szykowny lotnik, oraz jasny kapelusz z szerokim rondem. Szła wolno i ostrożnie, ale poza tym nic nie zdradzało, że niedawno przebyła kilka operacji. Przypominała turystkę, która wybiera się na lunch w Saint-Tropez po błogim leniuchowaniu na plaży. Zachowywała się jak prawdziwa profesjonalistka i nigdy się nie skarżyła, choć musiała sporo wycierpieć, bo przechodziła gruntowne zabiegi, nie tylko odsysania i drobne poprawki. Malika powiedziała mi, że księżniczka Amina kilka razy w roku poddawała się różnym zabiegom w klinikach na całym świecie, ale na poważne operacje wybierała Beverly Hills. Nie wiem, co sobie poprawiała, ale efekty były znakomite, bo wyglądała świetnie i wcale nie przypomniała ofiar chirurgii plastycznej.

Amina, tak jak jej córka, lubiła jeździć z przodu – siadała obok mnie i rozmawiałyśmy przez całą drogę. Wiedziałam, że darzy mnie sympatią i stopniowo zaczęła ufać mojemu osądowi i zdawać się na moją pomoc. Nabrała też do mnie zaufania i nie wahała się powierzyć mi pod opiekę swojej córki. Księżniczka Amina mówiła po angielsku z eleganckim europejskim akcentem, miała dużo wdzięku i traktowała wszystkich serdecznie i z szacunkiem. Tym razem była jednak wstrząśnięta wiadomością, którą właśnie dostała.

– O niebiosa! To straszne! Po prostu straszne! – wykrzyknęła.

– Co się stało? Wszystko w porządku? Bardzo boli? – zapytałam, delikatnie pomagając jej usiąść na fotelu z przodu.

– Nie, skąd, czuję się dobrze. To nic. Dziękuję. Chodzi o to, że moja przyjaciółka, księżniczka Hadil, ma wielki problem. Widzisz, ona wyjechała z Los Angeles wcześniej, przed wszystkimi, żeby spędzić kilka dni w Nowym Jorku. Ustaliliśmy, że potem poleci z lotniska Kennedy'ego do Genewy i tam na nas poczeka. Zabrała ze sobą swoją śliczną małą córeczkę, Badrę – widziałaś ją, jest rozkoszna – i młodą nianię. Nie pamiętam, jak ma na imię.

– Tak, widziałam je chyba w zeszłym tygodniu – potwierdziłam.

Księżniczka Hadil była piękna – wysoka i pełna wdzięku, o łagodnym, spokojnym spojrzeniu przypominała leniwą gazelę. Kiedy mijałyśmy się w hotelu, zawsze serdecznie się do mnie uśmiechała. Wspomniana opiekunka pochodziła z Erytrei, była niziutka, bardzo szczupła i wyglądała na nie więcej niż szesnaście lat. Mogła być siostrą którejś ze służących księżniczki Zahiry, bo też miała wysokie, szlachetne czoło typowe dla osób z tej części Afryki. Mimo ciemnej orzechowej karnacji była niesamowicie blada. Zawsze wbijała oczy w ziemię, jakby szukała czegoś, co jej upadło.

– Wczoraj wieczorem – ciągnęła Amina – księżniczka Hadil stała z małą Badrą i z nianią w kolejce na lotnisku. Oczywiście podróżowały pierwszą klasą. Księżniczka stała z przodu, trzymała dziecko na rękach, a niania z bagażem podręcznym była za nimi. Hadil musiała oddać niani jej paszport, żeby pokazała go urzędnikowi. No więc stoją w kolejce z paszportami w rękach. Urzędnik rozmawia najpierw z Hadil i wbija jej pieczątkę. Potem Hadil odwraca się do niani, a niani nie ma! Uciekła! Wyobrażasz sobie? Ulotniła się w ułamku sekundy. Biedna Hadil! To straszne! Na dodatek dziewczyna zabrała torbę z pieluchami! Księżniczka została bez pieluch. Oczywiście w tej sytuacji nie mogła lecieć, więc zameldowała się w hotelu Pierre. Zabierzemy ją stamtąd w przyszłym tygodniu i razem polecimy naszym samolotem do Genewy. Straszne! Biedna Hadil! Niania po prostu uciekła!

Słyszałam, że wcześniej drapaka dała też jedna z filipińskich służących. Ulotniła się w środku nocy – wyrzuciła walizki przez balkon, a w krzakach przy hotelu czekał już na nie niedawno poznany chłopak, Amerykanin. Udało jej się wymknąć niezauważenie i spotkali się trochę dalej, na ulicy, gdzie on przytaszczył jej bagaż. Zniknięcie służącej odkryto dopiero rano, kiedy ona była już daleko, ukryta gdzieś przez chłopaka.

Księżniczka Amina odwróciła się powoli w moją stronę – bardzo ostrożnie, bo była zabandażowana od bioder po uszy – i spojrzała na mnie ze łzami w oczach.

– Jak to się mogło stać? – zapytała.

Wymamrotałam coś o kłopocie, niedogodnościach, braku pomyślunku, ale tak naprawdę miałam ochotę krzyczeć: BIEGNIJ, NIANIU, BIEGNIJ! UCIEKAJ ILE SIŁ W NOGACH! Masz swój paszport! Dalej! Znajdź sobie przyjaciół i załóż rodzinę w Queens! Zacznij nowe życie! Może dwie koleżanki z Erytrei wkrótce do ciebie dołączą, tak że będziecie mogły wszystkie razem chodzić do kościoła, kiedy wam się żywnie podoba!

Byłam pewna, że księżniczce Hadil i małej Badrze nic nie będzie. Siedziały w apartamencie ekskluzywnego hotelu, czekając na rodzinnego jeta. Założę się, że oglądały *Taniec z gwiazdami*, jedząc koktajl z krewetek.

{ ROZDZIAŁ 23 }

ILE STANIKÓW TO ZA DUŻO STANIKÓW?

Tuż przed planowanym wyjazdem rodziny królewskiej wezwała mnie Asra, sekretarka księżniczki Zahiry. Pokazała mi stanik, który kupiła niedawno księżniczka Basma, kuzynka Zahiry, i który bardzo jej odpowiadał. Był uroczy i seksowny – kosztował co najmniej pięćset dolarów, był z satyny i koronek i miał delikatne zdobienia. Nic dziwnego, że Basma chciała mieć ich więcej – dużo więcej. Przypuszczałam, że przeszła jakąś operację piersi. Sama w takiej sytuacji nakupiłabym nowych staników. Asra poinformowała mnie, że mam zdobyć dla Basmy ten sam model we wszystkich dostępnych kolorach – pudrowym, jasnoniebieskim, czarnym, beżowym, brązowym i écru – i to do wyjazdu rodziny następnego popołudnia. Świetnie – pomyślałam – kolejne superważne zlecenie last minute. Polowanie na staniki. I to dla samej Basmy.

Wcześniej tylko kilka razy się z nią zetknęłam i nie zrobiła na mnie dobrego wrażenia. Bardzo przypominała swoją młodszą kuzynkę Anisę – była humorzasta i wiecznie niezadowolona. Postanowiłam się do niej nie uprzedzać – próbowałam sobie wmówić, że może jest po prostu nieśmiała i dlatego sprawia wrażenie naburmuszonej. Basma dobiegała trzydziestki i wyglądała jak większość Saudyjek – miała obfite kobiece kształty, idealną fryzurę i zawsze była bardzo mocno umalowana: kasztanowe usta, szeroko rozstawione oczy obrysowane ciemną henną i starannie wymodelowane łuki brwi. Potrzebowała ogromnych ilości kosmetyków i sama kilka razy byłam wysyłana po nowe konturówki do ust czy kredki do oczu. Produkty do makijażu zużywane przez Basmę jednego dnia normalnej kobiecie wystarczyłyby na rok. Jej twarz wyglądała jak idealnie wymalowana powabna maska, a mimika była bardzo ograniczona, pewnie dlatego, że księżniczka nie chciała zniszczyć sobie makijażu.

Modelowy stanik został kupiony w butiku Neiman Marcus w Beverly Hills, więc tam rozpoczęłam poszukiwania. Bardzo pomocna sprzedawczyni w dziale z bielizną, Sheila, mówiła z akcentem z Bronksu. Miała bujną, zaczesaną do góry czuprynę z pasemkami, ogromne okulary przeciwsłoneczne Gucci i usta pokryte grubą warstwą błyszczącej krwistoczerwonej szminki. Natychmiast wiedziała, o kogo mi chodzi, kiedy wspomniałam kobietę z rodziny królewskiej (a zrobiłam to z dużym namaszczeniem – sama już nie ekscytowałam się pracą dla jednej z najbogatszych familii na świecie, ale wiedziałam, że innym to imponuje), która poprzedniego dnia robiła u nich zakupy.

– A, tak – odparła. – Jej się nie da zapomnieć. To się nazywa dobry dzień. Zostawiła tu grube tysiące dolarów. A nawet nic nie przymierzała. Chce więcej staników? Kupiła już całą masę.

Ile jeszcze chce? Nie mam już wiele w magazynie. Będę musiała trochę podzwonić. Na kiedy są potrzebne? – mówiła z prędkością karabinu maszynowego.

– Właściwie to na już. Chce konkretny model we wszystkich dostępnych kolorach, tyle sztuk, ile się da – wyjaśniłam.

Asra nie pozwoliła mi zabrać biustonosza na wzór, pewnie tylko dlatego, żeby utrudnić mi życie. Zaczęłam opisywać ekskluzywny stanik, jak najlepiej potrafiłam, w najdrobniejszych szczegółach – miałam nadzieję, że to pozwoli Sheili zidentyfikować właściwy model. Ona jednak prawie natychmiast mi przerwała.

– Daj spokój, przecież pamiętam, co kupiła wczoraj. Jak mogłabym zapomnieć? Chodzi o Chantilly. Chce ten z perełkami czy bardotkę?

– Z perełkami.

W sklepie były tysiące biustonoszy, ale Sheila natychmiast bezbłędnie sięgnęła do najbliższego stojaka i zdjęła taki sam biustonosz, jaki pokazała mi Asra.

– O to chodzi?

– Tak – potwierdziłam. – To na pewno ten. Wow, naprawdę znasz swój asortyment.

– Jasne. Co to znaczy „tyle sztuk, ile się da"? To znaczy ile konkretnie? – Jej brwi delikatnie się uniosły, jakby zamierzała je zmarszczyć, ale potem się powstrzymała.

Przyglądałam się przez chwilę jej twarzy i przypomniał mi się rysunek z „New Yorkera" wiszący w gabinecie u mojego dermatologa. Są na nim dwie greckie maski Tragedii i Komedii – są identyczne, obie zupełnie bez wyrazu, a nad nimi widnieje napis „Teatr Botoksu".

– Ona naprawdę chce kupić tyle, ile się da. Co najmniej pięć czy sześć sztuk z każdego koloru.

– Na pewno? To strasznie dużo staników. Co ona z nimi wszystkimi zrobi? Będzie nosić jeden na drugim?

– Nie wiem. Może się boi, że później już takich nie znajdzie.

– W sumie słusznie. Producenci ciągle zmieniają modele. Jak się znajdzie swój ulubiony, to najlepiej od razu nakupić sporo, bo jutro już ich nie będzie. Okej, więc ma być 44 DD, tak? To nie takie proste. To duży rozmiar, więc nie mamy ich wiele na stanie, a już zwłaszcza nie Chantilly. Jest trochę za delikatny na taki ogromny ładunek. – Sheila wskazała wyłożoną poduszkami otomanę. – Usiądź sobie. Wyglądasz jak ktoś, komu przyda się trochę odpoczynku. Sprawdzę na zapleczu, a potem zadzwonię, gdzie trzeba. Zobaczymy, ile uda się nam zdobyć. Jesteś pewna, że weźmiecie wszystko?

– Tak – potwierdziłam. – Jak najwięcej się da.

Dział z bielizną w Neimanie był dyskretnie oświetlony i panowała w nim kojąca atmosfera. Zgodnie z poleceniem natychmiast klapnęłam na jedną z puf i się odprężyłam. Wiedziałam, że Sheila mi pomoże. Na linii wzroku miałam najpiękniejszy peniuar, jaki kiedykolwiek widziałam. Wyglądał jak dzieło starutkiej ślepej Włoszki, która wyszywała go przez dwanaście lat. Był to trójwarstwowy sięgający przed kolano jedwabny szlafroczek z miękkim haftowanym karczkiem. Byłby idealny na moją figurę. Wewnętrzna warstwa była bladoróżowa i obcisła, środkowa – jaśniejsza, a wierzch zrobiony był z delikatnej brokatowej koronki w kolorze kości słoniowej z przeźroczystą falbanką na biodrach. Wszystkie trzy warstwy były połączone z tyłu za pomocą przecinających się wstążek, tworząc coś na kształt gorsetu. Peniuar kosztował dwa i pół tysiąca dolarów i gdybym miała w ręce tyle pieniędzy, musiałabym ją sobie odrąbać, żeby go nie kupić.

Sheila wyszła właśnie z zaplecza i zauważyła, że tęsknie wpatruję się w bieliźniane cudo. Zapytałam, czy jest szansa, że kiedyś będzie przecenione.

– Zapomnij.

Przyniosła naręcze staników.

– Słuchaj, to wszystko, co mam. Tylko osiem. Muszę sprawdzić w naszych innych sklepach: Newport Beach, Woodland Hills i San Diego. Możesz jechać do San Diego?

– San Diego? To ponad dwie godziny drogi stąd.

Nie miałam ochoty przejeżdżać przez pół Kalifornii w poszukiwaniu staników. Zlecenie dobiegało końca, a ja byłam tak wyczerpana, że bałam się wyprawiać sama tak daleko. Mogłabym wysłać im paczkę do Królestwa, ale Saudyjczycy niczego tak nie załatwiają. Niewolnictwo zostało u nich zniesione dopiero w latach sześćdziesiątych i pewnie posiadanie hordy służących na każde zawołanie było zbyt głęboko zakorzenione w saudyjskiej psychice, żeby byli skłonni na cokolwiek czekać.

– Nie jestem dobrą wróżką. Nie dam rady zamówić ich na jutro. Jak się uda, przyjdą w przyszłym tygodniu, ale jutro nie wchodzi w grę. Nie ma mowy. Musisz sama po nie jechać – powiedziała.

– Okej – odparłam zrezygnowana. – W takim razie sprawdź, proszę, wszystkie sklepy. Nie mam wyjścia.

Okazało się, że Sheila jest jednak dobrą wróżką. Namierzyła dla mnie ponad trzydzieści staników w okolicznych butikach Neiman Marcus i pomogła mi znaleźć jeszcze dużo więcej w innych sklepach z luksusową bielizną, które sprzedawały ten sam model. W efekcie udało mi się zdobyć prawie sześćdziesiąt identycznych biustonoszy w stonowanych kolorach. Jeździłam jak wariatka autem pełnym jasnoróżowych bibułkowych torebek z dziesiątkami staników, które nie były nawet moje. Kiedy wracałam z Newport, prędkościomierz crown victorii wskazywał prawie sto pięćdziesiąt kilometrów na godzinę. Uznałam, że jeśli zatrzyma mnie policja – najlepiej jakiś umięśniony, poczciwy glina podobny do poznanego wcześniej sierżanta z Beverly Hills – to pokażę mu ponętne pakunki w samochodzie, powiem, że jadę właśnie na hollywoodzką paradę biustonoszy i zapytam, czy chce się przyłączyć. Kto byłby w stanie się oprzeć?

Polowanie na staniki zajęło mi cały dzień. Całkiem nieźle się przy tym bawiłam – przebywanie w sklepach z luksusową bielizną i wydawanie tysięcy dolarów na seksowne koronki sprawiło mi dużą przyjemność. Nawet opakowania ładnie pachniały – jak perfumowane pieniądze. Przez chwilę wydawało mi się, że spełnia się jedno z moich marzeń. Zauważyłam, że natychmiast po wejściu do eleganckiego butiku byłam obrzucana przez sprzedawczynię taksującym spojrzeniem – lustrowała mnie od stóp do głów, żeby stwierdzić, ile pieniędzy mogę wydać. Od wyniku tej oceny zależała później jakość obsługi. Po wizycie w pierwszym butiku Neimana celowo nosiłam ze sobą kilka torebek z nowo nabytymi stanikami, dzięki czemu kolejne zakupy były dużo przyjemniejsze.

W dniu, w którym Asra zleciła mi zakup staników, pracowałam do późna, przejeżdżając setki kilometrów. Wcześnie następnego ranka odwiedziłam jeszcze jeden sklep, żeby przed wyjazdem rodziny królewskiej zdobyć kilka dodatkowych sztuk.

Jestem przekonana, że żadnemu z szoferów nie udałoby się znaleźć tylu biustonoszy – założę się, że nie podołałby temu nawet konsjerż Four Seasons czy hotelu Beverly Hills. Byłam z siebie zadowolona. Miałam nadzieję, że Basma doceni moje wysiłki i pochwali mnie przed księżniczką Zahirą. Wiedziałam, że w tej kwestii na Asrę nie mam co liczyć, a zależało mi, żeby rodzina królewska dowiedziała się, jaka jestem sumienna. Nie chodziło mi tylko o to, żeby ich uznanie przełożyło się na suty napiwek – chciałam im uświadomić, że mimo skrajnego wyczerpania nadal świetnie pracuję.

Moja hierarchia wartości była wtedy do tego stopnia wypaczona, że uznałam to polowanie na staniki za coś niezwykle ważnego – jakbym zmieniała świat na lepsze. Nie odkryłam przecież leku na raka ani nie działałam na rzecz pokoju na świecie, co byłoby rzeczywiście godne podziwu. Tak naprawdę moje osiągnięcie sprowadzało się do kupienia tylu biustonoszy, że wystarczyłoby ich dla wszystkich cheerleaderek drużyny Lakersów, a wszystko po to, by zaspokoić potrzeby saudyjskiej księżniczki po powiększeniu piersi.

Poszłam do apartamentu Basmy i przekazałam swój łup jej służącej, Mounie. Dziewczyna zajrzała do torebek i pisnęła z zachwytu, po czym zaczęła z namaszczeniem dotykać staników. Nie były wystarczająco wycięte do jej sukni ślubnej, ale i tak się nimi zachwycała.

– Musisz pokazać księżniczka Basma – powiedziała, wypychając mnie na korytarz. – Księżniczka pytała, musisz pokazać.

Większość pakunków zostawiłam Mounie, a na dół zabrałam tylko jedną torebkę z kilkoma sztukami, żeby zaprezentować księżniczce. Zobaczyłam, że jej SUV stoi w cieniu przed wejściem do hotelu, więc poszłam porozmawiać z jej stałym kierowcą, a moim znajomym Charlesem.

O każdej porze dnia i nocy samochód był nieskazitelnie czysty – Charles traktował go jak swój własny, nieustannie pucował i polerował, zawsze z pełną uwielbienia uwagą i uśmiechem na twarzy. Wyglądał przy tym tak, jakby kąpał swoją ukochaną. Ponieważ Basma nie rozstawała się z papierosem, Charles zamontował w aucie własnoręcznie wykonaną popielniczkę – wysoką szklankę do whisky napełnił kolorowym piaskiem i umieścił ją w uchwycie na napoje obok siedzenia księżniczki. Regularnie ją opróżniał i czyścił, żeby samochód pachniał świeżo.

– Jak się miewa moje słoneczko? – zapytał na mój widok.

Nazywanie mnie „słoneczkiem" było niedorzeczne, bo przez całe siedem tygodni prawie nigdy nie miałam dobrego nastroju. Bywałam na zmianę posępna, wyczerpana i apatyczna. Charles zwracał się do mnie w ten sposób tylko po to, żebym poprawić mi humor, za co byłam mu wdzięczna. Nikt nie lubi się dowiadywać, że przebywanie w jego towarzystwie jest męczące, nawet jeśli to prawda.

– Już prawie koniec. Jak tylko odjadą, położę się spać na tydzień – odparłam, siadając na tylnym siedzeniu.

W SUV-ie zawsze panował przyjemny chłodek, bo nawet na parkingu miał włączoną klimatyzację i był non-stop gotowy na przybycie Basmy.

– Tak, już prawie koniec. Wygląda na to, że przetrwaliśmy – powiedział.

Charles miał w aucie skrupulatnie uzupełniany zestaw różnorodnych smakołyków, którymi wszystkich częstował, kiedy poziom cukru niebezpiecznie nam spadał.

– Wyglądasz na zmęczoną. Coś słodkiego dobrze ci zrobi – stwierdził, podając mi paczkę ciastek Oreo.

Chodziło mu o to, że traciłam kobiece kształty, czego nie pochwalał. Zarówno Charles, jak i Sami dali mi delikatnie do zrozumienia, że wyglądam korzystniej z kilkoma dodatkowymi kilogramami. Nie gustowali w chudzielcach. Nie gniewałam się, że dwóch kolegów po fachu wygłasza nieproszone opinie na temat mojego wyglądu. Wiedziałam, że się o mnie troszczą i traktują mnie jak człowieka, a nie kawałek mięsa.

– Mogę wymienić na fig newtonsa? – zapytałam.

Pochłonęłam kilka ciastek figowych i otwarłam puszkę zimnego red bulla. Charles zawsze miał ten napój w samochodzie, prawdopodobnie z myślą o mnie, bo ani on, ani Basma, ani nawet ochroniarze nie gustowali w red bullu. Kupował go pewnie tylko po to, żebym się nie odwodniła i nie zasnęła za kierownicą. Charles zawsze dbał o innych.

– Szukam Basmy – oznajmiłam. – Przyniosłam kilka rzeczy, które kazała mi kupić, a nie ma jej w pokoju. – Nie dodałam, że udało mi się zdobyć *dessous* za grube tysiące dolarów, a on nie zapytał, co jest w torebce. Oboje wiedzieliśmy, jak ważna jest dyskrecja.

– Moja księżniczka powiedziała, że chce wyjechać w południe, ale sama wiesz, jak z nimi jest. Czekam już ponad dwie godziny.

Nazywał ją czule „swoją księżniczką", jakby mówił o swojej córeczce.

– Zajęli się już tobą? – zapytał.

– Słucham?

– No wiesz, czy się już tobą zajęli? – powtórzył. Przypomniałam sobie, że w żargonie szoferów to oznacza wypłacenie odprawy.

– A, chodzi ci o napiwek? Nie, nic nie dostałam. A ty? Myślałam, że zapłacą nam na lotnisku.

Charles uśmiechnął się i powiedział:

– Moja księżniczka już się mną zajęła.

– Miło z jej strony – odparłam. – I jak?

– Nieźle.

Chciałam zapytać, ile to jest „nieźle", ale nie chciałam być niegrzeczna. Nigdy wcześniej nie rozmawiałam w ten sposób o pieniądzach, więc nie wiedziałam, jakie w tym środowisku obowiązują zasady. Szoferzy słyną jednak z tego, że niechętnie mówią o zarobkach.

– Więc jesteś zadowolony? – zapytałam.

– Jest nieźle – powtórzył.

– Nieźle, ale nie jesteś szczególnie zadowolony?

– Nie jestem niezadowolony – odpowiedział.

Byłam zdezorientowana – nie umiałam rozszyfrować jego kodu. Chciałam usłyszeć precyzyjną liczbę. Właśnie przepracowałam ciągiem siedem tygodni i potrzebna mi była konkretna kwota, żebym wiedziała, że było warto. Usatysfakcjonowałoby mnie pięć tysięcy dolarów. Dziesięć sprawiłoby, że byłabym bardzo zadowolona. Przy dwudziestu zaczęłabym szaleć z radości. Może jednak Charles inaczej definiował satysfakcję?

– Dostałeś znacznie więcej niż przy ostatnim zleceniu dla Saudyjczyków? Tym, które trwało miesiąc? – drążyłam. Uznałam, że może jeśli nie wymienię żadnej liczby, to będzie bardziej skory do wyjawienia tajemnicy.

– Niech pomyślę... nie – odpowiedział. Pewnie zapomniał, że już mi powiedział, ile zgarnął poprzednim razem, a ja nie zamierzałam mu o tym przypominać.

– Dużo mniej?

– Nie – odparł.

W porządku. Uznałam, że musiał dostać od ośmiu do dwunastu tysięcy dolarów. To dobrze wróżyło. Charles był jednak bardzo doświadczonym szoferem i woził księżniczkę zajmującą wysokie miejsce w hierarchii, co na pewno uwzględniono w napiwku. W ciągu tego popołudnia dowiedziałam się, że wielu kierowcom wypłacono już odprawę – z reguły pięć tysięcy dolarów, a niektórym nawet więcej. Dodatkowo większość dostała też drogie zegarki. Byłam przekonana, że przypadnie mi w udziale jeden z większych napiwków. Tego wymagała sprawiedliwość.

Zaczęłam marzyć o masażach, margaritach i maratonach filmowych. Z podniecenia drżały mi dłonie.

Chwilę później znalazłam Basmę i chciałam jej pokazać z trudem zdobyte staniki, owoc wielogodzinnych poszukiwań. Ona odprawiła mnie machnięciem ręki, nawet nie patrząc na torebkę, jakby chciała powiedzieć: Nie zawracaj mi głowy szczegółami twojej pracy. To mnie w ogóle nie obchodzi.

W porządku – pomyślałam. – Przynajmniej twoje nowe piersi będą zadowolone w cudownych jedwabnych miseczkach, choć sama jesteś wredną zołzą. Niedługo dostanę worek pieniędzy, więc mogę ci wybaczyć, że jesteś, jaka jesteś. Pewnie nie dasz rady nic z tym zrobić.

{ ROZDZIAŁ 24 }

MOJA GRUBA KOPERTA

Na ostatni dzień szoferom znów kazano włożyć garnitury, tak jak przy odbieraniu rodziny królewskiej z lotniska. Spięłam spodnie agrafką, żeby nie spadały, bo przez siedem tygodni znacznie schudłam, ale i tak przypominałam nastolatka z krokiem w kolanach. Nawet dłonie mi zeszczuplały, tak że musiałam obkleić serdeczny palec przezroczystą taśmą, żeby nie zgubić obrączki po babci. Przyjaciółka, która tuż po zakończeniu zlecenia ściskała mnie na pożegnanie, odsunęła się i powiedziała zaniepokojona:

– Czuję wszystkie twoje żebra! Powinnaś naprawdę wziąć się za siebie.

Nie chodziło tylko o utratę wagi – stres i chroniczny brak snu sprawiły, że jakoś nagle się postarzałam, ale moja koleżanka była zbyt taktowna, żeby o tym wspomnieć.

Saudyjczycy odlatywali z prywatnego lotniska w Long Beach, które też miało luksusową poczekalnię dla VIP-ów, gdzie przez całą dobę serwowano koktajle i przekąski. Zostaliśmy poinformowani, że mamy jechać tam konwojem. Kiedy zbliżała się wyznaczona pora, kierowcy zaczęli gromadzić się przed hotelem. Podjechałam pod wejście i zobaczyłam, że wokół kręci się mnóstwo szoferów, a na schodach stoi saudyjski pułkownik, którego poznaliśmy na początku, i rozdaje grube białe koperty. Wyglądał na całkowicie wyczerpanego – ciemne wory pod oczami urosły do rozmiarów dojrzałych śliwek, natomiast twarz zapadła mu się tak, jakby stracił kilka zębów. Po jego wielkim brzuszysku nie było śladu, a koszula wisiała na nim jak na kiju. Zastanawiałam się, co musi czuć wojskowy z odznaczeniami, który podczas zakupowo-zabiegowych podróży księżniczki i jej dzieci po całym świecie jest ich agentem turystycznym, organizatorem imprez i opiekunem. Jego potępieńczy wygląd sugerował, że praca nie była łatwa.

Podeszłam do niego z nadzieją, że mnie zauważy. Nie czekałam długo – pierwszy raz spojrzał mi w oczy. Tak mnie to zaskoczyło, że omal nie spadłam ze schodów. Przez całe siedem tygodni ani raz nie nawiązał ze mną kontaktu wzrokowego. Pułkownik uśmiechnął się do mnie ze znużeniem, a potem nawet się odezwał. Zapytał, jak się nazywam, żeby sprawdzić, czy to samo imię widnieje na trzymanej przez niego kopercie.

– Dziękujemy za twój wysiłek – powiedział, wręczając mi napiwek.

To, że w końcu przestał mnie ignorować, uznałam za dobry znak – musiał naprawdę doceniać moją pracę, w przeciwnym razie nie fatygowałby się, żeby mi to powiedzieć. Sprawiał wrażenie mężczyzny, który jeśli już coś mówi, to mówi szczerze.

Koperta była gruba i wilgotna od potu, bo panował straszny południowy upał. Widniał na niej napis po arabsku, którego nie umiałam rozszyfrować. Wiedziałam, że to nie jest czek – koperta była za bardzo wypchana, a poza tym Saudyjczycy posługiwali się tylko gotówką. Przypuszczałam, że mój napiwek jest w banknotach studolarowych, bo rodzina królewska zawsze płaciła setkami, i z zadowoleniem stwierdziłam, że musi ich być całkiem sporo. Szybko włożyłam kopertę do kieszeni – nie chciałam otwierać jej przy parkingowych i reszcie hotelowej obsługi i nie zmierzałam przeliczać pieniędzy przy świadkach.

Postanowiłam zadać pułkownikowi jakieś pytanie, obojętnie jakie, żeby tylko zacząć coś w rodzaju rozmowy. On jednak odwrócił się już do mnie plecami i mówił coś do innego szofera. Stałam tam jeszcze przez chwilę, tak jak fan, który czeka, aż osaczona przez tłum gwiazda go zauważy, zamieni kilka słów czy nawiąże jakikolwiek kontakt. Pułkownik niestety już więcej na mnie nie spojrzał. W końcu głupio mi było już dłużej tam stać, więc weszłam do hotelu.

Czekając na windę, która zabierze mnie na górę, obserwowałam krzątających się wokół ludzi. Słyszałam kilka języków, ale nie było wśród nich angielskiego. Kilkoro gości, których znałam z widzenia, uśmiechnęło się do mnie, a portierzy życzyli mi miłego dnia. Myśleli pewnie, że jestem stałym bywalcem albo jednym z kierowników hotelu. Bywałam tam codziennie przez siedem tygodni, więc poniekąd miałam wrażenie, że wchodzę do własnego ogromnego holu z marmurową podłogą i kryształowym żyrandolem. Na środku stał ogromny bukiet nieznanych mi egzotycznych kwiatów, których zapach czułam już z odległości kilku metrów.

Pomieszczenie było piękne, ale nawet odbijające się od żyrandola promienie słońca ani słodka kwiatowa woń nie uczyniły go przytulnym – hol przypominał zimne mauzoleum.

Kiedy winda się otwarła, zerknęłam jeszcze za siebie i zauważyłam, że pułkownik obserwuje, jak rozglądam się po holu. Nasze spojrzenia się spotkały, on zlustrował jeszcze raz całą moją sylwetkę, kiwnął do mnie głową, po czym znów się odwrócił. Wiedział, że chcę z nim porozmawiać, ale sobie tego nie życzył.

ROZDZIAŁ 25

UCIECZKA SAMOLOTEM ZA TRZYSTA MILIONÓW

Zadzwoniła do mnie Majsam, prosząc, żebym przyszła na górę i pożegnała się z nią i resztą służących. Wyjeżdżały z hotelu wcześniej, żeby przygotować samolot na przyjęcie księżniczki Zahiry i pozostałych członków rodziny królewskiej. Ja zawoziłam Malikę i Radżiję dopiero później, więc nie miałabym już okazji się z nimi zobaczyć. Charles powiedział mi, że kiedy pracował dla innego saudyjskiego księcia, bardzo malowniczej postaci, służba zawsze udawała się na lotnisko przed czasem, żeby rozsypać dywan z płatków czerwonych róż, po którym do samolotu szła jego ulubiona małżonka. Płatki musiały być świeże, zupełnie bez skazy, a księżniczka miała być pierwszą osobą, która po nich stąpa, w przeciwnym razie książę wpadał w furię.

W pokoju służących wrzało jak w ulu, panował w nim kontrolowany chaos i lekki harmider. Deski do prasowania znów stały w gotowości, część dziewcząt zajmowała się ubraniami, kolejna ekipa dopakowywała ostatnie rzeczy, była też grupa wypełniająca polecenia last minute księżniczek. Cała podłoga zastawiona była ogromnymi pudłami, ustawionymi jedno na drugim, do których Majsam wkładała kadzidła, przyprawy i inne akcesoria przywiezione z Arabii Saudyjskiej. Na pakowaniu większych przedmiotów dziewczęta spędziły kilka poprzednich dni. Pracowały bardzo ciężko – tak naprawdę była to robota dla dwudziestu silnych mężczyzn.

– Tu siądź, Janni – powiedziała Majsam, po czym popchnęła mnie w kierunku miękkiego fotela, a kiedy umościłam się wygodnie na tym tronie, poprawiła mi poduszki. Na kolanach położyła mi dużą puszkę z niebieską i złotą emalią i napisami po arabsku. – Proszę, Janni, prezent.

Blaszany pojemnik wypełniały liście herbaty.

– Och, bardzo ci dziękuję, Majsam. Uwielbiam tę herbatę. *Szukran*.

Napar pozwolił mi przetrwać wiele długich, męczących dni i naprawdę, jak mawia mój tata, dodawał krzepy.

Nie wpadłam na to, że będziemy dawać sobie prezenty, więc przyszłam z pustymi rękami. Następna była Zuhur, która wręczyła mi coś, co przypominało zapakowaną w cienki złoty papier książkę. Z przerażeniem zdałam sobie sprawę, że każda ze służących zamierza czymś mnie obdarować, a ja nic dla nich nie mam. W schowku w samochodzie zostało mi kilka starych batonów energetycznych, ale na tym koniec.

– Nie, nie – zaprotestowałam. – Już dość od was dostałam. Wystarczy. Będę pić pyszną herbatę i za każdym razem o was myśleć.

Odepchnęłam książkę delikatnie w stronę Zuhur. Ona podsunęła mi ją z powrotem.

– Proszę. To podarunek dla ciebie, żeby twoje życie było spokojne i przyjemne. Proszę, weź.

Nie pozostało mi nic innego, jak tylko ostrożnie rozpakować prezent. Książka miała miękką okładkę z zielonego marokinu, a na niej tłoczone złote napisy i ornamenty. Kartki były lekkie, niemal przezroczyste i perfumowane olejkiem z drzewa sandałowego. Po jednej stronie znajdował się tekst arabski, po drugiej angielskie tłumaczenie, obydwa wydrukowane elegancką, ozdobną czcionką. Zuhur przyglądała się z zadowoleniem, jak delikatnie przewracam kartki.

– Koran – powiedziała. Dotknęła księgi, a potem położyła mi rękę na sercu i na skroni. – Żebyś była szczęśliwa.

– Dziękuję, Zuhur. Jest piękny i na pewno przyniesie mi szczęście.

Majsam wyjęła z kieszeni mały aksamitny woreczek i położyła mi go na kolanach. Był w kolorze kasztanowym i miał wypukłe złote napisy po arabsku. Od razu wiedziałam, że w środku jest jakaś biżuteria. Rozwiązałam go powoli i wyjęłam filigranowy pierścionek z dwudziestoczterokaratowego złota. Połączone ze sobą poskręcane druciki tworzyły półksiężyc i gwiazdę, symbol islamu.

– Dla ciebie, Janni – odezwała się Majsam. – Kochamy cię, Janni. Kochamy cię.

Włożyłam pierścionek na palec. Był delikatny i gustowny, na pewno bardzo cenny. Podarunek był tak hojny, że nie wiedziałam, co powiedzieć. Zdawałam sobie sprawę, że służące zarabiają bardzo mało, więc ich szczodrość bardzo mi zaimponowała. Widać było, że starannie zaplanowały nasze pożegnanie i przemyślały, co mi sprawi przyjemność i najlepiej wyrazi ich sympatię do mnie. Sama byłam zupełnie nieprzygotowana. Pochłonęły mnie marzenia o długim odpoczynku i układanie jadłospisu na pierwszy od bardzo dawna ciepły posiłek. Myśli zaprzątała mi też koperta, która wypalała mi dziurę w kieszeni, i pieniądze czekające na przeliczenie jak tylko samolot rodziny królewskiej wystartuje. Zajmowałam się wyłącznie sobą.

Spuściłam głowę, udając, że podziwiam pierścionek, i milczałam. Majsam zauważyła, że nie jestem w stanie nic powiedzieć. Nachyliła się i uszczypnęła mnie lekko w policzek. Następnie spojrzała na moją rękę, poklepała ją i uśmiechnęła się do mnie.

– Tak, Janni, to dla ciebie – dodała.

Do pokoju wbiegła Mouna obładowana pękającą w szwach hotelową torbą na pranie. Majsam i Zuhur wyjęły takie same plastikowe reklamówki spod łóżka i wszystkie trzy zostały złożone u moich stóp. Zajrzałam do środka i zobaczyłam, że są w nich setki szamponów, kremów i mydeł L'Occitane, które gościom zapewniał hotel. Dziewczęta wiedziały, że lubię tę markę, więc je dla mnie chomikowały. Dla równego rachunku dorzuciły kilka zestawów do szycia i czepków pod prysznic.

– Masz, Janni, weź, weź! To dla ciebie! Będziesz miękka i pachnąca! – wołały, zasypując mi kolana małymi buteleczkami.

W ciągu ostatnich tygodni wiele razy byłam świadkiem, jak służące krzyczą na pokojówki, czegoś się domagając. Jeśli ich żądań nie spełniano natychmiast, wpadały we wściekłość. Była to jedyna okazja, kiedy widziałam, jak się złoszczą. Teraz wiedziałam, że zdobywały dla mnie więcej kosmetyków. Pokojówki pewnie znalazły ich ogromne zapasy i przestały przynosić nowe produkty.

– Uwielbiam L'Occitane – powiedziałam. – Wiecie, że za nimi przepadam. Cudowny prezent.

Otwarłam od razu krem o zapachu werbeny i posmarowałam nim dłonie i ramiona. Dziewczęta uśmiechały się triumfująco wyraźnie z siebie zadowolone. Zuhur włożyła każdą z toreb do jeszcze jednej reklamówki, żebym bezpiecznie zniosła je na dół. Mouna natomiast przyniosła wielką siatę po kozakach Jimmy'ego Choo, która miała pełnić funkcję maskującą, żeby personel nie zorientował się, że wynoszę dwuletni zapas hotelowych gratisów.

Przez resztę dnia nie rozstawałam się z Koranem – nie chciałam wkładać go do torby z kremami i szamponami ani trzymać w bagażniku koło zapasowej opony i skrzynki na narzędzia.

Tuż przed wyjazdem rodziny królewskiej hol i wejście do hotelu znalazły się w oku cyklonu – ludzie wydawali pełne frustracji okrzyki i biegali tam i z powrotem, usiłując przygotować wszystko do podróży. Czekając w kabriolecie na swoje pasażerki, macałam trzymaną w kieszeni kopertę. Starałam się o niej nie myśleć.

Wiedziałam, że Radżija za nic w świecie nie chce wyjeżdżać i błagała matkę, żeby pozwoliła jej zostać do końca lata z kuzynkami w ich domu w Bel Air. Bałam się, czy nie oczekuje, że nadal będę jej szoferem, czego nie mogłam się podjąć. Byłam totalnie wyczerpana. Padnięta. Kaput. Malika powiedziała mi, że rodzina chce wrócić do Królestwa na ramadan, który miał zacząć się za kilka tygodni. Ulżyło mi, kiedy zobaczyłam, że błagania Radżii są zupełnie bezskuteczne.

Samochody zaczęły ustawiać się przed wejściem. Ruchem kierował jeden z portierów. Kiedy mnie zobaczył, natychmiast zrobił mi miejsce na przodzie, przy samych schodach, bo wiedział, że wożę księżniczkę Radżiję. Podjazd ogradzały półtorametrowe zielone pachołki, które przekładali nadzorujący całą operację parkingowi. Nie wiem, jak to się stało, ale podjeżdżając, zupełnie nie zauważyłam ostatniego słupka, który przerysował cały bok kabrioletu, wydając przy tym przeraźliwy zgrzyt, jakby auto ocierało się o ścianę z papieru ściernego. Wszyscy przed hotelem zamarli. Pachołek przyczepił się na dobre do samochodu – nie mogłam ruszyć w tył ani w przód, nie powiększając jeszcze rysy. Miałam ochotę wysiąść i uciekać.

Kilku parkingowych podbiegło, żeby ocenić skalę zniszczenia. Następnie przy pomocy jeszcze paru kolegów popchnęli kabriolet, tak żeby można było odczepić słupek. Nie miałam odwagi, żeby obejrzeć rysę. Jeden z pracowników hotelu powiedział:

– Nie martw się, *linda,* nie jest tak źle. Mogło być gorzej.

Kto inny dodał:

– Nie jest źleee.

Jeszcze ktoś dorzucił:

– *Si,* jest źle, bardzo źle.

Na szczęście osoby wychodzące z hotelu nie widziały podrapanej strony. Ponieważ nie byłam w stanie nic z nią zrobić, postanowiłam na razie o tym zapomnieć.

Większość członków rodziny wyszła już na zewnątrz i wsiadła do swoich samochodów. Nikt z wyjątkiem personelu hotelowego chyba nie zauważył, co się stało. Maliki i Radżii jeszcze nie było. O nie! – pomyślałam. – Może księżniczka Amina dała się przekonać? Wtedy właśnie zobaczyłam

Malikę, która uśmiechała się do mnie, stojąc u szczytu schodów. Mrugnęła do mnie porozumiewawczo. „Nie martw się, jesteśmy gotowe, już schodzimy" – wyczytałam z jej oczu. Pożegnała się ze wszystkimi portierami, po czym wsiadła do samochodu. Miałyśmy dla siebie kilka chwil, zanim dołączą do nas Radżija i jej służąca.

Przez moment milczałyśmy, uśmiechając się do siebie.

– Na pewno będę cię długo pamiętać – powiedziała Malika, biorąc mnie za ręce.

– Bardzo się cieszę, że mogłam cię poznać – odparłam. – Gdyby nie ty, Maliko, nigdy bym nie dotrwała do końca. Wiele się od ciebie nauczyłam. Dziękuję.

– Ja też się dużo nauczyłam – powiedziała. – Jak zawsze. Pod tym względem jesteśmy bardzo podobne, *nam*? Zobaczymy, jaką przyszłość zaplanował dla nas Allah. Wiem, że masz wiele marzeń, i modlę się, żeby udało ci się je zrealizować.

Zamilkła na chwilę, a potem, jakby sobie o czymś przypomniała, dorzuciła:

– Zanim zaczęłam pracować dla rodziny królewskiej, byłam w swoim kraju pielęgniarką. Teraz, kiedy wracam do Libanu, trudno mi spotykać się z koleżankami. Jedna jest oddziałową w dużym szpitalu, druga ma liczną rodzinę i doczekała się już nawet wnuków, trzecia jest autorką i ma na koncie wiele książek... a ja jestem nianią.

Początkowo nie wiedziałam, co powiedzieć, ale doskonale rozumiałam, co czuje. Obie miałyśmy spore zaległości i nie osiągnęłyśmy jeszcze tego, na co nas stać.

– Maliko, wiesz, że tu, w Stanach, zawsze można zacząć od nowa. Moja mama urodziła dziesięcioro dzieci, a potem, po pięćdziesiątce, poszła na studia i przez dwadzieścia pięć lat robiła karierę. Teraz uczy się tanga. Nic nie jest niemożliwe. Na to liczę. W wieku dwudziestu lat możesz mieć jedną pracę, a potem zmienić ją po czterdziestce i jeszcze raz po siedemdziesiątce. To dlatego zatrudniłam się jako szofer... żeby móc zatroszczyć się o siebie, robić to, co chcę. Maliko, ty jesteś taka mądra i zdolna, możesz mieć każdą pracę, o jakiej tylko zamarzysz. Jestem tego pewna. Przed tobą też wszystkie drzwi stoją otworem.

– *Nam*, Janni. *Insza'Allah.*

– Nie, nie, jeśli tego chce Bóg – jeśli ty tego chcesz. Przepraszam, ale moim zdaniem to zależy od ciebie, nie od Allaha.

Malika się uśmiechnęła.

– Jestem nianią i to mnie uszczęśliwia. Nie żałuję tego wyboru. Musiałam pomóc swojej rodzinie. Allah widzi wszystko i na pewno mnie wynagrodzi. *Nam. Nam.*

Nie miałam pojęcia, jakich argumentów użyć. Malika pogodziła się z tym, kim jest i w jaki sposób zarabia. *Salam alejkum.*

Podałam jej świstek ze swoim adresem mailowym i numerem prywatnej komórki.

– Proszę, to dla ciebie – powiedziałam. – Nie dawaj nikomu, dobrze? Zostaniemy w kontakcie?

Obiecała nie udostępniać nikomu moich namiarów i czasem się do mnie odzywać. Ulżyło mi, że od niej nie dostałam pożegnalnego prezentu.

– Jeszcze się zobaczymy, Janni. Zobaczymy się, a Allah widzi nas obie i zostaniemy nagrodzone – powiedziała, wyciągając otwartą dłoń do nieba.

Sama nie byłam taka pewna, że tam na górze jest Bóg, który nas sowicie obdaruje. Miałam tylko nadzieję, że istnieje jakiś Allah, który czuwa nad Maliką i wynagrodzi jej wysiłki.

Do samochodu wsiadła Radżija, a za nią jedna z jej służących, nieśmiała młoda Filipinka o imieniu Lilia. Uśmiechnęła się do mnie serdecznie. Pracowała dla rodziny od niedawna i rzadko wychodziła z hotelu, ale ilekroć się widziałyśmy, wsuwała mi do ręki jakieś smakołyki – ciastko albo garść trufli przemycone z pokojów Saudyjczyków. Słodycze okazały się wspólną walutą wśród personelu różnych narodowości.

– Okej, komu w drogę, temu gaz – powiedziałam i ruszyłam za karawaną limuzyn.

Radżija stłumiła chichot.

Tym razem kolumna była mniejsza, składała się z dziewięciu czy dziesięciu samochodów, ponieważ większość świty i służących wyjechała na lotnisko wcześniej. Byłam na samym końcu i podróż okazała się niesamowicie stresująca. Nie chciałam zostawać w tyle, więc kilka razy z piskiem opon przejechałam na czerwonym świetle, skręcając gwałtownie, żeby uniknąć zderzenia. W trakcie jednego z takich karkołomnych manewrów zdałam sobie sprawę, że zachowuję się jak wariatka. Nie wiozłam przecież świeżo pobranych organów do przeszczepu, które miały ocalić życie czekającemu w szpitalu biorcy. Nie ścigała mnie horda żądnych krwi terrorystów, którzy chcieli nas uprowadzić. Nie musiałyśmy się nawet spieszyć na samolot – prywatny jet czekał na nas na lotnisku i miał odlecieć dopiero, kiedy wszyscy zainstalują się wygodnie na pokładzie. Coś dziwnego dzieje się jednak z człowiekiem w kolumnie samochodów – pojawia się presja, żeby trzymać się jak najbliżej reszty i jechać jak najszybciej, jakby ktoś przykładał nam spluwę do głowy. Tak naprawdę moje życie zależało jednak od tego, czy ostatniego dnia w pracy uda mi się uniknąć zderzenia z autem, które próbowałam wyprzedzić przed światłami. Postanowiłam trochę zwolnić. Kiedy czekałyśmy na zielone, Radżija zaczęła wciskać guzik, żeby złożyć dach kabrioletu.

– Poczekaj, proszę, aż będziemy bliżej lotniska – powiedziałam. – Teraz to zbyt niebezpieczne.

Jechałam tak szybko i skręcałam tak gwałtownie, że autem mogłoby rzucać. Radżija, widząc, że staram się dogonić pozostałych, nie protestowała. W radiu puścili jej ulubioną piosenkę i to, co niesamowite, trzy razy z rzędu, więc wszystkie śpiewałyśmy: „*It's like I've waited my whole life for this one night...*". Radżija była zachwycona.

Kiedy zbliżałyśmy się do celu, zjechałam na pobocze i złożyłam dach. W radiu znów leciał jej ulubiony kawałek i zaczęłyśmy wiwatować, podnosząc ręce do góry. Dodałam gazu i przejechałyśmy przez bramę lotniska, kiedy reszta rodziny królewskiej wysiadała z samochodów. Ochrona dała mi sygnał, więc podjechałam pod samolot. Radżija wyskoczyła z auta, nie odzywając się do mnie ani słowem. Wiedziałam, że byłaby zażenowana, publicznie okazując uczucia szoferowi. Wcześniej nieśmiało wręczyła mi prezent od siebie i swojej mamy. Dostałam imponujący duży złoty pierścionek w starym stylu z pokaźnym brylantem i dwoma mniejszymi kamieniami. Założę się, że był to odrzut, który znudził się którejś z księżniczek. Zaniosłam go niedawno do wyceny i dowiedziałam się, że mogłabym za niego dostać siedem tysięcy dolarów, jeśli znajdę kupca. Chociaż kamień jest spory, ma płaski szlif i nie jest najlepszej jakości. Dużo bardziej podobał mi się delikatny pierścionek, który dostałam od służących – do dziś często go noszę i za każdym razem mile wspominam swoje afrykańskie przyjaciółki. Podarunek od księżniczki natychmiast trafił na dno szuflady ze skarpetkami, żebym w gorszych czasach miała co zanieść do lombardu.

Lilia uśmiechnęła się i kiwnęła mi głową na pożegnanie, po czym popędziła za Radżiją. Była obładowana kupionymi w ostatniej chwili rzeczami, których nie zdążyła jeszcze włożyć do walizki. Rodzina królewska zaczęła wchodzić do samolotu, natomiast służące krzątały się przy bagażach. Od czasu do czasu przerywały pracę, żeby wysłać mi buziaka czy puścić do mnie oczko. Malika została przez chwilę przy samochodzie i pocałowałyśmy się na pożegnanie.

Kiedy podczas normalnej podróży wchodzi się na pokład przez ruchomy rękaw lotniczy, nie ma się pojęcia, jak ogromny jest samolot w porównaniu z nami, bo właściwie się go nie widzi. Stojąc w słońcu na płycie lotniska, piętnaście metrów od saudyjskiego boeinga 747, zadarłam głowę do góry.

Maszyna ta ma prawie sześćdziesiąt metrów rozpiętości skrzydeł, trzy poziomy o łącznej powierzchni ponad trzystu siedemdziesięciu metrów kwadratowych i przewyższa sześciopiętrowy budynek. To prawdziwy olbrzym.

Podróżowanie takim gigantem jest bardzo komfortowe, zwłaszcza jeśli na pokładzie jest pięćdziesiąt osób, a nie, jak zwykle, czterysta. Rządowy Air Force One to też 747 i jestem pewna, że amerykański prezydent, jego ekipa i korpus prasowy Białego Domu również latają bardzo wygodnie.

Siedem tygodni wcześniej rodzina królewska wylądowała w Stanach samolotem z niebiesko-złotym logo Saudi Arabian Airlines na ogonie, ale jet, którym wracali, miał tylko obowiązkowe numery identyfikacyjne. Posiadali tyle samolotów, że pewnie wymieniali się nimi między sobą, w zależności od potrzeb. Może ten był własnością męża księżniczki Zahiry i dlatego nie miał logo. Nie wiedziałam, a nie było kogo zapytać.

Przypuszczałam, że wnętrze zostało dostosowane dla VIP-ów i miałam ogromną ochotę wejść na pokład. Być może wystrój był tropikalny, z basenem i barem, przy którym można się zrelaksować, popijając piña coladę.

– Ładnie jest w środku? – zapytałam Malikę.

– Tak – odparła z uśmiechem – jest wygodnie.

– O, na pewno – powiedziałam.

– Jeszcze się zobaczymy – przypomniała mi Malika, całując mnie w oba policzki. – A Allah widzi nas wszystkich.

Zatęskniłam za nią, jeszcze zanim się oddaliła. Na palcach jednej ręki mogę policzyć ludzi, z którymi tak szybko się zaprzyjaźniłam. Z większością z nich już się nie widuję, choć obiecywaliśmy sobie, żeby zostaniemy w kontakcie. Miałam nadzieję, że w przypadku Maliki będzie inaczej.

Służące wysłały mi jeszcze kilka całusów.

– Kochamy cię, Janni, kochamy cię! Będziemy się modlić za ciebie i twojego męża! – wołały z wiodących do samolotu schodów. Były takie ufne i serdeczne.

Odezwały się we mnie wyrzuty sumienia – nie bardzo głośno, raczej cichutko. Malika, Majsam i służące na pewno poczułyby się dotknięte, dowiedziawszy się, że je okłamałam, wymyślając sobie męża Michaela. Zrobiłam to, bo łatwiej było mi udawać niż powiedzieć prawdę i, co ważniejsze, pomogło mi to osiągnąć swoje cele.

Jako mężatka mogłam się wykręcić od wizyt w kasynie, bo Michael ich nie pochwalał, a wolę męża należało szanować.

Nie musiałam też nieustannie wyjaśniać wszystkim, czemu jestem samotna – pytania o stan cywilny uważałam za wścibskie i żenujące. Poza tym w saudyjskiej kulturze kobiety zamężne są dużo bardziej szanowane. Z otwartymi ramionami przyjęto mnie do tradycyjnej kobiecej wspólnoty, choć dostałam się do niej podstępem. Mam kilka koleżanek, które naprawdę są mężatkami, i też, czasem nieświadomie, używają ślubnych jako wymówki, żeby się od czegoś wymigać, albo jako uzasadnienia tego, na co mają ochotę. Nie dalej jak w zeszłym tygodniu podsłuchałam, jak znajoma mówi: „Przepraszam, ale raczej nie będziemy w stanie przyjść. Sama bardzo chętnie bym się przeszła, ale nie mogę ciągnąć Boba na kolejne szkolne przedstawienie. Strasznie go nudzą, a potem muszę wysłuchiwać jego narzekań. Czasem po prostu nie ma sensu się użerać, sama rozumiesz". Doskonale wiedziałam, że tak naprawdę sztuki, w których nie grają jej własne dzieci, to ją nudzą do łez i wolałaby wydłubać sobie oczy, niż iść do szkoły i oglądać jeszcze jedną trzygodzinną realizację *Zmierzchu długiego dnia*.

W ciągu tych siedmiu tygodni, szczególnie pod koniec, często miałam ochotę do wszystkiego się przyznać. Nie raz musiałam w obecności służących powstrzymywać się, żeby nie wybuchnąć: Przepraszam, ja go wymyśliłam. Michael nie istnieje. Nie marnujcie na niego modlitw. Nie jest chory, więc możecie przestać zanosić modły w jego intencji. Jego nie ma. Przepraszam. Jeśli koniecznie chcecie się za kogoś modlić, módlcie się za mnie. To ja potrzebuję Boskiej interwencji i pomocy.

Milczałam jednak, bo lepiej było zachować prawdę dla siebie. Ludzie kłamią dlatego, że czasami tak jest po prostu łatwiej, i robią to, nawet jeśli wiedzą, że mogą głęboko zranić okłamywaną osobę. Może służące uznałyby moje łgarstwo za zabawne, ale raczej w to wątpię. Miałyby pewnie poczucie, że zdradziłam ich zaufanie, co oczywiście zrobiłam i możliwe, że nadal robię, opisując je w tej książce. Mam nadzieję, że by mi wybaczyły.

Kierowcom kazano czekać, aż samolot oderwie się od ziemi. Było nas teraz znacznie mniej niż pierwszego dnia, a wśród obecnych szoferów widziałam wiele nowych twarzy. Słyszałam, że Fausto był zmuszony naprędce zatrudniać nowych ludzi, bo Saudyjczycy nieustannie kogoś zwalniali. Nie było łatwo, bo rozeszły się wieści, że to wyjątkowo wymagająca rodzina i zawodowi szoferzy nie chcieli rezygnować ze stałych posad, żeby trochę dorobić. Zdaniem Charlesa wcale nie było jednak gorzej niż przy poprzednich saudyjskich zleceniach. Było jak zawsze.

– To dlatego podróżują z psychiatrą. Odbija im.

Nie podzielałam jego zdania. Uważam, że potrzebują pomocy specjalisty, bo jest wśród nich wiele samotnych, sfrustrowanych, pogrążonych w depresji osób. To prowadzi do wariactwa dużo szybciej niż nadmiar pieniędzy.

Patrzyliśmy, jak samolot wzbija się w przestworza, a następnie Fausto poinstruował nas, jak należy przygotować samochody, które pod koniec dnia miały zostać zwrócone. Zaparkowałam kabriolet tak, że nikt nie widział jeszcze zielonej rysy na karoserii. Nie wiedziałam, jak bardzo zniszczyłam blachę, bo na razie wszystko przykrywała farba z pachołka. Wzięłam Samiego na stronę i pokazałam mu, co się stało.

– *Chica*! Coś ty zrobiła?

– Wiem. I to ostatniego dnia. Wygląda to tak, jakbym otarła się o Hulka. Myślisz, że da się to wypolerować? – zapytałam. – Nie mogę oddać takiego auta. To może być kilkutysięczna szkoda. Nawet nie wiem, jakie mamy ubezpieczenie. Pewnie koniec końców będę musiała zapłacić za wszystko z własnej kieszeni.

– Poczekaj – powiedział, podnosząc rękę do góry, żeby przerwać moje biadolenie.

Podszedł do swojego SUV-a i otworzył bagażnik. Sami zawsze woził pełne wyposażenie na wypadek nieprzewidzianych okoliczności. Mógłby spokojnie przetrwać dwa tygodnie, żywiąc się tylko tym, co miał w samochodzie. Dysponował również różnymi narzędziami, kilkoma kalkulatorami, tłumaczem elektronicznym, a nawet dodatkowym GPS-em, gdyby utknął na pustyni, a nawigacja w aucie przestała działać. Pewnie gdyby poprosić go o pożyczenie piły mechanicznej, ją też znalazłby w bagażniku. Wyjął gumowe rękawiczki z dużej paczki (zdziwiło mnie, że ma ich aż tyle, ale był raczej pedantyczny), potem odszukał jeszcze irchową szmatkę i małą puszkę z jakimś płynem. Następnie zamoczył materiał w specyfiku i zaczął szorować zieloną rysę. Po chwili farba zaczęła schodzić. Jeszcze raz zwilżył szmatkę i kontynuował całą operację. Było wyraźnie widać, że jego sposób działa.

– Co to jest? – zapytałam.

– Benzyna, *chica*.

– Używasz benzyny do czyszczenia?

– Schodzi, ale będziesz musiała się trochę pomęczyć. Weź tę irchę, ostrożnie. Masz tu czyste rękawiczki. Przynieś sobie więcej benzyny i zacznij szorować.

Trzema zdecydowanymi uderzeniami młotka, który również ze sobą woził, wyklepał długie na metr wgniecenie karoserii. Szkodę dało się naprawić. Tak mi ulżyło, że chwyciłam Samiego i mocno go przytuliłam. Nie odwzajemnił uścisku – kiedy go wypuściłam, odwrócił się i stał zażenowany, jak mój nastoletni siostrzeniec, kiedy nie wie, jak zareagować na czułości. Cieszy się, że go przytulam, ale nie potrafi tego odwzajemnić.

– Zatroszczyli się o ciebie? – zapytał.

– Mam nadzieję. Jeszcze nie policzyłam napiwku, chciałam poczekać, aż odlecą.

– Tak, ja też, ale nie mogłem się doczekać.

– I jak? – zapytałam.

Nie odpowiedział, ale wracając do SUV-a, szeroko się uśmiechał.

– Super! Niech będzie Allah pochwalony!

Wiedziałam, że pieniądze są mu bardzo potrzebne, bo opiekuje się chorą matką. Suty napiwek razem z pensją powinny wystarczyć im na kilka miesięcy. Niedługo przedtem jego mama została postrzelona, kiedy wracała ze sklepu. W okolicy toczyły się właśnie jakieś porachunki gangów i trafił w nią zbłąkany pocisk z przejeżdżającego kawałek dalej samochodu. Na szczęście kula nie utkwiła w żadnym z ważnych organów, przestrzeliła jej tylko mięsień ramienia. Kobieta przeżyła jednak ciężki szok i bała się wychodzić z domu.

Następną godzinę spędziłam na pobliskiej stacji benzynowej, szorując szmatką karoserię. Metoda Samiego okazała się cudownie skuteczna. Kiedy w oparach benzyny zmywałam zieloną farbę, pomyślałam: Proszę, teraz używam benzyny nawet do czyszczenia. Tylko czekać, aż zacznę się w niej kąpać albo nawet ją popijać. Poproszę lampkę bezołowiowej 93. Wytrawnej, bez oliwki.

Przed oddaniem kabrioletu do wypożyczalni zatrzymałam się na bocznej uliczce w Beverly Hills, żeby przeliczyć napiwek. Wyjęłam kopertę z kieszeni i ją otwarłam.

W środku, tak jak się spodziewałam, znalazłam studolarówki. Były czyściutkie, jakby prosto z drukarni i szeleściły, kiedy je liczyłam. Ale było ich tylko dziesięć.

Tysiąc dolarów.

Nagle słyszałam wyłącznie walenie swojego serca i dochodzący z któregoś z ogrodów dźwięk dmuchawy do liści. Tkwiłam przez chwilę nieruchomo, żeby się uspokoić. Następnie jeszcze kilka razy policzyłam banknoty, w nadziei, że może się pomyliłam, że może studolarówki się posklejały albo część została w kopercie.

Dostałam jedną piątą tego, co większość szoferów, choć harowałam co najmniej dziesięć razy ciężej. Czyżby uznali, że moja praca nie jest tak samo wartościowa? – zastanawiałam się.

Później poprosiłam kolegę, żeby przetłumaczył mi napis na kopercie. Adresatem był „kierowca Majsam". Zdziwiłam się. Lubiłam Majsam i nie miałam nic przeciwko temu, że mnie z nią kojarzono. Jednak to, że na kopercie widniało tylko jedno imię, sugerowało, że woziłam tylko jednego pasażera, podczas gdy w rzeczywistości miałam ich mnóstwo, w tym Fahimę, księżniczkę Aminę, księżniczkę Radżiję, Malikę, Asrę, no i oczywiście fryzjera i liczne służące. Przez prawie trzy tygodnie co wieczór jeździłam do Palm Springs i z powrotem. Byłam punktem wszelkiego wsparcia. W pięć godzin zdobyłam dwadzieścia siedem butelek Hair Offu. Kto inny by temu podołał?

Na kopercie nie widniało też moje imię, choć wydawało mi się, że pułkownik o nie pytał, żeby sprawdzić, czy daje mi właściwy napiwek. Na pewno wiedział, ile zadań mi powierzano, może niektóre sam mi nawet zlecał, choć polecenia dostawałam zawsze od ochroniarzy na dwunastym piętrze. Co do licha? – zastanawiałam się. Może nie wiedzą nawet, kim jestem i ile dla nich zrobiłam?

Komu mogę się poskarżyć? Saudyjczycy byli już dziesięć kilometrów nad ziemią i uciekali samolotem za trzysta milionów dolarów. Nawet jeśli miałabym dość odwagi, żeby zaprotestować, co miałabym powiedzieć? Posłuchaj, paniusiu księżniczko, powinnaś się wstydzić. Czy uroda i przywileje niczego cię nie nauczyły?

Do samego końca kurczowo trzymałam się myśli, że na świecie panuje merytokracja, więc moja ciężka praca, sumienność i oddanie zostaną docenione. Teraz wiem, jak bardzo byłam naiwna. Nikogo to nie obchodzi.

Kiedy analizuję to całe doświadczenie, dochodzę to wniosku, że musiało się tak skończyć. Jestem kobietą, więc Saudyjczycy uznali pewnie, że nie zasługuję na tyle samo pieniędzy co mężczyzna albo że ich nie potrzebuję – w końcu facet ma na utrzymaniu rodzinę. Nie interesowało ich moje życie prywatne. Jako kobieta mogę przecież zawsze liczyć na opiekę mężczyzn. To przyjmuje się za pewnik. Sama przecież wymyśliłam męża, który zdrowieje i wkrótce będzie mógł znowu się mną zająć. Zamiast mówić im, że Michael ma się lepiej, mogłam udawać, że się przekręcił. Może współczucie przełożyłoby się na większy napiwek?

Zmęczenie i rozczarowanie sprawiły, że dostałam zawrotów głowy. Dwadzieścia minut siedziałam w milczeniu w samochodzie, próbując wykrzesać z siebie dość energii, żeby przekręcić kluczyk, odjechać i żyć dalej. Kilku ogrodników z pobliskich willi przyglądało mi się z zaciekawieniem, kiedy wychodzili wysypać śmieci do stojących przy ulicy kubłów. Jeden miły starszy pan zapukał w moje okno.

– Wszystko w porządku, kochana? Potrzebujesz pomocy?

Podziękowałam mu machnięciem ręki. Wcześniej we wściekłości zmięłam studolarówki i rozrzuciłam je po samochodzie, więc leżały teraz między przednim a tylnym siedzeniem, pod dywanikami i koło dźwigni zmiany biegów. Kilka minut zajęło mi zebranie ich wszystkich, rozprasowanie i włożenie z powrotem do koperty.

Potem obliczyłam, że w siedem tygodni przejechałam ponad szesnaście tysięcy kilometrów, czasem nawet sześćset dziennie. Przez cały okres zlecenia, siedem dni w tygodniu przez siedem tygodni, pracowałam średnio osiemnaście godzin na dobę. Nikt mnie do tego nie zmuszał.

Robiłam to dla pieniędzy.

Kiedy uspokoiłam się na tyle, że byłam w stanie prowadzić, odwiozłam auto do wypożyczalni. Na szczęście nikt nawet słówkiem nie wspomniał o rysie. Poprosiłam, żeby samochód zastępczy podrzucił mnie do hotelu Beverly Hills przy Rodeo Drive. Czekała tam na mnie moja przyjaciółka Lorelei. Wygrała na loterii kilka kuponów i spędziła dzień w hotelowym spa.

Zaprosiła mnie na obiad do klubu Polo Lounge, żeby uczcić swój ostatni wieczór w Los Angeles – wracała na Wschodnie Wybrzeże, żeby zacząć nowe życie z dala od branży rozrywki. Miała już dość stresów i męczarni. Przyjechała do Kalifornii niedługo po mnie i pracowała niezmordowanie, starając się zrobić tu karierę. Szybko zdała sobie jednak sprawę, że nie da rady konkurować z gadającymi psami, śpiewającymi szczeniętami i byłymi dziewczynami Playboya, które też ubiegały się o rolę dwudziestojednoletniej specjalistki od fizyki jądrowej.

Hostessa zaprowadziła nas w głąb sali i usiadłyśmy na aksamitnej kanapie tuż obok fortepianu. Rozejrzałam się po ciemnozielonym wnętrzu klubu. Było w nim pełno ożywionych, zadowolonych ludzi. Otaczali mnie elegancko ubrani mężczyźni i kobiety, którzy sączyli martini z wysokich lampek, pogryzali pikantne orzeszki i suszone groszki wasabi lub zajadli się ostrygami Kumamoto. Światła migotały, a ludzkie sylwetki rzucały cienie na zdjęcia graczy polo na ścianach. Pianistka grała cicho klasyczne jazzowe kawałki. Na kanapie obok nas starsza para całowała się namiętnie. Mężczyzna nucił kobiecie do ucha *Day and night, you are the one.*

– Zamów, co chcesz. Ja stawiam – powiedziała Lorelei. – Zasłużyłyśmy sobie.

Zdezorientowana pokręciłam głową. Jeszcze kilka godzin temu byłam marnym szoferem, a teraz, w tym samym czarnym garniturze od Calvina Kleina, w spodniach spiętych agrafką, patrzyłam na dystyngowanego siwego kelnera w dwurzędowej białej marynarce, który do klapy miał przypiętą elegancką broszkę z pięcioma gwiazdkami. Wybrałam burgera z wołowiny Kobe w sosie truflowym za czterdzieści dolarów i kieliszek caberneta z doliny Napa, a potem przyglądałam się, jak mężczyzna przesuwa solniczkę i pieprzniczkę, żeby dać znać kolegom, że już przyjął od nas zamówienie. Następnie uśmiechnęłam się do przyjaciółki i słuchałam jej pięknej opowieści o niezliczonych możliwościach, które na nią czekają. Po zabiegach w spa miała różowe policzki i wypoczętą twarz. Mówiła, że już nie może się doczekać, żeby zacząć wszystko od nowa.

– Do licha z tym wszystkim – entuzjazmowała się. – W życiu chodzi o zmianę, regenerację, ciągle odradzanie. A tak przy okazji: dają tu najlepsze hamburgery w mieście! Świetnie wybrałaś. Spróbuję trochę od ciebie.

Z miejsca, w którym siedziałam, miałam doskonały widok na oświetlony hotelowy hol. Przyglądałam się, jak krzątają się tam pokojówki w fartuszkach, portierzy w liberiach, lokaje w różowych koszulach i odziani na czarno szoferzy. Stąpali cicho po miękkich dywanach, przechodząc do wind czy prywatnych garaży, w których trzymano najdroższe samochody: maybachy i rolls-royce'y za milion dolarów. Od czasu do czasu dochodząca z klubu muzyka albo pobrzękiwanie kieliszków przyciągało uwagę kogoś z personelu – lokaj albo pokojówka zaglądali do środka, wsłuchiwali się przez chwilę, a następnie wracali do swoich zajęć. Czasem nasze spojrzenia się spotykały i uśmiechałam się do nich serdecznie.

Podnosząc lampkę wina do ust, poczułam, że ręce nadal śmierdzą mi benzyną, choć po akcji zeskrobywania farby umyłam je już kilka razy. Przeprosiłam Lorelei i poszłam do łazienki, żeby jeszcze raz je wyszorować. Damska toaleta była rozmiarów boiska do piłki nożnej i znajdowała się w głębi holu. Wytarłam twarz i ręce miękkim ręczniczkiem, a potem pomalowałam usta przed wielkim złoconym lustrem. Niezależnie od tego, jak przed nim stawałam, wyglądałam upiornie. Przesuszone włosy zamieniły mi się w jeden wielki kołtun na czubku głowy, bo jeździłam kabrioletem bez czapki. Wiedziałam, że upłynie wiele tygodni, zanim będę mogła swobodnie je rozczesać. Oczy miałam zapadnięte i niezdrowo błyszczące, moja skóra przypominała asfalt przeorany przez ośmiotonową ciężarówkę bez kilku opon. Uszczypnęłam się w policzki, żeby nabrać trochę koloru i szybko uciekłam z łazienki.

Hol pękał od ubranych w taftę, aksamit i tiul kobiet oraz mężczyzn w smokingach. Wypadając z toalety, o mało się z kimś nie zderzyłam. W wielkiej sali balowej hotelu odbywało się właśnie wesele i państwo młodzi mieli się za chwilę pojawić. Przedarłam się przez elegancki tłum i usiadłam na różowej sofie, żeby przez chwilę pogapić się na zbiegowisko. Miałam nadzieję, że uda mi się zobaczyć pannę młodą. Powietrze w holu było przesycone zapachem lilii tygrysich unoszącym się z porozstawianych wszędzie wazonów z misternymi kompozycjami oraz wonią francuskich i włoskich perfum, którymi skropieni byli weselnicy. Kryształowe żyrandole oświetlały wszystko delikatnym rozproszonym światłem.

Patrzyłam, jak kobieta w długiej sukni z lamy, biegnąc do sali balowej, potyka się i upuszcza złotą torebkę Chanel. Mała kopertówka spada na gęsty zielono-różowy dywan, a stojący w pogotowiu lokaj zgrabnie ją podnosi i oddaje właścicielce. Ta przez chwilę groźnie mu się przygląda, po czym wyrywa mu torebkę bez słowa podziękowania, jakby mężczyzna próbował ją okraść, a ona złapała go na gorącym uczynku. Lokaj stoi przez chwilę nieco zdezorientowany, po czym odchodzi, śmiejąc się do siebie. Chciałam jakoś dać mu do zrozumienia, że widziałam całe zajście, ale zniknął zbyt szybko, a ja byłam za bardzo zmęczona, żeby go gonić.

Zadzwoniłam z komórki do pana Rumiego.

– Pojechali – powiedziałam.

– Wow, już myślałem, że w życiu nie wyjadą. Dobrze się czujesz?

– Cieszę się, że odebrałeś.

– Chcesz, żebym po ciebie przyjechał?

– Nie, ale później chętnie się z tobą zobaczę. Jestem w hotelu z Lorelei, ale chyba już długo nie pociągnę.

– Zadzwoń, jak będziesz chciała wracać. Odwiozę cię do domu.

– Bardzo miło z twojej strony. Przyjemnie będzie usiąść na fotelu pasażera – odpowiedziałam i się rozłączyłam.

Nie byłam pewna, czy chcę spędzić resztę życia z panem Rumim, ale chętnie pozwoliłam mu się trochę powozić.

Mijały mnie tłumy weselnych gości, ale panna młoda nadal się nie pojawiła.

Lorelei wyszła z klubu, żeby mnie poszukać. Poinformowała mnie, że hamburger za czterdzieści dolarów stygnie.

– Czemu tu siedzisz? Wszystko w porządku? – zapytała. – Wyglądasz na zagubioną.

Uśmiechnęłam się.

– Nie, wszystko dobrze. Po prostu podziwiam cały ten splendor.

EPILOG

Nienawidziłam szoferki. Praca była upokarzająca i bardzo ciężka, czułam się uwięziona w garniturze i ciasnym wnętrzu samochodu, szokowały mnie i poniżały nieprzyzwoite zachowania, których na co dzień byłam świadkiem. Siadając za kierownicą, traciłam wszelką nadzieję na lepszą przyszłość. Choć to ja rzekomo kontrolowałam auto, miałam poczucie, że odebrano mi wszelką autonomię i prawo do decydowania. Od czasu do czasu wydarzało się jednak coś, co przywracało mi wiarę w sens życia, w ludzi i w przyszłość.

Pewnego ranka miałam odebrać pasażera z hotelu Renaissance w Hollywood. Zlecenie było „zgodnie z poleceniem klienta", co oznaczało, że nie wiedziałam, jak długo będę pracować – mogło się zdarzyć, że cały dzień albo całą noc – ani dokąd przyjdzie mi jechać. Jeśli wzywano mnie wieczorem, to z reguły miałam zabrać zamiejscowych biznesmenów na mecz Lakersów, a potem na pielgrzymkę po klubach ze striptizem zakończoną nad ranem w koreańskim salonie masażu. Następnie odstawiałam ich na lotnisko, z którego o dziesiątej odlatywał czarterowy samolot. Nigdy wcześniej nie zdarzyło mi się zlecenie „zgodnie z poleceniem klienta" w ciągu dnia, więc nie miałam pojęcia, co mnie czeka.

Hotel Renaissance nie jest ekskluzywny – to moloch o powierzchni trzynastu tysięcy metrów kwadratowych położony za Teatrem Kodaka. Mieszkają w nim turyści, którzy chcą być blisko Alei Gwiazd czy muzeum Ripley's Believe It or Not, nie stać ich na hotel Beverly Hills ani nawet Hiltona, a nadal chcą czuć się częścią hollywoodzkiej elity. Pasażer z takim adresem nie napawał mnie optymizmem. Wiedziałam, że czeka mnie długi i prawdopodobnie śmiertelnie nudny dzień, więc modliłam się tylko, żeby nie okazał się okropny.

Zgodnie z zasadami podjechałam pod hotel kwadrans przed wyznaczoną porą. Klient był już gotowy i czekał na mnie przy wejściu. Rozpoznałam go od razu. Garrison Keillor bez żadnej ostentacji wsiadł do samochodu i ruszyliśmy do Torrance, miasta w stanie Kalifornia, gdzie miał podpisywać swoją książkę. Na początku długiej podróży prawie w ogóle się nie odzywał. Przeprosił, że ze mną nie rozmawia, ale poprzedniego wieczoru występował w Hollywood Bowl i był bardzo zmęczony. Później jednak zaczął interesować się moją osobą i wdaliśmy się w dyskusję o sztuce, literaturze i niezależnym kinie. Mówił tym samym niesamowicie głębokim barytonem, który tak często słyszałam z radia – spędzałam z nim długie samotne sobotnie popołudnia na lotniskowym parkingu, czekając na spóźnionych pasażerów.

Keillor powiedział, że stawia sto dolarów, że moje miejsce jest na tylnym siedzeniu limuzyny, nie z przodu, na co roześmiałam się w głos. Wiele razy wożono mnie luksusowymi samochodami, to właśnie podczas jednej z takich przejażdżek wpadłam na cudowny pomysł dorabiania jako szofer. Mój pasażer był bardzo uprzejmy, niemal szarmancki, ciekawiła go moja kariera i poglądy. Co się, do licha, stało, że taka dama jak ja skończyła za kierownicą? Czym zajmowałam się w prawdziwym, nieszoferskim życiu? Jaka jest moja wymarzona praca, której jeszcze nie miałam szansy podjąć? – pytał. Odniosłam wrażenie, że naprawdę interesuję go ja i to, co mam do powiedzenia. Tak mnie to zachwyciło, że omal nie zjechałam z autostrady.

Keillor wspomniał greckiego filozofa Heraklita i jego teorię o nieustannie zmieniającym się wszechświecie – mówił, że zdaniem myśliciela człowiek może doświadczyć wielkiej zmiany, tylko jeśli stoczy się na dno, a wszystko, co ważne, rodzi się w walce z przeciwnościami i w wielkim trudzie. Nadstawiłam uszu.

Z dysonansu powstaje idealna harmonia – powiedział na zakończenie.

Jego słowa dodały mi otuchy – kiedy mówił, czułam, jak moje ciało się rozluźnia i ogrania mnie spokój, jakby każda komórka na chwilę się zatrzymała i odetchnęła z ulgą. Ukołysał mnie głosem i wprawił w stan przyjemnego czujnego odpoczynku. Właśnie wtedy pojawiła się we mnie iskierka nadziei na lepsze jutro.

Dotarliśmy do centrum handlowego, gdzie w księgarni miał spotkanie z czytelnikami. Stanęłam z tyłu i razem z setkami jego wielbicieli słuchałam, co mówi, i śmiałam się w głos. Kiedy mnie zobaczył, puścił mi oczko. Przemawiał ponad godzinę, a potem podpisywał książki i gawędził z czytelnikami. Zauważyłam, że każdemu poświęca dużo uwagi – wiele osób przyszło tylko po to, żeby wyrazić swój podziw, ale byli też tacy, którzy chcieli opowiedzieć mu swoją historię. On słuchał cierpliwie i uważnie, nigdy im nie przerywał, a czasem nawet ich pocieszał. Z daleka wydawało mi się, że jakiś starszy pan przez chwilę płacze oparty na jego ramieniu, ale może tylko coś sobie opowiadali. Po kilku godzinach odszukałam menedżera księgarni i zdobyłam dla Keillora herbatę i mufinkę. Położyłam je na stoliku, obok którego stał.

– O, kochana, bardzo ci dziękuję – powiedział. – Umieram z głodu i pragnienia.

Dawał autografy całe popołudnie, nie siadając ani na chwilę, dopóki nie uporał się z długaśną kolejką. Wielu fanów czekało długie godziny ze stosami książek do podpisania. Przeszłam się po sklepie i zobaczyłam, że jego tytuły można znaleźć w działach z literaturą dziecięcą, literaturą faktu, beletrystyką i poezją. Napisał nawet książkę z żartami. „Co to jest: zielone i zwisa z drzewa?" (śpiki żyrafy). Nie zdawałam sobie sprawy, że jest tak płodnym autorem.

Pod wieczór podprowadziłam samochód przed wejście i czekałam, aż Keillor skończy spotkanie. Znów wsiadł bez ceregieli, nie pozwalając otworzyć sobie drzwi, i ruszyliśmy do hotelu. Mój pasażer był blady i zmęczony.

– Padam z wyczerpania – powiedział, po czym zasnął i przespał prawie całą długą drogę powrotną.

Od czasu do czasu wzdychał albo cicho pochrapywał.

Obudził się mniej więcej po godzinie i rozejrzał się zdezorientowany, żeby zobaczyć, gdzie jesteśmy. Następnie poprosił, żebyśmy podjechali do bankomatu. Opowiedziałam, że dosłownie za chwilę będziemy w hotelu, ale on nalegał, żebym i tak mu jakiś znalazła. Wypatrzyłam bankomat obok supermarketu przy Hollywood Boulevard, więc zatrzymaliśmy się tam na chwilę, a Keillor wypłacił pieniądze. Potem odwiozłam go do hotelu. Zanim wysiadł, dał mi trzysta dolarów, mówiąc:

– Dziękuję ci za bardzo miłe towarzystwo. To tylko symboliczny dowód mojej wdzięczności. Jesteś wspaniałą kobietą i na pewno osiągniesz sukces.

Tak się złożyło, że kiedy wracałam do domu, w radiu leciała powtórka jego programu. Czułam się tak, jakby znów był ze mną w samochodzie. Do dziś na dźwięk jego głosu czuję przypływ nadziei... nadziei, że z dysonansu powstaje idealna harmonia.

PODZIĘKOWANIA

Zawsze się zastanawiałam, dlaczego podziękowania w książkach są takie długie. Teraz już wiem – przynajmniej w moim przypadku w pisaniu pomagał mi ogromny sztab ludzi. Mam szczęście, że znam tak wielu niesamowicie ofiarnych i zdolnych żołnierzy, którzy nie szczędząc wysiłków, zaangażowali się w kolosalną operację, w ramach której:

karmili mnie i poili; intensywnie i niezmordowanie mnie motywowali; od czasu do czasu mnie rozpieszczali; byli zawsze życzliwi, służyli mi pomocą i pocieszali; dawali mi rady, czasem nieproszeni, a ich wskazówki potem okazywały się bardzo cenne; obdarowywali mnie komputerami, komórkami, papierem, drukarkami, tuszem do drukarek oraz robili dla mnie wydruki, odstępowali mi swoje darmowe przeloty i zniżki u fryzjera; bez uprzedzenia zgadzali się mnie przenocować, nierzadko ratując mi życie; dbali o to, żebym nie umarła z głodu; przez wiele lat dbali o moją płynność finansową, rozpoczynając sponsoring, jak tylko przyszłam na świat; pełnili funkcję moich producentów i reżyserów; czytali mój manuskrypt na cito, czasem przez całą noc; pozwalali mi się łudzić, często bez żadnych komentarzy; odzyskali moje upuszczone do szybu windy klucze, których miałam tylko jeden komplet, za pomocą przyczepionych do kija golfowego magnesów (co zajęło trzy godziny!); przypominali mi o posiłkach; przeczesywali biblioteki i księgarnie w poszukiwaniu potrzebnych mi książek i wyświadczali mi wszelkie inne przysługi, o których wstydzę się tu pisać.

Większość wymienionych poniżej osób i instytucji brała udział w niektórych z powyższych zadań bojowych, inni prawie we wszystkich. Każdy wie, kim jest i w co się angażował.

Sztab pomocników (kolejność przypadkowa):

Khaled Gabriel Tolba, Robert Knott, Julie Rose, Carol Beggy, Mike Rose, Annie Gwathmey, Emily Margolin Gwathmey, Buzz Kinninmont, Jared Moses, Richard Krevolin, Monique Vescia, Barbara Gubelman, Helena Gubelman, John Pappas, Jennifer London, Zeinab Oumais, Alberto Ortiz, Tim Sullivan, Elissa Scrafano, Amy Schmidt, Kerry Schmidt, Annie Biggs, John Haslett, Charlie Stratton, Patrick Terry, Gerold Wunstel, Dalia Mogahed oraz Centrum Studiów o Islamie w Instytucie Gallupa, dr Eleanor Abdella Doumato, dr Jan Morgan, Lisa Bishop, Lisa Cantor, Jeanne Darst, Giti Khajehnouri, Peter Gethers, Kate Warren, Yanni Kotsonis, prof. Bruce Levitt, dr David Feldshuh i Wydział Teatru, Filmu i Tańca Uniwersytetu Cornella, Jackie Nichols i teatr Playhouse on the Square w Memphis, Ernie Zulia i Uniwersytet Hollinsa, August Holler i wiedeńska Einfahrt Café, zespół teatralny Naked Angels, klub Galapagos Art Space, centrum Y-Tribeca przy 92. Ulicy, personel głównych bibliotek publicznych w Los Angeles i Santa Monica, Jim Krusoe i warsztaty pisarskie w Santa Monica College.

Moja rodzina – Sandy, Michela i Eddie, Marthe i Charles, Gus i Nancy, Robbie, Bitty i John, Margo, George i Ramona, Jon i Meghan oraz moja mama Francesca Nadalini.

Moja redaktor Leah Miller (zawsze taktowna i zawsze skuteczna), Edith Lewis (niezrównana korektorka), Jennifer Weidman, Dominick Anfuso, oraz wszyscy utalentowani i cierpliwi pracownicy wydawnictw Free Press oraz Simon & Schuster.

Lindsay Edgecombe (zwana też L'Edge, i Velvet Hammer), wspaniała agentka, która w upalny sierpniowy piątek w nieklimatyzowanym teatrze na Manhattanie miała dość energii i wyobraźni, żeby dostrzec w mojej sztuce potencjał na książkę.

Mam dług wdzięczności wobec was wszystkich.

SPIS TREŚCI